Das Buch

»Mr. Sammler mahlte den [...] Ka-
sten, kurbelte gegen die U[...]tung zwischen den
langen Knien. Alltägliche Handlungen erledigte er mit pedantischem Ungeschick. In Polen, Frankreich und England
waren Studenten, junge Herren seiner Zeit, mit der Küche
nicht in Berührung gekommen.« Arthur Sammler, in Krakau
geboren und während der 20er und 30er Jahre Journalist in
London, zieht nach dem 2. Weltkrieg mit seiner Tochter
nach New York. Dort lebt er zurückgezogen an der Upper
West Side, widmet sich seinen philosophischen Studien und
ist bemüht, sich im Chaos der Metropole eine Insel des Frie-
dens zu bewahren. Verschiedene Personen aber bringen einige Unruhe in sein Leben: ein Taschendieb, seine reiche Verwandte Angela, der Student Feffer und nicht zuletzt seine
exzentrische Tochter Shula. »Bellow ist der geistreiche Ro-
mancier schlechthin, ein Erzähler, der seine Bilder von der
tragikomischen Selbstbehauptung des zivilisierten Menschen
auf überaus attraktive Weise zur Schau stellt.« (Frankfurter
Allgemeine Zeitung)

Der Autor

Saul Bellow, am 10. Juni 1915 in Lachine (Kanada) geboren,
wuchs in Chicago auf, studierte Anthropologie und Soziologie, war Journalist, Mitarbeiter der ›Encyclopaedia Britannica‹ und Hochschullehrer an verschiedenen Universitäten.
1944 erschien sein erster Roman ›Der Mann in der Schwebe‹.
1976 erhielt er den Nobelpreis für Literatur. Werke u.a.:
›Das Opfer‹ (1947), ›Die Abenteuer des Augie March‹
(1953), ›Herzog‹ (1964), ›Der Dezember des Dekans‹ (1982),
›Mehr noch sterben an gebrochnem Herzen‹ (1987).

Saul Bellow:
Mr. Sammlers Planet
Roman

Deutsch von Walter Hasenclever

Deutscher
Taschenbuch
Verlag

Saul Bellow
sind im Deutschen Taschenbuch Verlag erschienen:
Humboldts Vermächtnis (1525)
Eine silberne Schale/Das alte System (10425)
Der mit dem Fuß im Fettnäpfchen (11215)
Der Regenkönig (11223)

Ungekürzte Ausgabe
April 1990
Deutscher Taschenbuch Verlag GmbH & Co. KG,
München
© 1969 und 1970 Saul Bellow
Titel der amerikanischen Originalausgabe:
›Mr. Sammler's Planet‹
© 1971 der deutschsprachigen Ausgabe:
Verlag Kiepenheuer & Witsch, Köln
ISBN 3-462-00830-1
Umschlaggestaltung: Celestino Piatti
Umschlagbild: Christoph Krämer
Gesamtherstellung: C. H. Beck'sche Buchdruckerei,
Nördlingen
Printed in Germany · ISBN 3-423-11200-X

Kurz nach Tagesanbruch, oder was bei einem normalen Himmel Tagesanbruch gewesen wäre, musterte Mr. Artur Sammler mit seinem buschigen Auge die Bücher und Papiere seines auf der Westseite gelegenen Schlafzimmers und empfand den starken Argwohn, daß es die falschen Bücher, die falschen Papiere waren. Eigentlich war das ganz gleichgültig bei einem Mann, der über siebzig war und der Muße ergeben. Man mußte schon sehr verschroben sein, wenn man sich aufs Rechthaben versteifte. Recht haben war weitgehend eine Sache der Erklärung. Der intellektuelle Mensch war zur erklärenden Kreatur geworden. Väter den Kindern, Frauen den Männern, Vortragende den Hörern, Fachleute den Laien, Kollegen den Kollegen, Ärzte den Patienten, der Mensch der eigenen Seele – erklärten. Die Wurzeln von diesem, die Ursachen von etwas anderem, den Ursprung von Geschehnissen, die Geschichte, die Struktur, den Grund. Und zumeist zum einen Ohr hinein, zum anderen heraus. Die Seele wollte, was sie wollte. Sie hatte ihr eigenes natürliches Wissen. Sie saß unglücklich auf Überbauten von Erklärungen, der arme Vogel, und wußte nicht, wohin sie fliegen sollte.

Das Auge schloß sich kurz. Eine holländische Schinderei, fuhr es Sammler durch den Sinn, pumpen und pumpen, um ein paar Morgen trockenes Land zu behalten. Das andringende Meer war das Gleichnis für die Vervielfältigung der Tatsachen und Empfindungen. Denn die Erde war eine Erde der Ideen.

Da er keinem Beruf entgegenzuwachen brauchte, meinte er, er solle dem Schlaf eine zweite Chance einräumen, gewisse Schwierigkeiten phantasievoll zu beseitigen, und zog die nicht eingeschaltete elektrische Bettdecke mit ihren inneren Flexen und Knoten hoch. Die Seidenborte tat den Fingerspitzen gut. Er war noch schläfrig, aber nicht wirklich zum Schlafen geneigt. Zeit, bewußt zu sein.

Er setzte sich auf und stöpselte die elektrische Kochplatte ein. Wasser war schon beim Schlafengehen bereitgestellt worden. Er liebte es, die Wandlungen der aschenen Drähte zu beobachten. Sie wurden wütend lebendig, sprühten winzige Funken und sanken in rote Starre unter der Pyrex-Laborflasche. Tiefer. Erblassend. Er hatte nur ein gutes Auge. Das linke unterschied nichts als Licht und Schatten. Aber das gute war dunkelhell, scharf beobachtend hinter den überhängenden Haaren der Braue, wie bei gewissen Hunderassen. Für seine Größe hatte er ein kleines Gesicht. Der Kontrast machte ihn auffällig.

Diese Auffälligkeit beschäftigte seine Gedanken, sie beunruhigte ihn. Mehrere Tage schon hatte Mr. Sammler, wenn er am Spätnachmittag im gewohnten Bus von der Bibliothek in der 42. Street nach Hause fuhr, einen Taschendieb bei der Arbeit beobachtet. Der Mann stieg am Columbus Circle ein. Die Arbeit, das Verbrechen, war bis zur 72. Street getan. Wäre Mr. Sammler nicht ein hochgewachsener Ledergriffhänger gewesen, dann hätte er mit seinem guten Auge diese Dinge gar nicht mitangesehen. Jetzt fragte er sich jedoch, ob er nicht zu nahe herangekommen, ob er nicht seinerseits beim Sehen gesehen worden sei. Er trug eine dunkle Brille, die jederzeit seine Sicht schützte, aber man konnte ihn nicht für einen Blinden halten. Er trug keinen weißen Stock, sondern nur einen nach britischer Art gerollten Regenschirm. Außerdem bot er nicht den

Anschein der Blindheit. Der Taschendieb trug selbst eine dunkle Brille. Er war ein kräftig gebauter Neger in einem Kamelhaarmantel, mit ausgesuchter Eleganz gekleidet, wie von Mr. Fish im West End, oder von Turnbull und Asser in der Jeromyn Street. (Mr. Sammler kannte sein London.) Die untadeligen enzianblauen, mit schönem Gold gerandeten Brillenkreise des Negers richteten sich auf Mr. Sammler, aber das Gesicht zeigte die Unverfrorenheit eines großen Tieres. Sammler war nicht furchtsam, aber er hatte im Leben so viel Ungemach erlitten, daß es ihm reichte. Ein ganzer Teil davon, der auf Bewältigung wartete, würde sich nie verkraften lassen. Seiner Vermutung nach hatte der Verbrecher gemerkt, daß ein großer weißer alter Mann (der sich als blind ausgab?) seine Verbrechen bis in die kleinste Einzelheit mitangesehen und beobachtet hatte. Darauf hinuntergestarrt hatte. Als beobachte er eine Operation am offenen Herzen. Und obwohl er sich nichts merken ließ und beschloß, sich nicht abzuwenden, als ihn der Dieb ansah, färbte sich sein altes, sein fleischiges kultiviertes Gesicht kräftig rot, die kurzen Haare sträubten sich, Lippen und Gaumen brannten. Er fühlte eine Beengung, ein Zupacken der Krankheit an der Schädelbasis, wo die Nerven, Muskeln und Blutgefäße dicht gebündelt waren. Der Hauch Polens im Kriege strich über das schadhafte Gewebe – die Nervenspaghetti, wie er es in Gedanken nannte.

Busse waren erträglich, Untergrundbahnen tödlich. Mußte er den Bus aufgeben? Er hatte seine Nase in fremde Angelegenheiten gesteckt, was für einen Siebzigjährigen in New York nicht ratsam war. Es war immer wieder Mr. Sammlers Problem, daß er sein Alter nicht zur Kenntnis nahm, seine Lage nicht richtig einschätzte, wo er hier durch keine Position, keine distanzierenden Vorrechte – Klubmitgliedschaft, Taxis, Pförtner, bewachte Zugangswege –, die sich aus einem Einkommen von fünfzigtausend Dollar ergaben, geschützt war. Für ihn war es der Bus oder die knirschende Untergrundbahn, Lunch im Automatenrestaurant. Kein Grund zur ernsten Beschwerde, aber seine Jahre als »Engländer«, zwei Jahrzehnte in London als Korrespondent für Warschauer Zeitschriften und Journale, hatten ihm ein Auftreten beigebracht, das einem Flüchtling in Manhattan nicht eben sehr zustatten kam. Er hatte sich eine Ausdrucksweise angewöhnt, die einem Refektorium in Oxford angemessen war, sein Gesicht gehörte in den Bibliothekssaal des British Museum. Als Schuljunge in Krakau vor dem ersten Weltkrieg hatte sich Sammler in England verliebt. Dieser Unsinn war ihm weitgehend ausgetrieben worden. Er hatte die ganze Frage der Anglophilie neu überdacht und skeptische Überlegungen zu Salvador de Madriaga, Mario Praz, André Maurois und Colonel Bramble angestellt. Er kannte das Phänomen. Immerhin nahm er angesichts des eleganten Gauners im Bus, den er beim Entleeren einer Handtasche beobachtet hatte – die Handtasche hing noch offen –, eine britische Haltung an. Ein trockenes, klares, ein sprödes Gesicht erklärte, daß keiner des anderen Sphäre verletzt habe; man begnügte sich mit den eigenen Angelegenheiten. Aber unter den hohen Achseln war Mr. Sammler äußerst heiß, naß; er hing an seinem Ledergriff, eingepfercht von Leibern, empfing ihr Gewicht und legte ihnen das seine auf, als die fetten Reifen die riesige Kurve aus der 72. Street mit einem Grollen lässiger Kraft nahmen.

Er schien tatsächlich sein Alter nicht zu kennen, oder an welchem Punkt des Lebens er stand. Man konnte das seinem Gang ansehen. Auf der Straße war er gespannt, schnell, unberechenbar leichtfüßig und wagemutig, das ältliche Haar bewegte sich am Hinterkopf. Wenn er die Straße überquerte, hob er den gerollten Regenschirm, um den Autos, Bussen, eilenden Lastwagen und Taxis, die auf ihn zukamen, den Weg zu zeigen, den er gehen wollte. Sie mochten ihn überfahren, aber er konnte seinen blinden Gehstil nicht ändern.

Mit dem Taschendieb waren wir in einem benachbarten Bereich der Waghalsigkeit. Er wußte, daß der Mann den Riverside-Bus abgraste. Er hatte ihn Handtaschen ausräubern sehen und es der Polizei gemeldet. Die Polizei interessierte sich nicht besonders für die Anzeige. Sammler war sich wie ein Trottel vorgekommen, als er geradewegs auf eine Telefonzelle am Riverside Drive zuging. Natürlich war das Telefon zertrümmert. Die meisten Straßentelefone waren zertrümmert, verstümmelt. Sie dienten auch als Bedürfnisanstalten. New York wurde schlimmer als Neapel oder Saloniki. In dieser Hinsicht war es wie eine asiatische oder afrikanische Stadt. Die reichen Bezirke waren nicht dagegen gefeit. Man öffnete ein edelsteinbesetztes Tor in die Erniedrigung, vom überzivilisierten byzantinischen Luxus geradewegs in den Naturzustand, die barbarische Farbenwelt, die von unten hochbrach. Dabei mochte es auf beiden Seiten des juwelenbesetzten Tores durchaus barbarisch hergehen. Zum Beispiel sexuell. Offenbar, begann Mr. Sammler zu begreifen, kam es darauf an, die Vorrechte und die Freiheiten der Barbarei unter dem Schutz von zivilisierter Ordnung, Eigentumsrechten, verfeinerter technologischer Organisation und so weiter zu erlangen. Ja, so mußte es sein.

Mr. Sammler mahlte seinen Kaffee in einem viereckigen Kasten, kurbelte gegen die Uhrzeigerrichtung zwischen den langen Knien. Alltägliche Handlungen erledigte er mit pedantischem Ungeschick. In Polen, Frankreich und England waren Studenten, junge Herren seiner Zeit, mit der

Küche nicht in Berührung gekommen. Jetzt tat er Dinge, die einst Köche und Dienstmädchen getan hatten. Er tat sie mit einer gewissen priesterlichen Steifheit. Anerkennung des sozialen Abstiegs. Historischer Ruin. Wandlung der Gesellschaft. Er war über persönliche Demütigung erhaben. Er hatte solche Ideen während des Krieges in Polen überwunden – sie gründlich überwunden, besonders den idiotischen Schmerz über verlorene Klassenprivilegien. So gut es mit einem Auge ging, stopfte er seine eigenen Socken, nähte sich Knöpfe an, schrubbte das eigene Waschbecken und machte die wollenen Unterhosen im Frühling mit einer Sprühdose winterfest. Gewiß waren auch Damen da, seine Tochter Shula, seine (angeheiratete) Nichte Margot Arkin, in deren Wohnung er lebte. Sie halfen ihm, wenn es ihnen einfiel. Manchmal halfen sie beträchtlich, aber nicht zuverlässig, routinemäßig. Die Routinearbeit leistete er selbst. Das war denkbarerweise sogar ein Teil seiner Jugendlichkeit – einer mit gewissen Erschütterungen erhaltenen Jugendlichkeit. Sammler kannte diese Erschütterungen. Es war amüsant – Sammler bemerkte an alten Frauen, die gemusterte Trikots trugen, an alten, geilen Männern diese bebende Lebhaftigkeit, mit der sie dem souveränen jugendlichen Stil gehorchten. Die Mächte sind die Mächte – Herrscher, Könige, Götter. Und selbstverständlich wußte niemand, wann er abtreten mußte. Niemand gelangte zu einer nüchternen, anständigen Übereinkunft mit dem Tod.

Das Gemahlene in dem kleinen Schubfach hielt er über das Gefäß. Die rote Spule wurde intensiver, weißer, weiß. Die Spiralen wurden tobsüchtig. Wasserperlen blitzten hoch. Eine nach dem anderen stiegen die Bahnbrecher anmutig zur Oberfläche. Dann sprudelten sie alle zusammen. Er schüttete den gemahlenen Kaffee hinein. In seiner Tasse ein Stück Zucker, ein staubiger Löffel voll Trockensahne. Im

Nachttisch bewahrte er eine Tüte mit Zwiebelbrötchen von Zabar auf. Sie staken in Plastik, einem durchsichtigen Gebärsack, der mit einer weißen Plastikklammer verschlossen war. Im Nachttisch, der mit Kupfer ausgeschlagen war, einem früheren Humidor, blieben die Sachen frisch. Er hatte Margots Mann, Ussher Arkin gehört. Arkin, der vor drei Jahren bei einem Flugzeugabsturz ums Leben gekommen war, ein guter Mann, wurde von Sammler vermißt, wurde bedauert, betrauert. Als er von der Witwe aufgefordert wurde, ein Schlafzimmer der großen Wohnung in der 90. Street zu beziehen, bat Sammler, Arkins Humidor im Zimmer haben zu dürfen. Margot, die selbst sentimental war, sagte: »Gewiß, Onkel. Welch ein hübscher Gedanke. Du hast wirklich Ussher geliebt.« Margot war deutsch, romantisch. Sammler war etwas anderes. Er war nicht einmal ihr Onkel. Sie war die Nichte seiner Frau, die 1940 in Polen gestorben war. Seine verstorbene Frau. Die tote Tante der Witwe. Wohin man auch blickte oder zu blicken versuchte, waren sie verstorben. Man konnte sich schwer daran gewöhnen.

Grapefruitsaft trank er aus der Dose mit zwei dreieckigen Löchern, die auf dem Fenstersims stand. Der Vorhang teilte sich, als er ihn ergriff, und er sah hinaus. Braunstein, Balustraden, Erkerfenster, Schmiedeeisen. Wie Briefmarken im Album – das stumpfe Rosa der Gebäude ausgelöscht vom schweren Schwarz der Fenstergitter, von gerippten Regenrohren. Wie sehr schwerfällig das menschliche Leben hier war, in Formen bürgerlicher Solidität. Versuchte Dauer war traurig. Wir flogen jetzt zum Mond. Hatte man ein Anrecht auf persönliche Erwartungen, die waren wie diese Blasen im Gefäß? Aber dann übertrieben die Menschen auch die tragischen Akzente ihrer Lage. Sie betonten zu sehr die zerronnenen Zusagen: was man früher glaubte, worauf man vertraute, war nun bitter mit schwarzer Ironie umrandet. Das verworfene bürgerliche Schwarz der Stabilität war so verwandelt. Auch das war unanständig, unkorrekt. Die Menschen, die Müßiggang, Torheit, Seichtheit, Unlust, Lust rechtfertigten – und die frühere Achtbarkeit auf den Kopf stellten.

So war Sammlers Blick nach Osten: ein weich gewölbter Asphaltbauch, in dem dampfende Gullynabel lagen. Rissige Gehsteige mit Klumpen von Mülltonnen. Braunstein. Der gelbe Backstein von Fahrstuhlgebäuden wie das seine. Kleine Haine von Fernsehantennen. Peitschenartige, graziös erzitternde metallische Dendriten, die Bilder aus der Luft zogen und Bruderschaft, Gemeinsamkeit für die eingemauerten Wohnungsmenschen brachten. Nach Westen kam der Hudson zwischen Sammler und die großen Spry-Bratenfettindustrien von New Jersey. Diese blinkten ihre elektrische Botschaft durch die dazwischenliegende Nacht. SPRY. Aber dann war er ja halbblind.

Im Bus hatte er gut genug gesehen. Er sah, wie ein Verbrechen verübt wurde. Er meldete es der Polizei. Die war nicht eben erschüttert. Er hätte sich dann von diesem bestimmten Bus fernhalten können, versuchte statt dessen aber mit Macht, das Erlebnis zu wiederholen. Er ging zum Columbus Circle und lungerte dort herum, bis er den Mann wiedersah. Vier faszinierende Male hatte er es beobachtet, das Verbrechen, er starrte am ersten Nachmittag auf die männliche, von hinten kommende Hand, die die Schließe hob und die Handtasche etwas kippte, so daß sie aufklappte. Sammler sah einen manikürten Negerzeigefinger ohne Hast, ohne kriminelles Zittern, der eine Plastikhülle mit der Karte der Sozialversicherung oder mit Kreditkarten, Nagelfeilen, eine Lippenstiftkapsel, korallenrote Papiertaschentücher beiseiteschob und den Verschluß der Geldbörse öffnete – und da lag das Grün des Geldes. Mit gleicher Gemächlichkeit nahmen die Finger die Dollar heraus. Dann richtete der Neger, mit der leichten Hand eines Arztes auf dem Bauch des Patienten, das schräge Leder wieder gerade, drehte das vergoldete Muschelschloß. Sammler, dem sein Kopf klein erschien, vor Spannung geschrumpft und die Zähne zusammengebissen, blickte immer noch auf die Lackledertasche, die ausgeräubert der Frau auf der Hüfte saß, und fand, daß er sich über sie ärgerte. Daß sie nichts fühlte! Welch eine Idiotin! Lief herum mit irgendeiner dumpfen Tonmasse im Schädel. Instinkt gleich null, kein Begriff von New York. Indessen wandte sich der Mann, breitschultrig in seinem Kamelhaarmantel, von ihr ab. Die dunkle Brille nach einem Originalmodell von Dior, der kräftige Hals in einen Klappenkragen gebunden und ein kirschroter Seidenschlips, der daraus hervorquoll. Unter der afrikanischen Nase ein gestutzter Schnurrbart. Sammler, der sich ein ganz klein wenig zu ihm hinneigte, glaubte, von der Brust des Kamelhaarmantels aufsteigend französisches Parfüm wahrzunehmen. Hatte der Mann ihn dann bemerkt? War er ihm vielleicht nach Hause gefolgt? Dessen war Sammler nicht sicher.

Er gab keinen Deut für den Glanz, den Stil, die Kunst von Verbrechern. Sie waren für ihn keine sozialen Helden. Er hatte sich genau über dieses Thema mit einer seiner jüngeren Verwandten, Angela Gruner, der Tochter Dr. Arnold Gruners in New Rochelle, unterhalten, der ihn 1947 in die Staaten geholt hatte, nachdem er ihn in einem Heimatvertriebenenlager in Salzburg ausfindig gemacht hatte. Denn Arnold (Elya) Gruner hatte europäische Familiengefühle. Und beim Durchsehen der Füchtlingslisten in den jiddischen Zeitungen war er auf die Namen Arthur und Shula Sammler gestoßen. Angela, die mehrmals die

Woche in Sammlers Nachbarschaft war, weil ihr Psychologe direkt um die Ecke wohnte, kam oft zu einer Stippvisite. Sie war eins jener hübschen, sinnlichen, reichen Mädchen, die von jeher eine wichtige gesellschaftliche und menschliche Sparte darstellten. Eine mangelhafte Erziehung. In der Literatur vorwiegend französisch. In einem pikfeinen College. Und Mr. Sammler mußte sich redlich bemühen, sich Balzac ins Gedächtnis zu rufen, den er 1913 in Krakau gelesen hatte. Vautrin, der entkommene Verbrecher. Aus dem Schiffsgefängnis. *Trompe-la-mort*. Nein, er hatte keinen Sinn für die Romantik der Gesetzlosen. Angela schickte Geld an Verteidigungsfonds für schwarze Mörder und Sexualverbrecher. Das war selbstverständlich ihre Sache.

Immerhin mußte Sammler sich eingestehen, daß er die Sache wiederholt beobachten wollte, nachdem er dem Taschendieb einmal bei der Arbeit zugesehen hatte. Er wußte nicht warum. Es war ein eindrucksvolles Ereignis, und verbotener Weise – das heißt, gegen seine eigenen ständigen Grundsätze – begehrte er eine Wiederholung. An eine Einzelheit früherer Lektüre erinnerte er sich ohne Mühe – den Augenblick in *Schuld und Sühne*, da Raskolnikow die Axt auf das unbedeckte Haupt der alten Frau niederfallen ließ, auf ihr dünnes, von grauen Streifen durchzogenes und mit Fett beschmiertes Haar, dessen Rattenschwanzzopf mit einem zerbrochenen Hornkamm am Genick befestigt war. Das heißt, daß Schrecken, Verbrechen, Mord all die Erscheinungen, die alltäglichsten Einzelheiten der Wahrnehmung verlebendigten. Im Bösen wie in der Kunst lag eine Erhellung. Es war allerdings wie in der Geschichte von Charles Lamb, in der man ein Haus niederbrannte, um ein Schwein zu braten. War eine allgemeine Feuersbrunst vonnöten? Man braucht lediglich ein kontrolliertes Feuer am rechten Platz. Dennoch war es möglicherweise zu viel von allen verlangt, erst dann ein Feuer zu entfachen, wenn es am rechten Platz und in höherer Form geschehen konnte. Und obwohl Sammler beim Aussteigen beabsichtigte, die Polizei anzurufen, zog er trotzdem aus dem Verbrechen den Vorteil einer größeren Sicht. Die Luft war heller Spätnachmittag, Sommerzeit. Die Welt, der Riverside Drive, war böse erleuchtet. Böse, weil das klare Licht alle Gegenstände so deutlich machte und diese Deutlichkeit Mr.-Scharf-Beobachter-Sammler verhöhnte. Alle Metaphysiker bitte herhören. So steht das. Ihr werdet niemals klar sehen. Und was macht ihr daraus? Diese Telefonzelle hat einen Metallboden; die grünen Falttüren haben weiche Angeln, aber der Boden belästigt einen mit getrocknetem Urin; der Kunststoffapparat ist zertrümmert, und ein Stumpf hängt an der Schnur.

Nicht in drei Blocks fand er ein Telefon, in das er unbesorgt eine Münze stecken konnte; also ging er nach Hause. In der Eingangshalle hatte die Hausverwaltung einen Fernsehmonitor aufgestellt, damit der Pförtner auf Verbrecher aufpassen konnte. Aber der Pförtner war immer irgendwohin verschwunden. Das summende Rechteck elektronischer Strahlung war leer. Unter den Füßen war der achtbare Teppich, braun wie Soße. Das innere Gitter des Fahrstuhls, geschmeidige Messingkaros, die sich falteten, schmierig und schimmernd. Sammler ging in die Wohnung und setzte sich auf das Sofa in der Diele, das Margot mit großen, an den Ecken zusammengeknoteten und auf alte Kissen gesteckten Kopftuchquadraten von Woolworth bedeckt hatte. Er wählte die Polizei und sagte: »Ich will ein Verbrechen melden.«

»Was für ein Verbrechen?«

»Taschendiebstahl.«

»Einen Augenblick. Ich verbinde Sie weiter.«

Dann kam ein langes Summen. Eine Stimme, tonlos vor Gleichgültigkeit oder Ermüdung, sagte: »Ja.«

Mr. Sammler versuchte, in seinem ausländischen polnisch-oxfordischen Englisch möglichst bündig, geradezu und sachlich zu sein. Um Zeit zu sparen. Um komplizierte Befragung, unnötige Einzelheiten zu vermeiden.

»Ich möchte einen Taschendieb im Riverside Bus anzeigen.«

»O.K.«

»Wie bitte?«

»O.K. Ich habe gesagt O.K. Zeigen Sie an.«

»Ein Neger, etwa eins achtzig, etwa 180 Pfund, etwa fünfunddreißig Jahre alt, sehr gut aussehend, sehr gut gekleidet.«

»O.K.«

»Ich fand, ich sollte anrufen.«

»O.K.«

»Werden Sie etwas unternehmen?«

»Müssen wir doch wohl, oder? Wie heißen Sie?«

»Arthur Sammler.«

»Gut, Art. Wo wohnen Sie?«

»Mein lieber Herr, das will ich Ihnen gern mitteilen, aber ich möchte fragen, was Sie mit diesem Mann zu tun gedenken.«

»Was sollen wir Ihrer Meinung nach tun?«

»Ihn verhaften.«

»Wir müssen ihn erst einmal kriegen.«

»Sie sollten einen Mann in den Bus setzen.«

»Wir haben keinen Mann, den wir in den Bus setzen können. Es gibt eine Menge Busse, Art, und nicht genug Männer. Eine Menge Kongresse, Bankette und so weiter, die wir sichern müssen, Art. Prominente und hohe Militärs. Es gibt eine Menge Damen, die bei Lord & Taylor, Bonwit und Saks einkaufen und ihre Portemonnaies auf Stühlen liegenlassen, während sie die Ware befühlen.«

»Ah so. Sie haben nicht genügend Personal, und es gibt Prioritäten, politische Pressionen. Aber ich könnte Ihnen den Mann zeigen.«

»Ein andermal.«

»Sie wollen ihn sich nicht zeigen lassen?«

»Doch, aber wir haben 'ne Warteliste.«

»Ich käme auf *Ihre* Liste?«

»Das stimmt, Abe.«

»Arthur.«

»Arthur.«

Gespannt vornübergebeugt im hellen Lampenlicht lächelte Arthur Sammler mit langen Lippen, wie ein Motorradfahrer, der von einem Steinchen auf der Straße an der Stirn getroffen und unbedeutend verletzt worden ist. Amerika! (er sprach zu sich selbst). Im ganzen Universum als *die* begehrenswerteste, beispielhafteste aller Nationen angepriesen.

»Ich will sicher sein, daß ich Sie verstehe, Herr Wachtmeister – Herr Detektiv. Dieser Mann wird andere Leute berauben, aber Sie wollen nichts dagegen tun. Ist das richtig?« Es war richtig – bestätigt durch das Schweigen, wenn auch kein gewöhnliches Schweigen. Mr. Sammler sagte: »Auf Wiedersehen, Sir.«

Obzwar danach Sammler den Bus hätte meiden sollen, benutzte er ihn öfter als je. Der Dieb hatte eine regelmäßige Route, und er kleidete sich für die Fahrt, für seine Arbeit. Stets prächtig ausstaffiert. Mr. Sammler bemerkte einmal, aber ohne Verwunderung, daß er einen einzelnen goldenen Ohrring trug. Das war zuviel, als daß er's für sich behalten konnte, und zum erstenmal erwähnte er Margot, seiner Nichte und Wohnungswirtin, und Shula, seiner

Tochter, gegenüber, daß dieser gut aussehende, dieser eindrucksvolle, arrogante Taschendieb, dieser afrikanische Prinz oder diese große schwarze Bestie zwischen dem Columbus Circle und der Verdi Square suche, wen er verschlinge.

Für Margot war das faszinierend. Alles, was sie faszinierte, konnte sie den ganzen Tag bereden, von jedem Gesichtspunkt aus, mit aller deutschen Pedanterie. Wer war dieser Schwarze? Was war sein Ursprung, sein Klassen- oder Rassenverhalten, seine psychologischen Ansichten, seine wahren Gefühle, seine ästhetischen, seine politischen Anschauungen? War er ein Revolutionär? Wäre er für einen schwarzen Guerillakrieg? Wenn Sammler nicht mit eigenen Gedanken beschäftigt war, konnte er diese Gespräche mit Margot nicht durchstehen. Sie war lieb, aber furchtbar ermüdend, wenn sie theoretisch wurde, und wenn sie sich auf einen ernsten Gesprächsstoff einließ, war man geliefert. Deshalb mahlte er sich seinen Kaffee, kochte Wasser in seinem Gefäß, bewahrte Zwiebelbrötchen im Humidor auf und urinierte sogar ins Waschbecken (hob sich auf die Zehenspitzen zur Betrachtung der animalischer Natur innewohnenden Melancholie, da sie, nach Aristoteles, stets tätig war). Denn Vormittage konnten dahingehen, wenn Margot in ihrer Güte Überlegungen anstellte. Er hatte seine Lektion in einer Woche gelernt, als sie Hannah Arendts Wort »Die Banalität des Bösen« zu analysieren wünschte und ihn im Wohnzimmer zurückhielt, wo er auf einem Sofa saß (aus Schaumgummi auf Sperrholz gelegt, das von fünf Zentimeter langen Rohren getragen und von trapezoiden Kissen im Rücken abgeschlossen war, alle mit dunkelgrauem Drillich überzogen). Er konnte sich nicht dazu bringen, seine Gedanken auszusprechen. Erstens unterbrach sie sich selten, um zuzuhören. Aber dann bezweifelte er auch, daß er sich klar verständlich machen konnte. Zudem war der größte Teil ihrer Familie, wie auch der seinen, von den Nazis vernichtet worden, obwohl sie selbst im Jahr 1937 herausgekommen war. Er nicht. Der Krieg hatte ihn mit Shula und seiner verstorbenen Frau in Polen überrascht. Sie waren dorthin gefahren, um die Hinterlassenschaft seines Schwiegervaters zu liquidieren. Das hätten Rechtsanwälte erledigen sollen, aber Antonina fand es wichtig, die Sache persönlich zu überwachen. Sie wurde 1940 umgebracht, ihres Vaters (kleine) optische Fabrik wurde demontiert und nach Österreich geschafft. Keine Entschädigung wurde nach dem Krieg gezahlt. Margot erhielt Zahlungen von der westdeutschen Regierung für den Familienbesitz in Frankfurt. Arkin hatte ihr nicht viel hinterlassen, sie brauchte dies deutsche Geld. Man stritt sich in solchen Umständen nicht mit Menschen. Natürlich hatte er auch seine eigenen Umstände, das erkannte sie an. Er hatte es tatsächlich durchlebt, seine Frau verloren, ein Auge verloren. Trotzdem konnte man die Frage doch theoretisch erörtern. Rein als Frage. Onkel Arthur saß, die Knie hochgestellt, auf dem Riemenstuhl, die Augen mit den blassen Büscheln von dunklen Gläsern beschattet, die gegabelten Adern zogen sich von den Stirnbuckeln herunter, der große Mund war entschlossen zu schweigen.

»Die Idee ist folgende«, sagte Margot, »daß der Geist des Bösen hier nicht groß ist. Diese Leute waren zu unbedeutend, Onkel. Es waren ganz gewöhnliche Leute der unteren Klassen, Verwaltungsmenschen, kleine Bürokraten oder *Lumpenproletariat*. Eine Massengesellschaft bringt keine großen Verbrecher hervor. Und zwar wegen der Arbeitsteilung in der ganzen Gesellschaft, die den gesamten Gedanken umfassender Verantwortung zuschande machte. Die Akkordarbeit ist schuld. Es ist, wie wenn man statt an einen Wald mit Riesenbäumen, an kleine Pflanzen mit kurzen Wurzeln denken muß. Die moderne Zivilisation schafft keine großen persönlichen Phänomene mehr.«

Der verstorbene Arkin, der im großen und ganzen liebevoll und geduldig war, konnte Margot zum Schweigen bringen. Er war ein großer prachtvoller, halbkahler, schnurrbärtiger Mann mit einem guten, feinen Hirn im Kopf. Sein Fach war die politische Wissenschaft. Er war Dozent im Hunter College – unterrichtete Frauen. Reizende, idiotische, alberne Mädchen, pflegte er zu sagen. Hin und wieder eine hervorragende weibliche Intelligenz, aber sehr zornig, sehr anklägerisch, zuviel Sex-Ideologie, die armen Dinger. Als er sich auf dem Weg nach Cincinnati befand, um an einem hebräischen College einen Vortrag zu halten, stürzte sein Flugzeug ab. Sammler bemerkte, wie seine Witwe jetzt versuchte, ihn zu verkörpern. Sie war die politische Wissenschaftlerin geworden. Sie sprach in seinem Namen, wie er vermutlich gesprochen hätte, und niemand war da, um seine Ideen zu schützen. Das gleiche Schicksal wie bei Sokrates und Jesus. Bis zu einem gewissen Punkt hatte Arkin an Margots quälendem Gespräch Gefallen gefunden, das mußte man zugeben. Ihr Unsinn machte ihm Spaß, unter dem Schnurrbart grinste er heimlich, die langen Arme reichten bis zum Ende der trapezförmigen Kissen, die Füße in Socken (er zog sich, sowie er sich hinsetzte, die Schuhe aus) waren gekreuzt. Wenn sie jedoch eine Zeitlang geredet hatte, sagte er: »Genug, genug von diesem Weimarer *schmaltz*. Hör auf, Margot!« Die große männliche Unterbrechung würde in diesem verdrehten Wohnzimmer nie wieder zu hören sein.

Margot war klein, rund, füllig. Die Beine in schwarzen Netzstrümpfen, vor allem die Unterschenkel, waren verführerisch stämmig. Beim Sitzen streckte sie einen Fuß vor wie eine Tänzerin, den Spann nach vorn gedreht. Sie stemmte die kleine kräftige Faust auf die Hüfte. Arkin sagte Onkel Sammler einmal, sie sei ein erstklassiges Instrument, solange jemand sie in die richtige Richtung lenkte. Sie war eine gute Seele, erzählte er ihm, aber die energische Güte konnte fürchterlich falsch eingesetzt werden. Sammler sah das alles. Sie konnte keine Tomate waschen, ohne sich die Ärmel naß zu machen. In die Wohnung wurde eingebrochen, weil sie ein Fenster hochgeschoben hatte, um einen Sonnenuntergang zu bewundern, und nachher vergaß, es wieder zu schließen. Die Einbrecher drangen vom unmittelbar darunterliegenden Dach ins Speisezimmer ein. Der Gefühlswert ihrer Medaillons, Ketten, Ringe, Erbstücke wurde von der Versicherung nicht honoriert. Die Fenster waren jetzt zugenagelt und mit Vorhängen versehen. Die Mahlzeiten wurden bei Kerzenlicht eingenommen. Gerade genügend Schimmer, um die gerahmten Reproduktionen aus dem Museum of Modern Art zu erkennen, und auf der anderen Tischseite Margot, die auftat und das Tischtuch bekleckerte; ihr hübsches Grinsen, dunkel und zärtlich mit sauberen, nicht ganz ebenmäßigen kleinen Zähnen und dunkelblauen Augen, die keine Bosheit kannten. Eine lästige Person, willig, vergnügt, zielstrebig, ungeschickt. Die Tassen und das Geschirr waren fettig. Sie vergaß, das Klosett aufzuziehen. Aber mit all dem konnte man leicht leben. Ihr Ernst war es, der den Ärger schuf – daß sie alles unter der Sonne mit solch deutscher Verbohrtheit betrachtete. Als wäre es nicht genug Plage, jüdisch zu sein, war diese arme Frau auch noch deutsch.

»So. Und was ist deine Ansicht, lieber Onkel Sammler?« Endlich fragte sie. »Ich weiß, du hast viel darüber nachgedacht. Du hast so viel mitgemacht. Und du und Ussher,

ihr hattet solche Gespräche über den verrückten alten Kerl
– König Rumkowski. Den Mann aus Lodz ... Was meinst
du?«

Onkel Sammler hatte volle Wangen, seine Farbe war für
einen Siebziger gut, und er war nicht sehr verrunzelt. Auf
der linken Seite jedoch, der blinden Seite, gab es dünne
lange Linien wie die Linien in einem gesprungenen Glas
oder in einem Klumpen Eis.

Antworten war unnütz. Das würde nur mehr Diskussion,
mehr Erklärungen heraufbeschwören. Immerhin wurde er
von einem Mitmenschen angeredet. Er war altmodisch.
Die Höflichkeit einer Erwiderung war geboten.

»Die Idee, das große Verbrechen des Jahrhunderts langweilig erscheinen zu lassen, ist nicht banal. Politisch, psychologisch hatten die Deutschen eine geniale Idee. Die Banalität war bloße Tarnung. Wie kann man den Mord
besser von seinem Fluch befreien als dadurch, daß man ihn
alltäglich, langweilig oder platt erscheinen läßt? Mit gräß-
licher politischer Einsicht fanden sie eine Methode, die
Sache zu bemänteln. Intellektuelle begreifen nicht. Sie
holen sich ihre Vorstellungen von derartigen Dingen aus
der Literatur. Sie erwarten einen bösen Helden wie Richard III. Aber glaubst du, die Nazis hätten nicht gewußt,
was Mord ist? Jeder Mensch (ein paar Blaustrümpfe aus-
genommen) weiß, was Mord ist. Das ist sehr altes menschliches Wissen. Die besten und reinsten Menschen haben von
Anbeginn der Zeit verstanden, daß das Leben heilig ist.
Diesem alten Verständnis zu trotzen, ist nicht banal. Es
war eine Verschwörung gegen die Heiligkeit des Lebens.
Banalität ist die aufgelegte Tarnung eines sehr kräftigen
Willens, das Gewissen abzuschaffen. Ist ein solches Projekt
trivial? Nur wenn das menschliche Leben trivial ist. Der
Feind jener Professorin ist die moderne Zivilisation selber.

Sie bedient sich bloß der Deutschen, um das zwanzigste Jahrhundert anzugreifen – es mit Begriffen zu denunzieren, die von den Deutschen erfunden wurden. Bedient sich einer tragischen Geschichte, um die hirnverbrannten Ideen Weimarer Intellektueller zu fördern.«

Argumente! Erklärungen! dachte Sammler. Alles erklärt allen alles, bis die nächste, die neue gemeinsame Version fertig ist. Diese Version, ein Überbleibsel von dem, was die Leute seit etwa einem Jahrhundert einander sagen, wird wie die alte sein, eine Fiktion. Vielleicht werden mehr Elemente der Realität in die neue Version eingebaut sein. Aber die wichtige Überlegung war, daß das Leben seine Fülle, seine normale zufriedene Geschwollenheit wiedererlangen solle. All der alte Muff müßte selbstverständlich weggeblasen werden, auf daß wir der Natur näherkämen. Der Natur näher zu sein, war notwendig, um die Errungenschaften der neuen Methode im Gleichgewicht zu halten. Die Deutschen waren in Industrie und Krieg die Giganten dieser Methode gewesen. Um sich von Rationalität und Kalkulation, Maschinerie, Planen, Technik zu entspannen, hatten sie Romantik, Mythomanie, einen seltsamen ästhetischen Fanatismus. Auch diese waren wie Maschinen – die ästhetische Maschine, die philosophische Maschine, die mythomanische Maschine, die Kulturmaschine. Maschinen im Sinne der Systematik. Das System erfordert Mittelmäßigkeit, nicht Größe. Das System beruht auf Arbeit. Arbeit mit Kunst verbunden ist Banalität. Daher auch die Empfindlichkeit kultivierter Deutscher gegen alles Banale. Es stellte die Regel bloß, die Macht der Methode und die Unterwerfung dieser Leute unter die Methode. Sammler hatte es alles ausgetüftelt. Auf der Hut vor der Gefahr und Schande von Erklärungen war er selbst kein übler Erklärer. Und sogar in den alten Tagen, in den Tagen, als er ›britisch‹ war, in den herrlichen zwanziger und dreißiger Jahren, als er in der Great Russell Street wohnte, als er mit Maynard Keynes, Lytton Strachey und H. G. Wells verkehrte und ›britische‹ Ansichten liebte, vor dem großen Druck, der menschlichen Physik des Krieges mit seinen Volumina und Vakua, seinen Leeren (jener Periode der Dynamik und direkten Einwirkung auf das Individuum, biologisch der Geburt vergleichbar) hatte er niemals recht seinem Urteil getraut, wenn es die Deutschen betraf. Die Weimarer Republik war ihm in keiner Weise sympathisch. Nein, es gab eine Ausnahme – er hatte ihre Einsteins und Plancks bewundert. Kaum einen anderen.

Auf keinen Fall wollte er einer jener gutherzigen europäischen Onkel sein, mit denen die Margots dieser Welt tagelang hochgestochene Diskussion pflegen können. Sie hätte es am liebsten gehabt, daß er ihr durch die Wohnung nachlief, während sie zwei Stunden lang Lebensmittel auspackte und zum Lunch eine Salami suchte, die bereits auf dem Regal lag, während sie mit kurzen, kräftigen Armen die Kissen klopfte und glättete (sie ließ das Schlafzimmer pietätvoll unverändert nach dem Tod von Ussher – seinen Drehstuhl, seinen Fußschemel, seinen Hobbes, Vico, Hume und Marx mit Unterstreichungen), um zu diskutieren. Selbst wenn er ein Wort einwerfen konnte, fand er, daß es sogleich umzingelt und abgeschnitten war. Margot ließ sich weiter aus, im ungeheuren Verlangen, Gutes zu tun. Und tatsächlich war sie gut (das war's ja gerade), war grenzenlos, schmerzhaft, hoffnungslos auf der richtigen Seite, der besten Seite jeder großen menschlichen Frage: für das Schöpferische, für die Jugend, für die Schwarzen, für die Armen, die Unterdrückten, für Opfer, für Sünder, für die Hungrigen.

Eine bedeutsame Bemerkung von Ussher Arkin, die nach seinem Tode viel zu denken gab, war, daß er gelernt habe, das Gute zu tun, als begehe er ein Laster. Er muß dabei an seine Frau als Sexualpartnerin gedacht haben. Sie hatte ihn wahrscheinlich zur erotischen Erfindung getrieben und die Monogamie zur faszinierenden Herausforderung gemacht. Margot, die dauernd Ussher ins Gedächtnis rief, sprach von ihm immer, nach deutscher Art, als ihrem ›Mann‹. »Als mein Mann noch lebte... mein Mann pflegte zu sagen.« Sammler bemitleidete seine verwitwete Nichte. Man konnte sie endlos kritisieren. Hochsinnig langweilte sie einen, sie verplemperte einem grausam die Zeit, die Gedanken, die Geduld. Sie redete Tinnef, sie sammelte Tinnef und Kinkerlitzchen in der Wohnung, sie erzeugte Tinnef. Man brauchte sich zum Beispiel nur die Pflanzen anzusehen, die sie zu züchten suchte. Sie pflanzte Avocado- und Zitronenkerne, Erbsen, Kartoffeln. Was konnte schäbiger, schundhafter sein als diese eingetopften Sachen. Strauchwerk und Ranken schleppten sich auf dem Fußboden, versuchten hoffnungslos an einer der Schnüre emporzustreben, die fächerweise zur Decke gezogen waren. Die Stiele der Avocados sahen aus wie die Stöckchen von Feuerwerkskörpern, die nach der Explosion zur Erde zurückfallen, und brachten ein paar rostige, stachelige, anthraxbefallene, verlauste Blätter hervor. Diese botanische Scheußlichkeit, das Erzeugnis von so viel Gabelstochern, Bewässern, so viel Brust und Arm, Herz und Hoffnung sagte einem etwas, nicht wahr? Zunächst verriet es einem, daß die verschiedenen Tatsachen voller Sinn und Sendung steckten, aber man konnte nicht recht wissen, was die Sendung besagte. Sie wollte eine Laube in ihrem Wohnzimmer, eine Wand von glänzenden Blättern, Blumen, einen Garten, Segnung der Frische und Schönheit – etwas, um als

Frau die Fruchtbringende, die Matriarchin von Vorrat und Gärten darzustellen. Die Menschheit, nach Symbolen lechzend, versucht auszusprechen, was sie selbst nicht weiß. Indessen die sich fächerförmig ausbreitenden ungefiederten Posen: kein Pfauenpurpur, kein süßes Blau, kein echtes Grün, sondern nur Flecke vor den Augen. Gerechtfertigt durch das Gefühl bereiter und verfügbarer menschlicher Wärme? Nein, man war dessen nicht sicher. Die Spannung unablässiger analytischer Bemühungen verursachte Sammler Kopfschmerzen. Das Schlimmste war, daß diese zerzausten Pflanzen nicht reagieren wollten und konnten. Es gab nicht genug Licht. Zu viel Gerümpel.

In puncto Gerümpel war seine Tochter Shula jedoch viel schlimmer. Er hatte mehrere Jahre mit Shula gelebt, gleich östlich vom Broadway. Sie hatte zu viele Schrullen für ihren alten Vater. Sie war eine leidenschaftliche Sammlerin. Einfacher gesagt: sie fledderte. Mehr als einmal hatte er sie beim Durchwühlen von Mülleimern (oder, wie er sie noch nannte, Aschkästen) am Broadway beobachtet. Sie war nicht alt, sah nicht schlecht aus, war nicht einmal allzu schlecht gekleidet, jedes Stück für sich genommen. Die volle Wirkung wäre vulgär gewesen, aber nicht schlimmer, wäre sie nicht offenbar verrückt. Sie erschien in einem Minirock, billardtischgrün, und enthüllte Beine, die der Form nach sinnlich waren, aber keine innere Sinnlichkeit besaßen; um die Taille ein breiter Ledergürtel, über Schultern, Büste ein grobes, dickes guatemaltekisches Hemd, auf dem Kopf eine Perücke, wie man sie sich bei einer Handelsvertreterversammlung für eine Frauenrolle aufstülpen würde. Ihr eigenes Haar hatte eine leichte Kräuselung, eine winzige Unregelmäßigkeit. Das machte sie wütend. Sie jammerte, es sei dünn, sie habe männliches Haar. Es war sichtlich dünn, aber nicht das andere. Sie hatte es direkt von Sammlers Mutter, einer gewiß hysterischen und alles andere als maskulinen Frau. Aber wer wußte, wie viele sexuelle Probleme und Komplikationen mit Shulas Haar verknüpft waren? Und wenn man von dem problematischen spitzen Haaransatz eine gedachte Linie der Erklärung über die Nase zog, die von Natur fein war, aber von ruheloser Bewegung verunziert, über den lächerlichen Kommentar der Lippen (schwellend, dunkelrot gemalt) und zwischen den Brüsten hinunter bis zur Leibesmitte – welche Probleme mußten da lauern! Sammler hörte immer wieder, daß sie ihre Perücke zu einem Haarkünstler gebracht hätte, um sie reparieren zu lassen, und daß der Haarkünstler ausgerufen habe, bitte! das Ding wegzunehmen, es sei für seine Arbeit zu billig. Sammler wußte nicht, ob das ein Einzelfall mit einem homosexuellen Stilisten war oder ob es sich bei verschiedenen Gelegenheiten ereignet hatte. Er sah viele offen daliegende Elemente in seiner Tochter. Sachen, die Verbindungen schaffen sollten, es aber nicht taten. Perücken wiesen zum Beispiel auf Orthodoxie, Shula hatte auch in der Tat jüdische Kontakte. Sie schien eine ganze Anzahl Rabbiner in berühmten Tempeln und Synagogen an der Central Park West und im östlichen Teil der Stadt zu kennen. Sie ging überallhin zu Predigten und freien Vorträgen. Wo sie die Geduld dafür hernahm, wußte Sammler nicht zu sagen. Er konnte keinen Vortrag länger als zehn Minuten aushalten. Aber sie, mit irren, klugen, großen Augen, das Gesicht weiß vor kritischer Stellungnahme und die Haut vor Konzentration gewulstet, saß auf ihrem hochgerutschten Rock, die Einkaufstasche voller Bergungsgut, Beute, Kupons und fortgeworfenem Druckmaterial zwischen den Knien. Danach stellte sie als erste Fragen. Sie wurde mit einem Rabbi gut bekannt, mit seiner Frau und Familie – vertiefte sich in dadaistische Diskussionen über den Glauben, das Ritual, Zionismus, Masada, die Araber. Aber sie hatte ebenfalls christliche Perioden. Vier Jahre lang in einem polnischen Kloster versteckt, wurde sie Slawa genannt, und jetzt gab es Zeiten, wo sie nur auf diesen Namen hörte. Fast immer war sie zu Ostern Katholikin. Aschermittwoch wurde eingehalten, und oft trat sie sogar mit einem Tupfer zwischen den Augen in das klare Gesichtsfeld des alten Herrn. Mit den kleinen jüdischen Strähnen krausen Haars, die bei den Ohren unter der Perücke hervorhingen, mit den schwellenden Lippen, dunkelrot, skeptisch, vorwurfsvoll, etwas Wesentliches über ihren Lebensanspruch bekräftigend, ihr Recht zu sein, was immer – was immer daraus würde. Stets voll kritischer Anmerkung vervollständigte der Mund die Prämissen, die aus einem irren Winkel von den dicht zusammenliegenden dunklen Augen aufgestellt worden waren. Vielleicht nicht ganz irre. Aber sie trat zum Beispiel mit den Worten ein, daß sie von berittenen Polizisten im Central-Park umgeworfen worden sei. Diese hätten versucht, ein Reh einzufangen, das aus dem Zoo ausgebrochen war, sie hingegen war in einen Artikel der Zeitschrift *Look* vertieft gewesen, und da hätten sie sie umgeritten. Dabei war sie durchaus vergnügt. Sie war viel zu vergnügt für Sammler. In der Nacht tippte sie. Sie sang an der Schreibmaschine. Sie war bei ihrem Vetter Gruner, dem Arzt, angestellt, der diese Arbeit eigens für sie erfunden hatte. Gruner hatte sie von ihrem ebenfalls verrückten Ehemann Eisen in Israel gerettet (darauf lief es hinaus), indem er vor zehn Jahren Sammler schickte, um Shula-Slawa nach New York zu holen.

Das war Sammlers erste Reise nach Israel gewesen. Kurz. Eine bloße Familienangelegenheit.

Eisen, der ungewöhnlich gut aussah und ein hochintelligentes Gesicht hatte, war bei Stalingrad verwundet worden. Später war er in Rumänien mit anderen verstümmelten Veteranen aus einem fahrenden Zug geworfen worden. Offenbar weil er Jude war. Eisen hatte sich die Füße erfroren, seine Zehen waren amputiert. »Oh, sie waren betrunken«, sagte Eisen in Haifa. »Gute Burschen – *towarischni*. Aber du weißt ja, wie Russen sind, wenn sie ein paar Gläser Wodka intus haben.« Er grinste Sammler an. Schwarze Locken, eine hübsche römische Nase, schimmernde scharfe, sinnlose speichelfeuchte Zähne. Das Unglück war, daß er Shula-Slawa recht oft trat und schlug, selbst als Jungverheiratete. Der alte Sammler betrachtete im engen, nach Stein riechenden, weißgetünchten Apartement in Haifa die Palmenzweige am Fenster in der warmen klaren Atmosphäre. Shula kochte für sie nach einem mexikanischen Kochbuch, machte bittere Schokoladensoße, rieb Kokosnuß über Hühnerbrust, beklagte sich, daß man in Haifa kein Chutney kaufen konnte. »Als ich rausgeworfen wurde«, sagte Eisen munter, »dachte ich, ich wollte den Papst besuchen gehen. Ich nahm einen Stock und ging nach Italien. Der Stock war eine Krücke, verstehst du?«

»Ja.«

»Ich ging nach Castel Gandolfo. Der Papst war sehr nett zu uns.«

Nach drei Tagen sah Sammler ein, daß er seine Tochter wegbringen mußte.

Er konnte nicht lange in Israel bleiben. Er war nicht gewillt, Elya Gruners Geld auszugeben. Aber er besuchte Nazareth und nahm ein Taxi nach Galiläa, um des historischen Interesses willen, da er nun einmal in der Gegend war. An einer sandigen Straße fand er einen Gaucho. Unter einem Tellerhut, der unter dem großen Kinn befestigt war, mit einer in die Stiefel gestopften argentinischen Hose und einem Douglas Fairbanks-Schnurrbärtchen mischte er Futter für kleine Tiere, die in einem Drahtgehege um ihn herumtollten. Wasser aus einem Schlauch lief in der Sonne klar und angenehm über das gelbe Mehl oder Mengfutter und färbte es orangen. Die kleinen Tiere waren zwar fett, aber geschmeidig, sie waren schwer, ihre Felle glänzten üppig und dicht. Es waren Nutrias. Aus ihrem Pelz machte man Mützen, die in kalten Zonen getragen wurden. Mäntel für Damen. Sammler, der fühlte, wie sein Gesicht in der galiläischen Sonne rot wurde, befragte den Mann. Mit der Baßstimme eines vornehmen Reisenden – eine Zigarette zwischen behaarten Fingerknöcheln, Rauch neben seinen behaarten Ohren aufsteigend – stellte er dem Gaucho Fragen. Beide sprachen kein Hebräisch. Auch nicht die Sprache Jesu. Sammler flüchtete sich in Italienisch, das der Nutriazüchter mit argentinischer Unlust verstehen konnte, während sein schweres hübsches Gesicht den gierigen Tieren um seine Stiefel zugewandt blieb. Er war bessarabisch-syrisch-südamerikanisch – ein spanisch sprechender israelischer Viehtreiber aus der Pampa.

Schlachtete er die kleinen Tiere selbst? wollte Sammler wissen. Sein Italienisch war nie gut gewesen. »*Uccidere?*« »*Ammazzare?*« Der Gaucho verstand. Wenn die Zeit kam, tötete er sie selbst. Er schlug sie mit einem Stock auf den Kopf.

Machte es ihm nichts aus, dies seiner kleinen Herde anzutun? Hatte er sie nicht von Kindheit gekannt – gab es keine Zärtlichkeit für einzelne Tiere – gab es keine Lieblinge? Der Gaucho verneinte das alles. Er schüttelte den hübschen Kopf. Er sagte, Nutrias seien sehr dumm.

»*Son muy tontos.*«

»*Arreviderci*«, sagte Sammler.

»*Adios. Schalom.*«

Der Leihwagen brachte Mr. Sammler nach Kapernaum,
wo Jesus in der Synagoge gepredigt hatte. Von fern sah
er den Berg der Seligpreisungen. Zwei Augen hätten für
die Schwere und Glätte der Farben nicht ausgereicht, die
nur mit Mühe von Fischerbooten geteilt wurde – das blaue
Wasser, ungewöhnlich dicht, schwer, schien unter die sy-
rischen Höhenzüge gesunken zu sein. Sammlers Herz war
von Gefühlen zerrissen, als er unter den kurzen, langblätt-
rigen Bananenbäumen stand.

> Sind diese Füße dann, in alter Zeit,
> gewandert auf . . .

Das waren jedoch Englands Berge grün. Die Berge da
gegenüber, in serpentinischer Nacktheit waren überhaupt
nicht grün; sie waren rötlich mit rauchigen Höhlungen und
Mysterien unmenschlicher Macht, die sie überflammten.
Die vielen Eindrücke und Erfahrungen des Lebens schienen
nicht mehr ein jegliches in seinem angestammten Raum,
eins nach dem anderen, ein jegliches mit seiner erkennbaren
religiösen oder ästhetischen Bedeutung einzutreten, sondern die Menschen erlitten die Erniedrigung der Inkonse-
quenz, verwirrter Stile, eines langen Lebens, das mehrere
gesonderte Leben enthielt. Tatsächlich bedeckte jetzt die
gesamte Menschheitserfahrung jedes gesonderte Leben in
ihrer Flut. Hieß alle historischen Zeitalter gleichzeitig werden. Zwang den gebrechlichen Menschen zu empfangen
und in sich aufzunehmen, beraubte ihn jedoch durch Volu-
men, durch Masse der Möglichkeit, eigene Gestaltung zu
zeigen.
Das war also Sammlers erster Besuch im Heiligen Land.
Zehn Jahre später ging er wieder hin zu anderem Tun.
Shula war mit Sammler nach Amerika zurückgekehrt. Er-
rettet von Eisen, der sie prügelte, wie er sagte, weil sie zu

katholischen Priestern ging, weil sie eine Lügnerin war (Lügen machten ihn rasend; Paranoiker, schloß Sammler daraus, haben eine größere Leidenschaft für die reine Wahrheit als andere Irre), gründete Shula-Slawa einen Haushalt in New York. Das heißt, sie schuf ein großes Gerümpelzentrum in der Neuen Welt. Mr. Sammler, ein höflicher Magermann (der Spitzname, den Dr. Gruner ihm gegeben hatte), ein rücksichtsvoller Vater, der für jedes Stück Tand, das sie ihm vorzeigte, seine Anerkennung murmelte, war in gewissen Stimmungen jähzornig, wenn provoziert, heftiger als andere Leute. Tatsächlich gründete sich sein Wiedergutmachungsanspruch an die Bonner Regierung auf Schäden seines Nervensystems wie auch seines Auges. Tobsuchtsanfälle, sehr selten, aber erschütternd, hatten zur Folge, daß er mit schwerer Migräne zu Bett mußte, und versetzten ihn in einen postepileptischen Zustand. Dann lag er fast eine Woche in einem verdunkelten Zimmer, steif, Hände auf der Brust verschränkt, geschunden, schmerzgepeinigt, keiner Antwort fähig, wenn er angesprochen wurde. Mit Shula-Slawa hatte er eine Reihe solcher Anfälle. Vor allem konnte er das Haus nicht ausstehen, in das Gruner sie gesteckt hatte, dessen steinerne Außentreppe nach einer Seite in die Kellertreppe der benachbarten chinesischen Wäscherei abfiel. Die Eingangshalle verursachte ihm Übelkeit, Klinker wie gelbe Zähne in verzweifeltem Schmutz gefletscht, und der stinkende Fahrstuhlschacht. Das Badezimmer, wo Shula ein Osterküken so lange behielt, bis es zur Henne geworden war, die auf dem Rand der Badewanne kakelte. Die Weihnachtsdekorationen, die bis in den Frühling dauerten. Die Zimmer selbst waren wie jene verstaubten Weihnachtsglocken aus rotem Papier, Falten in Falten. Die Henne mit gelben Beinen in seinem Zimmer, auf seinen Papieren und Büchern war eines Tages zuviel. Er bemerkte, daß die Sonne hell schien, der Himmel blau war, aber die große Brandung des Wohnhauses, schwergewichtiges vasenförmiges Barock, gab ihm das Gefühl, daß das Zimmer im zwölften Stock einem Porzellankabinett glich, in das er eingeschlossen war, und die satanischen Hühnerbeine vom schrumpligem Gelb, die sich in seine Papiere krallten, ließen ihn aufschreien.

Shula-Slawa war dann einverstanden, daß er auszog. Sie erzählte allen, daß das Lebenswerk ihres Vaters, sein Erinnerungsbuch über H. G. Wells, ihn zu sehr anspannte, als daß man mit ihm leben könnte. Sie hatte H. G. Wells im Hirn, das große Panorama eines Lebens. H. G. Wells war der erhabenste Mensch, von dem sie wußte. Sie war noch ein kleines Mädchen, als die Sammlers am Woburn Square wohnten, in Bloomsbury, und las mit kindlichem Genie sehr genau die Wunschträume ihrer Eltern – ihren Stolz auf vornehme Beziehungen, ihren Snobismus, wie sehr sie sich mit der kulturellen Elite Englands gefielen. Wenn der alte Sammler an seine Frau in den Vorkriegstagen zu Bloomsbury dachte, dann deutete er eine gewisse ruhige, herzhafte Art, die Abwärtsbewegung einer Hand – so zart, daß man sie gut kennen mußte, um sie als prahlerische Geste zu identifizieren – etwa so: wir pflegen die distinguierteste Intimität mit den besten Leuten Englands. Ein kleines Laster – nährend beinahe, verdauungsfördernd – das Antonina weichere Wangen, glatteres Haar, tiefere Farbe verlieh. Wenn ein bißchen gesellschaftliches Strebertum sie hübscher machte (plumper zwischen den Beinen, – der Gedanke brach über ihn herein, und Sammler versuchte nicht mehr, diese hereinbrechenden Gedanken von sich zu weisen), dann hatte es seine frauliche Rechtfertigung. Die Liebe *ist* zwar die mächtigste Kosmetik, aber es gibt andere. Und das kleine Mädchen mochte tatsächlich beobachtet haben, daß die bloße Erwähnung von Wells einen kombiniert sozial-erotischen Einfluß auf ihre Mutter ausübte. Ohne zu urteilen, stets mit achtungsvollem Gedenken, wußte Sammler, daß Wells ein Lüstling von einer labyrinthischen, außergewöhnlichen Sinnlichkeit gewesen war. Als Biologe, als sozialer Denker, der sich mit Macht und Weltprojekten befaßte, mit den Formen einer universalen Ordnung, als Lieferant von Deutung und Meinung für die gebildeten Massen – als all dieses schien er eine große Menge Kopulation zu benötigen. Heutzutage dachte Sammler an ihn als einen kleinen Engländer der unteren Klassen, und als alternden Mann mit schwindender Fähigkeit und Anziehungskraft. In der Qual, von den Brüsten, den Mündern und den köstlichen sexuellen Säften der Frauen Abschied nehmen zu müssen, konnte der arme Wells, der geborene Lehrer, der sexuelle Emanzipator, der Deuter, der humane Segner der Menschheit, zuletzt nur noch alle und jeden beschimpfen und verfluchen. Freilich schrieb er solche Dinge während seiner letzten Krankheit, fürchterlich niedergedrückt durch den zweiten Weltkrieg.

Was Shula-Slawa sagte, wurde Sammler in amüsanter Form von Angela Gruner wieder zugetragen. Shula besuchte Angela in den sechziger Straßen der Ostseite, wo ihre Kusine die ideale New Yorker Wohnung der schönen, freien und reichen jungen Frau besaß. Shula bewunderte das. Anscheinend ohne Neid, ohne Verlegenheit saß Shula mit Perücke und Einkaufstasche, das weiße Gesicht gefurcht vor unablässiger Inspiration (wobei sie wilde Botschaften empfing und aussandte), so linkisch wie nur möglich im Superkomfort von Angelas Polstermöbeln, und beschmierte Porzellan und Gabeln mit ihrem Lippenstift. Nach Shulas Darstellung hatte ihr Vater mehrere Jahre dauernde Gespräche mit Wells gepflogen. Er nahm seine

Notizen im Jahre 1939 mit nach Polen, da er glaubte, genügend Zeit für das Erinnerungsbuch zu haben. Aber gerade da explodierte das Land. In dem Geyser, der sich eine Meile oder zwei in die Luft erhob, waren auch Papas Notizen. Aber (bei *seinem* Gedächtnis!) er wußte das alles auswendig, und man brauchte ihn nur zu fragen, was Wells ihm über Lenin, Stalin, Mussolini, Hitler, Weltfrieden, Atomenergie, die »offene Verschwörung«, die Kolonisation der Planeten gesagt hatte. Ganze Passagen fielen Papa wieder ein. Er mußte sich natürlich konzentrieren. So drehte sie so lange an seinem Einzug bei Margot herum, bis er zu ihrer Idee wurde. Er war fortgezogen, um sich besser zu konzentrieren. Er sagte, er hätte nicht mehr viel Zeit. Aber selbstverständlich übertrieb er. Er sah so wohl aus. Er war so ein schöner Mensch. Ältliche Witwen fragten sie immer nach ihm. Die Mutter von Rabbi Ipsheimer. Eher wohl die Großmutter von Ipsheimer. Auf alle Fälle (immer noch Angela mit ihrem Bericht) hatte Wells Sammler Dinge anvertraut, die die Welt nicht kannte. Wenn sie schließlich veröffentlicht wurden, dann müßten sie jedermann in Erstaunen versetzen. Das Buch würde in Form von Zwiegesprächen erscheinen wie die mit A. N. Whitehead, die Sammler so sehr bewunderte.

Mit leiser belegter Stimme, eine Spur von scherzhaftem Blech im Ton sagte Angela (gerade noch diesseits der Vulgarität, eine schöne Frau): »Ihre Wells-Routine ist *so* herrlich. Warst du so eng mit H. G. Wells, Onkel?«

»Wir waren gute Bekannte.«

»Aber Kumpels? Wart ihr Busenfreunde?«

»Wie? Mein liebes Mädchen, trotz meiner Jahre bin ich ein Mann der modernen Zeit. Man findet heutzutage nicht die Busenfreundschaft von David und Jonathan, Roland und Olivier. Die Gesellschaft des Mannes war sehr angenehm. Er schien auch am Gespräch mit mir Gefallen zu finden. Was seine Ansichten betraf, so war er geradezu eine Masse intelligenter Meinungen. Er sprach so viele aus, wie er konnte, und zu jeder Zeit. Alles, was er sagte, habe ich schließlich gedruckt wiedergefunden. Er war, wie Voltaire, ein Graphomane. Sein Geist war ungewöhnlich aktiv; er meinte, er solle alles erklären, und er hat tatsächlich manches sehr gut gesagt. Wie zum Beispiel: ›Die Wissenschaft ist der Geist der Gattung.‹ Das stimmt, weißt du? Sie verdient mehr Nachdruck als andere Kollektivfakten wie Krankheit und Sünde. Und wenn ich den Flügel eines Düsenflugzeuges sehe, dann sehe ich nicht nur Metall, sondern Metall, das durch die Übereinkunft vieler Intelligenzen gehärtet ist, die den Druck, die Geschwindigkeit, das Gewicht kennen, sie auf dem Rechenschieber ausrechnen, ob sie nun Hindus oder Chinesen sind, vom Kongo oder aus Brasilien. Ja, im großen und ganzen war er ein vernünftiger, intelligenter Mann, bestimmt auf der richtigen Seite in vielen Fragen.«

»Und du hast dich dafür interessiert?«

»Ja, ich habe mich interessiert.«

»Aber sie sagt, du bosselst an dem großen Werk mit Schnellzuggeschwindigkeit.«

Sie lachte. Lachte nicht nur, sondern lachte betörend. In Angela begegnete man der sinnlichen Weiblichkeit ohne Abstriche. Man roch sie auch. Sie trug die merkwürdigen modischen Dinger, die Sammler mit unbeteiligter und geläuterter Trockenheit wahrnahm, wie von einem anderen Teil des Alls. Was war das nur, Schnürstiefel aus weißem Zickleinleder? Was waren das für Schlupfhosen – hauchdünn, undurchsichtig. Wo führten sie hin? Dieser »Zuckerguß« genannte Haareffekt, diese Farbe unter dem Löwinnenmaul, dieses Wiegen, um die natürliche Wirkung der

Büste zu erhöhen! Ihr Plastikmantel, von Kubisten oder Mondrians inspiriert, geometrische weiße und schwarze Formen; ihre Hosen von Courrèges und Pucci. Sammler verfolgte diese Jet-Phänomene in der *Times* und in den Frauenmagazinen, die Angela selber schickte. Nicht zu aufmerksam. Er las nicht allzu viel davon. Vorsichtig, um sein Augenlicht zu schonen, schob er die Seiten schnell vor seinem Auge hin und her, indes die hohe Stirn den Anreiz auf seinen Geist widerspiegelte. Das verletzte linke Auge schien sich in eine andere Richtung zu wenden und gesondert mit anderen Dingen befaßt zu sein. Daher kannte Sammler, durch viele schnelle Wechsel hindurch, Warhol, Baby Jane Holzer, solange sie währte, das Living Theater, den Ausbruch von immer umwälzenderen Nacktschauen, Dionysus '69, Kopulation auf der Bühne, die Philosophie der Beatles; und in der Kunstwelt elektrische Schaustellungen und *minimal painting*. Angela war jetzt in ihren Dreißigen, unabhängig reich, mit rötlichem Teint, goldweißlichem Haar, starken Lippen. Sie fürchtete sich vor Dickleibigkeit. Entweder fastete sie oder aß wie ein Transportarbeiter. Sie trainierte in einem modischen Turnsaal. Er kannte ihre Probleme – mußte sie kennen, denn sie kam und besprach sie in allen Einzelheiten. Sie kannte *seine* Probleme nicht. Er sprach selten, und sie fragte selten. Zudem waren er und Shula ihres Vaters Pensionsempfänger, Abhängige – man mochte es nennen, was man wollte. So kam denn Angela nach ihren psychologischen Sitzungen zu Onkel Sammler, um ein Seminar abzuhalten und die vorangegangene Stunde zu analysieren. Daher wußte der alte Mann, was sie trieb und mit wem, und wie es sich anfühlte. Alles was sie auszusprechen imstande war, mußte er mitanhören. Er hatte keine andere Wahl.

In seiner Gymnasiastenzeit übersetzte Sammler einmal von

Augustinus: »Der Teufel hat seine Städte im Norden errichtet.« Daran dachte er oft. In Krakau vor dem ersten Weltkrieg hatte er eine andere Fassung davon erlebt – verzweifelte Finsternis, der üble wäßrige gelbe Schlamm fünf Zentimeter hoch über dem Holperpflaster der jüdischen Straße. Die Leute brauchten ihre Kerzen, ihre Lampen und ihre Kupferkessel, ihre Zitronenscheiben als Abbild der Sonne. Das war der Sieg über die Härte, immer mit Hilfe mediterraner Symbole. Dunkle Umgebung von importierten religiösen Zeichen und örtlicher häuslicher Anmut überwunden. Ohne die Macht des Nordens, seine Bergwerke, seine Industrien hätte die Welt nie ihre erstaunliche moderne Form erlangt. Und, Augustinus ungeachtet, hatte Sammler stets seine nördlichen Städte geliebt, vor allem London, die Segnungen seines trüben Lichtes, des Kohlenrauchs, des grauen Regens und die geistigen und menschlichen Möglichkeiten einer düsteren gedämpften Umwelt. Dort kam man überein mit Finsternis, mit gedämpften Farbtönen, man verlangte nicht die volle Klarheit des Geistes oder der Motive. Jetzt erforderte jedoch der merkwürdige Satz des Augustinus eine neue Auslegung. Wenn Sammler Angela aufmerksam zuhörte, nahm er andersartige Entwicklungen wahr. Die Arbeitspein des Puritanismus ging jetzt dem Ende entgegen. Die düsteren satanischen Fabriken wandelten sich in lichte satanische Fabriken. Die Verworfenen wandelten sich zu Kindern der Freude, das Sexualleben des Harems und des afrikanischen Busches wurde von den emanzipierten Massen von New York, Amsterdam und London übernommen. Der alte Sammler mit seinen verschrobenen Visionen! Er sah den wachsenden Triumph der Aufklärung – Freiheit, Brüderlichkeit, Gleichheit, Ehebruch! Aufklärung, allgemeine Bildung, allgemeines Wahlrecht, die Rechte der Mehrheit, anerkannt von allen Regierungen, die Rechte der Frauen, die Rechte der Kinder, die Rechte der Verbrecher, die Einheit der verschiedenen Rassen bekräftigt, Sozialversicherung, öffentliche Gesundheitspflege, die Würde der Person, das Recht auf Gerechtigkeit – die Kämpfe dreier revolutionärer Jahrhunderte siegreich gestaltet, während die Feudalbande von Kirche und Familie sich lockerten und die Privilegien der Aristokratie (ohne jegliche Pflichten) weit verbreitet, demokratisiert wurden, vor allem die libidinösen Privilegien, das Recht auf Ungehemmtheit, Spontaneität, Urinieren, Exkrementieren, Aufstoßen, Paaren in allen Positionen, Triplieren, Quadruplieren, vielgestaltig, edel im Natürlich-, im Primitivsein, die Muße und luxuriöse Erfindungsgabe von Versailles mit der hibiscusüberwachsenen erotischen Unbeschwertheit von Samoa kombinierend. Dunkle Romantik ergriff jetzt Besitz. Zumindest so alt wie der fremdartige Orientalismus der Tempelritter und seither aufgefüllt mit Lady Stanhopes, Baudelaires, de Nervals, Stevensons und Gauguins – diesen südliebenden Barbaren. O ja, die Templer. Sie hatten die Moslems verehrt. Ein Haar vom Haupt eines Sarazenen war kostbarer als der ganze Körper eines Christen. Solch tolle Leidenschaft! Und jetzt dieser ganze Rassismus, all die merkwürdigen erotischen Überzeugungen, der Tourismus und das Lokalkolorit, die Exotik der Sache war zerstoben, aber die geistigen Massen, die alles in einem entwerteten Zustand überliefert kriegten, hatten sich eine Vorstellung von der verderblichen Seuche des Weiß-Seins gebildet und von der heilenden Kraft des Schwarzen. Die Träume von Dichtern des neunzehnten Jahrhunderts verpesteten die psychische Atmosphäre der großen Stadtteile und Vorstädte New Yorks. Wenn man dann noch die gefährliche, ausfällige, wahnwitzige Gewalttätigkeit der

Fanatiker hinzurechnete, war das Elend sehr tief. Wie viele Leute, vor deren Augen die Welt einmal zusammengebrochen war, dachte Sammler an die Möglichkeit, daß sie auch ein zweites Mal zusammenbrechen könnte. Er stimmte nicht mit Flüchtlingsfreunden überein, daß dieses Verhängnis unvermeidlich sei, aber liberale Überzeugungen schienen zur Selbstverteidigung nicht fähig, und man konnte die Fäulnis riechen. Man konnte die selbstmörderischen Impulse der Zivilisation kräftig schieben sehen. Man fragte sich, ob diese westliche Kultur eine universale Verbreitung überdauern konnte – ob nur ihre Wissenschaft und Technologie oder die Verwaltungspraktiken wandern und von anderen Gesellschaften adoptiert werden würden. Oder ob die schlimmsten Feinde der Zivilisation nicht schließlich ihre gehätschelten Intellektuellen sein würden, die sie in ihrem schwächsten Augenblick attackierten – sie im Namen einer proletarischen Revolution attackierten, im Namen der Vernunft und im Namen einer Irrationalität, im Namen animalischen Wissens, im Namen des Sex, im Namen einer vollkommenen unverzüglichen Freiheit. Denn das lief auf eine schrankenlose Forderung hinaus – Unersättlichkeit, die Weigerung der dem Untergang geweihten Kreatur (da der Tod sicher und endgültig war), von dieser Erde unbefriedigt abzutreten. Eine volle Rechnung von Forderung und Beschwerde wurde daher von jedem Individuum vorgelegt. Unveräußerlich. Erkannte keine Knappheit der Vorräte in irgendeiner menschlichen Sparte an. Aufklärung? Großartig! Aber gerade nicht vorrätig, stimmt's?

Sammler sah das in Shula-Slawa. Sie kam, um ihm das Zimmer zu machen. Er mußte mit Barett und Mantel sitzen, weil sie frische Luft brauchte. Sie erschien mit Reinigungsmitteln in der Einkaufstasche – Ammoniak, Regalpapier, Fensterklar, Fußbodenwachs, Lappen. Sie saß draußen auf dem Fenstersims, um die Fenster zu putzen, und zog den Rahmen bis auf ihre Schenkel herunter. Ihre kleinen Schuhsohlen waren im Innern des Zimmers. Zwischen ihren Lippen – einer jähen, scharlachroten, asymmetrischen, skeptischen, fleischigen Geschäfts-und-Traum-Sinnlichkeit – sengte die Zigarette schon das Mundstück an. Da war auch die Perücke, Jak- und Pavianhaar mit synthetischen Fasern gemischt. Shula war, wie vielleicht alle Frauen, bedürftig – sie bedurfte der Befriedigung zahlreicher Instinkte, bedurfte der Wärme und des Druckes von Männern, bedurfte eines Kindes zum Stillen und Nähren, bedurfte der weiblichen Emanzipation, bedurfte der geistigen Übung, bedurfte der Kontinuität, bedurfte der Anteilnahme – Anteilnahme! – bedurfte der Schmeichelei, bedurfte des Triumphs, der Macht, brauchte Rabbiner, Priester, Brennstoff für alles, was pervers und verrückt war, brauchte edle Betätigung ihres Intellekts, brauchte Kultur, verlangte das Erhabene. Keine Knappheit wurde zur Kenntnis genommen. Wenn man versuchte, sich all diesen unmittelbaren Bedürfnissen zu widmen, war man verloren. Selbst sie so eingehend bei ihrem Tun zu betrachten, wenn sie kalten Schaum auf die Scheiben sprühte, um ihn linkshändig, mit einem linken Schwung ihrer Büste (ohne Büstenhalter) fortzuwischen, war weder ein Liebesdienst für sie noch die Rettung für den Vater. Wenn sie kam und Fenster und Türen öffnete, dann blies die persönliche Atmosphäre, die Mr. Sammler zusammengetragen und gespeichert hatte, dem Anschein nach fort. Seine Hintertür ging auf die Lieferantentreppe, wo der heiße Geruch von brennendem Abfall den Schacht hochwehte, von verkohltem Papier, Hühnergedärmen und verbrannten Federn. Die puertorikanischen Straßenfeger trugen Transistorgeräte, die lateinamerikanische Musik spielten. Als würden sie mit diesem Jazz von einer universalen unerschöpflichen Quelle bedacht wie mit kosmischen Strahlen.

»Nun, Vater, wie geht es voran?«

»Geht was voran?«

»Die Arbeit. H. G. Wells.«

»Wie üblich.«

»Die Menschen stehlen dir zuviel von deiner Zeit. Du kommst nicht genug zum Lesen. Ich weiß, du mußt dein Augenlicht schonen. Aber geht es gut?«

»Ungeheuerlich.«

»Ich wünschte, du würdest darüber nicht scherzen.«

»Warum, ist es für Scherze zu wichtig?«

»Nun ja, es ist wichtig.«

Ja. Okay. Er schlürfte seinen Morgenkaffee. Heute, an eben diesem Nachmittag, sollte er in der Columbia Universität sprechen. Einer seiner jungen Freunde dort hatte ihn überredet. Er mußte auch anrufen wegen seines Neffen, Dr. Gruner. Wie es schien, war der Doktor selbst im Krankenhaus. Er mußte sich, wie man Sammler berichtet hatte, einer kleinen Operation unterziehen. Ein Schnitt im Hals. Man wäre heute besser dran ohne diesen Vortrag. Es war ein Fehler. Konnte er es noch rückgängig machen, es absagen? Nein, wohl nicht.

Shula hatte Universitätsstudenten zum Vorlesen engagiert, um seine Augen zu schonen. Sie hatte es selbst versucht, aber ihre Stimme lullte ihn ein. Eine halbe Stunde Vorlesen von ihr, und das Blut wich aus seinem Gehirn. Sie sagte Angela, ihr Vater wolle sie von seinen höheren Betätigungen ausschließen. Als müßten diese gerade vor dem Menschen geschützt werden, der am meisten an sie glaubte! Es war ein sehr schmerzliches Paradox. Aber seit vier oder fünf Jahren hatte sie Studenten als Vorleser gefunden.

Einige hatten das Examen schon hinter sich und waren freiberuflich oder geschäftlich tätig, kamen aber immer noch Sammler besuchen. »Er ist wie ihr Guru«, sagte Shula-Slawa. Seit neuestem waren die Leser studentische Aktivisten. Mr. Sammler interessierte sich sehr für die radikale Bewegung. Nach ihrer Lesefähigkeit zu urteilen, hatten die jungen Leute eine spärliche Bildung genossen. Ihre Anwesenheit erregte (oder vertiefte) zuweilen ein langes stilles Lächeln, das mehr als alles andere den Eindruck der Blindheit erweckte. Haarig, schmutzig, ohne Stil, Gleichmacher, unwissend. Er fand, nachdem sie ihm einige Stunden vorgelesen hatten, daß er ihnen die Materie beibringen, die Begriffe erklären, ihnen Ethymologien vormachen mußte, als seien sie Zwölfjährige. »*Ianua* – eine Tür. Janitor, einer der die Tür hütet.« »*Lapis* – ein Stein. Dilapidieren, die Steine abtragen. Von einer Person kann man das nicht sagen.« Wenn man's jedoch könnte, würde man es von diesen jungen Leuten sagen. Einige der armen Mädchen hatten einen üblen Geruch. Der Protest im Bohèmestil tat ihnen den größten Schaden. Es war grundlegend für die Aufgaben und Probleme der Zivilisation, dachte Sammler, daß manche Bereiche der Natur mehr Kontrolle verlangten als andere. Weibliche Wesen waren von Natur anfälliger fürs Unappetitliche, hatten mehr Gerüche, brauchten mehr Waschen, Stutzen, Binden, Zurechtmachen, Pflegen, Parfümieren und Training. Diese armen Kinder hatten sich vielleicht entschlossen, gemeinsam zu stinken, aus Trotz gegen eine korrupte Tradition, die auf Neurose und Lüge aufgebaut war, aber Mr. Sammler meinte, daß das unvorhergesehene Resultat ihrer Lebensart der Verlust der Weiblichkeit, ler Selbstachtung war. In ihrer Verachtung der Autorität achteten sie auch keine Menschen. Nicht einmal die eigene Person.

Auf alle Fälle wollte er diese Vorleser mit den großen schmutzigen Stiefeln und dem hilflosen vitalen Pathos junger Hunde mit ihren ersten roten Erektionen nicht, mit Pickeln, die aus schäumenden Bärten an den Wangen sprossen, die in seinem Zimmer mit schweren Worten rangen und mit Gedanken, die erläutert werden mußten, die sich durch Toynbee, Freud, Burckhardt, Spengler hindurchstolperten. Denn er hatte Zivilisationshistoriker gelesen – Karl Marx, Max Weber, Max Scheler, Franz Oppenheimer. Mit Abschweifungen zu Adorno, Marcuse, Norman O. Brown, die er allesamt belanglos fand. Gleichzeitig nahm er *Doktor Faustus, Les Noyers d'Altenbourg*, Ortega, Valérys Essays über Geschichte und Politik auf sich. Aber nach vier oder fünf Jahren dieser Dät wünschte er nur noch gewisse religiöse Autoren des dreizehnten Jahrhunderts zu lesen, Suso, Tauler und Meister Eckhart. In seinen siebziger Jahren interessierte er sich für wenig mehr als Meister Eckhart und die Bibel. Dafür brauchte er keine Vorleser. Er las Eckharts Latein vom Mikrofilm in der Bibliothek. Er las die Predigten und die Unterweisungen – ein paar Sätze auf einmal – einen Absatz – Deutsch – das seinem guten Auge aus geringer Entfernung dargeboten wurde. Während Margot mit der Teppichkehrmaschine durch die Zimmer zog. Und offensichtlich den meisten Dreck auf ihren Rock kriegte. Und sang. Sie liebte die Lieder von Schubert. Warum sie sie mit dem Dröhnen des Staubsaugers mischen mußte, überstieg sein Erklärungsvermögen. Aber andererseits konnte er auch die Vorliebe für gewisse Kombinationen nicht erklären: zum Beispiel Sandwiches mit Stöhr, Schweizerkäse, Zunge, Beefsteak, Tartar und russischer Majonnaise schichtweise – Sachen, wie man sie auf ausgefallenen Delikatessenmenüs fand. Jedoch schienen Kunden sie zu bestellen. Ganz gleich, wo man sie antraf, lieferte die menschliche Rasse, verknotet und verfilzt, mehr Ungereimtheiten, als man verkraften konnte.

Eine kombinierte Ungereimtheit, zum Beispiel, die ihn heute mitten ins Gewühl zog: Einer seiner verflossenen Vorleser, der junge Lionel Feffer, hatte ihn gebeten, vor einem Seminar in der Columbia Universität über die britische Szene der dreißiger Jahre zu sprechen. Aus irgendeinem Grunde reizte ihn das. Er mochte Feffer. Ein einfallsreicher Gschaftlhuber, weniger Student als Impresario. Mit seiner lebhaften Farbe, braunem Biberbart, langen schwarzen Augen, großem Bauch, glattem Haar, rosa ungeschickten großen Händen, lauter, in die Rede fallender Stimme, hastiger Energie machte er auf Sammler einen charmanten Eindruck. Nicht vertrauenswürdig. Nur charmant. Das heißt, es machte Sammler manchmal ausnehmend Vergnügen, Lionel Feffer auf seine besondere Art wirken zu sehen, das Zischen seiner Lebensgase, seines Kraftstoffs, zu vernehmen.

Sammler wußte nicht, welches Seminar das war. Da er nicht immer aufmerkte, verstand er nicht genau; vielleicht gab es auch nichts Genaues zu verstehen, aber es schien, daß er zugesagt hatte, obwohl er sich an keine Zusage erinnern konnte. Aber Feffer verwirrte ihn. Es gab so viele Projekte, derartig viele Querverweise, so viele Vertraulichkeiten und Bitten um Geheimhaltung, so viele Skandale, Schwindel, geistige Kommunikationen − ein dauernder Fluß rückwärts, vorwärts, seitwärts, aufwärts und abwärts: wie eine jede Seite von Joyce' *Ulysses* immer *in medias res*. Immerhin hatte Sammler anscheinend zugesagt, diesen Vortrag für ein Studentenprojekt zu halten, durch das zurückgebliebene schwarze Schüler Nachhilfeunterricht im Lesen erhalten sollten.

»Sie müssen kommen und zu diesen Burschen sprechen, das

ist von höchster Wichtigkeit. Die haben nie einen Standpunkt wie den Ihren kennengelernt«, sagte Feffer. Das rosa Oxfordhemd erhöhte seine Gesichtsfarbe. Der Bart, die gerade, sinnliche Nase gaben ihm das Aussehen von Franz I. von Frankreich. Ein geschäftiger, anhänglicher, drängender, explosiver, unternehmender Typ. Er spekulierte an der Börse. Er war Vizepräsident einer guatemaltekischen Versicherungsgesellschaft für Eisenbahnarbeiter. Sein Fach an der Universität war Geschichte der Diplomatie. Er gehörte einem Korrespondenzverein an, der sich Außenministerklub nannte. Dessen Mitglieder griffen sich einen Fragenkomplex heraus wie den Krimkrieg oder den Boxeraufstand und inszenierten die Sache ganz und gar von neuem, indem sie sich als die Außenminister von Frankreich, England, Deutschland, Rußland gegenseitig Briefe schrieben. Sie erzielten völlig andere Ergebnisse. Zudem war Feffer ein sehr beanspruchter Verführer, vor allem, wie es schien, junger Ehefrauen. Aber er fand ebenfalls Zeit, für körperbehinderte Kinder die Trommel zu rühren. Er beschaffte ihnen kostenlos Spielzeug und signierte Photographien von Eishockeystars; er fand Zeit, sie in den Kliniken zu besuchen. Er »fand Zeit«. Für Sammler war das eine sehr bezeichnende amerikanische Tatsache. Feffer führte ein energiegeladenes amerikanisches Leben, bis an die Grenze von Anarchie und Zusammenbruch. Und doch mit Hingabe. Und selbstverständlich war er in psychiatrischer Behandlung. Das waren sie alle. Sie konnten immer sagen, daß sie krank waren. Nichts wurde übersehen.

»Der britische Schauplatz in den dreißiger Jahren – Sie müssen. Für mein Seminar.«

»*Das* alte Zeug?«

»Genau. Gerade was wir brauchen.«

»Bloomsbury? All das? Aber warum? Und für wen?«

Feffer holte Sammler in einem Taxi ab. Sie fuhren in großem Stil nach Norden. Feffer legte Nachdruck auf den Stil. Er sagte, der Fahrer solle warten, während Sammler seinen Vortrag hielt. Der Fahrer, ein Neger, lehnte das ab. Feffer erhob die Stimme. Er sagte, das sei ein juristischer Fall. Sammler überredete ihn, davon Abstand zu nehmen, als Feffer schon die Polizei rufen wollte. »Es ist nicht nötig, daß ein Taxi auf mich wartet«, sagte Sammler.

»Dann machen Sie, daß Sie wegkommen«, sagte Feffer zum Chauffeur. »Und kein Trinkgeld.«

»Beschimpfen Sie ihn nicht«, sagte Sammler.

»Ich mache keine Ausnahme, weil er schwarz ist«, erklärte Lionel. »Ich habe übrigens von Margot gehört, daß Sie an einen schwarzen Taschendieb geraten sind.«

»Wo müssen wir hin, Lionel? Jetzt, wo ich im Begriff stehe zu reden, habe ich Bedenken. Ich fühle mich unklar. Was soll ich denn wirklich sagen? Das Thema ist so grenzenlos.«

»Sie wissen besser Bescheid als sonst einer.«

»Ich weiß Bescheid, ja. Aber ich bin beunruhigt – ein bißchen zittrig.«

»Sie werden phantastisch sein.«

Dann führte ihn Feffer in einen großen Saal. Er hatte einen kleinen erwartet, einen Seminarraum. Er war gekommen, um für eine Handvoll Studenten Erinnerungen an R. H. Tawney, Harold Laski, John Strachey, George Orwell und H. G. Wells aufzutischen. Aber dies war eine Art Massenversammlung. Seine behinderte Sicht nahm eine große, breite, zottige, gemischte Menschenblüte wahr. Sie war übelriechend, sonderbar ranzig und schweflig. Das Amphitheater war voll. Es gab nur Stehplätze. War das wieder ein Dreh von Feffer? Wollte er das Eintrittsgeld in die eigene Tasche stecken. Sammler beherrschte und unterdrückte den Verdacht, den er seiner Überraschung und Nervosität zuschrieb. Denn er war überrascht, verängstigt. Aber er nahm sich zusammen. Er versuchte, humoristisch anzufangen, indem er den Vortragenden heraufbeschwor, der vor unheilbaren Alkoholikern in der Meinung sprach, sie seien die (abstinente) Browning-Society. Es wurde jedoch nicht gelacht, und ihm fiel ein, daß die Browning-Societies seit Jahren ausgestorben waren. Man hatte ihm ein Mikrophon auf die Brust gehängt. Er begann, vom geistigen Klima Englands vor dem zweiten Weltkrieg zu sprechen. Vom ostafrikanischen Abenteuerkrieg Mussolinis. Spanien 1936. Den großen Säuberungsaktionen in Rußland. Stalinismus in Frankreich und England. Blum, Daladier, der Volksfront, Oswald Mosley. Der Stimmung der englischen Intellektuellen. Dafür brauchte er keine Notizen, er konnte sich leicht erinnern, was die Menschen gesagt oder geschrieben hatten.

»Ich nehme an«, sagte er, »daß Sie mit den Hintergründen, den Ereignissen von 1917 vertraut sind. Sie wissen von den meuternden Armeen, der Februarrevolution in Rußland, den schweren Niederlagen der Autorität. In allen europäischen Ländern waren die alten Führer durch Verdun, Flandern und Tannenberg diskreditiert. Vielleicht könnte ich mit dem Sturz Kerenskijs beginnen. Vielleicht mit Brest-Litowsk.«

Doppelt fremdländisch, polnisch-oxfordisch, mit dem gesträubten weißen Hinterhaar, den Furchen, die unter der getönten Brille hervorströmten, zog er sein Taschentuch aus der Brusttasche, entfaltete es und faltete es wieder, berührte sein Gesicht, wischte die Handflächen mit dünner, ältlicher Behutsamkeit. Ohne Vergnügen an der Darstellung, ohne durch Aufmerksamkeit ermutigt zu sein (es herrschte ziemlicher Lärm), war das bißchen Genugtuung, das er fühlte, das magere Gespenst des Stolzes, den er und seine Frau einst in ihren englischen Erfolg gesetzt hatten. In den Erfolg, als polnischer Jude so gut bekannt, so großzügig angesehen zu sein von der Crème, von H. G. Wells. Einbezogen zum Beispiel mit Gerald Heard und Olaf Stapledon in dem *Cosmopolis*-Projekt eines Weltstaates, hatte Sammler Artikel für *News of Progress* und die andere Veröffentlichung *The World Citizen* geschrieben. Wie er mit einer Stimme erklärte, die trotz ihrer eindrucksvollen Tiefe noch polnische Zischlaute und Nasale enthielt, beruhte das Projekt auf der Verbreitung der Wissenschaften Biologie, Geschichte und Soziologie und der wirkungsvollen Anwendung wissenschaftlicher Prinzipien zur Steigerung des menschlichen Lebens; auf dem Aufbau einer geplanten, geordneten und schönen Weltgesellschaft: der Aufgabe nationaler Souveränität, der Ächtung des Krieges, der Unterstellung von Geld, Kredit, Produktion und Verteilung, Transport, Bevölkerung, Waffenherstellung und so weiter einer weltweiten kollektiven Kontrolle und dem Angebot kostenloser universaler Erziehung, persönlicher Freiheit (soweit sie sich mit dem Gemeinwohl vertrug) in höchstem Ausmaß; eine Dienstleistungsgesellschaft, die sich auf eine rationale wissenschaftliche Einstellung zum Leben gründete. Mit wachsendem Interesse und Vertrauen zu all diesen Erinnerungen sprach Sammler eine halbe Stunde über *Cosmopolis* und merkte dabei, was für ein hochherziges, geistreiches, törichtes Unterfangen es gewesen war. Er erzählte in das beleuchtete, ruhelose Loch des Amphitheaters mit der beschmutzten Kuppel und vergitterten elektrischen Leuchtkörpern, bis er von einer klaren lauten Stimme unterbrochen wurde. Er wurde gefragt. Er wurde angeschrien.

»He!«

Er versuchte fortzufahren. »Derartige Versuche, die Intellektuellen vom Marxismus fortzulocken, hatten wenig Erfolg . . .«

Ein Mann in Jeans, dich bebartet, aber möglicherweise jung, eine Figur kompakter Verkrümmung, stand und schrie ihm zu.

»He! Alter Mann!«

In der Stille zog Sammler seine dunkle Brille herunter, um die Person mit seinem funktionierenden Auge zu sehen.

»Alter Mann, Sie haben vorhin Orwell zitiert.«

»Ja?«

»Sie haben den Ausspruch zitiert, die britischen Radikalen seien alle von der königlichen Marine beschützt. Hat Orwell gesagt, daß die britischen Radikalen von der königlichen Marine beschützt seien?«

»Ich glaube ja.«

»Das ist ein Haufen Scheiße.«

Sammler verschlug es die Sprache.

»Orwell war ein Spitzel. Er war ein mieser Konterrevolutionär. Es ist gut, daß er früh gestorben ist. Und was Sie sagen, ist Scheiße.« Er wandte sich an die Zuhörer, breitete wütige Arme, hob die Handflächen wie ein griechischer Tänzer und sagte: »Warum hört ihr euch diesen verkümmerten alten Scheißer an? Was kann er euch erzählen? Seine Eier sind vertrocknet. Er ist tot. Er kann nicht mehr kommen.«

Sammler meinte später, daß sich Stimmen zu seinen Gunsten erhoben hätten. Einer hätte gesagt: »Schande. Angeber.«

Aber niemand versuchte im Ernst, ihn zu verteidigen. Die meisten jungen Leute schienen gegen ihn zu sein. Das Schreien klang feindlich. Feffer war fort, man hatte ihn

ans Telefon gerufen. Sammler wandte sich vom Vortrags-
pult, fand seinen Regenschirm, Trenchcoat und Hut hin-
ter sich und verließ das Podium, geleitet von einem jungen
Mädchen, das herbeigestürzt kam, um Entrüstung und
Sympathie zu bekunden; sie sagte, es sei ein Skandal, einen
so schönen Vortrag abzuwürgen. Sie führte ihn durch eine
Tür, einige Stufen hinab, und er war am Broadway,
Ecke 116. Street.

Jählings außerhalb der Universität.

Zurück in der Stadt.

Er war nicht so sehr durch das Ereignis persönlich gekränkt, als durch den Willen zur Kränkung betroffen. Welch
eine Leidenschaft, *real* zu sein. Aber *real* war auch brutal.
Und die Annahme des Exkrements als Norm? Wie erstaunlich! Jugend? Verbunden mit der Idee sexueller
Potenz? All diese wirre sexual-exkrementale Militanz, Ex-
plosivität, Gehässigkeit, das Zähnefletschen, Berberaffenge-
heul. Oder wie die Klammeraffen in den Bäumen, die, wie
Sammler einmal gelesen hatte, den Darm in die Hände
entleerten und dann kreischend die Forscher auf dem Boden bewarfen.

Er war nicht böse, den Tatsachen begegnet zu sein, so betrüblich, bedauerlich die Tatsachen auch waren. Aber das
Ergebnis war, daß Mr. Sammler sich ein wenig abgesondert
von den anderen seiner Gattung vorkam, wenn nicht gar
in gewisser Weise losgetrennt – getrennt nicht so sehr durch
das Alter wie durch ein zu verschiedenes und abseitiges
Vertieftsein, übermäßig auf der Seite des Geistigen, Plato-
nischen, Augustinischen, des dreizehnten Jahrhunderts. Wie
der Verkehr strömte, so strömte der Wind, und die Sonne,
verhältnismäßig hell für Manhattan – sie schien und strömte durch Öffnungen in seiner Substanz, durch seine Lücken.
Als sei er von Henry Moore gemeißelt. Mit Löchern,

Lacunae. Wie nach der Begegnung mit dem Taschendieb verdankte er den Ereignissen eine neue intensivere Sicht. Ein Bote mit einem Blumenkreuz, das beide Arme füllte, ein kahler gedellter Schädel, schien betrunken zu sein, kämpfte taumelnd gegen den Wind. Seine stumpfen Stiefel waren klein und seine kurzen, weiten Hosen bauschten sich wie Frauenröcke. Gardenien, Kamelien, Zimmercalla segelten über ihm unter leichter, durchsichtiger Plastik. Oder an der Bushaltestelle des Riverside Drive bemerkte Sammler die Nähe eines wartenden Studenten und beobachtete unter Aufbietung aller Sehkraft, daß er eine breitgerippte Kordhose von urinösem Grün, ein karottenfarbiges Tweedjackett mit Knoten aus blauer Wolle trug, daß die Bartkoteletten wie mächtige buschige Säulen an seinem Kopf standen, daß zivilisierte Schildpattstege sie unterbrachen, daß sich sein Haar vorn schon lichtete; eine jüdische Nase, eine schwere allschmeckende, allverachtende Lippe. Oh, dies war ein artistischer Zeitvertreib der Straßen für Mr. Sammler, wenn er durch einen Schock dazu hochgestachelt war. Er war lerneifrig, war ein Bücherwurm und war von den besten Schriftstellern dazu angehalten worden, sich mit Beobachtungen zu amüsieren. Wenn er ausging, war das Leben nicht leer. Indessen verhielten sich die zweckgelenkten, aggressiven, geschäftsbeflissenen, triebhaften Menschen, wie die Menschheit sich normaler Weise verhielt. Wenn die Menschheit umherging wie unter einem Bann, Schlafwandler, von kleinen neurotischen banalen Zielen eingeengt und beherrscht, waren Individuen wie Mr. Sammler nur eine Stufe weiter, nicht dem Zweck zugewandt, sondern dem ästhetischen Konsum der Umwelt. Selbst beleidigt, verletzt und irgendwo blutend gaben sie nicht breitem Zorn Ausdruck, schrien nicht auf vor Kümmernis, sondern übersetzten ihr Herzeleid in feine, selbst durchdringende Beobachtung. Teilchen im hellen Wind, die südwärts gefegt wurden, waren wie Schmirgel auf dem Gesicht. Die Sonne schien, als gäbe es keinen Tod. Eine ganze Minute, während der Bus Luft ausstoßend näherkam, war es so. Dann stieg Mr. Sammler ein, ging als guter Bürger nach hinten, in der Hoffnung, daß man ihn nicht hinter die Ausgangstür schieben würde, denn er wollte nur fünfzehn Blocks fahren, und die Menge war dicht. Der übliche Geruch von lange sitzenden Hintern, von sauren Schuhen, von Tabaksschleim, von Zigarren, Kölnisch Wasser, Gesichtspuder. Und doch am Fluß entlang früher Lenz, das erste Khaki – ein paar Wochen Sonne, Wärme, und Manhattan würde (kurz) sich mit dem nordamerikanischen Kontinent vereinen in einem Tag altzeitlichen Grüns, der samtenen Üppigkeit, dem Glanz der Jahreszeit, schimmernd, blank, der Hartriegel weiß, rosa, blühender Holzapfel. Dann würden die Füße der Leute in der Wärme schwellen, und vorm Rockefeller Center würden die Spaziergänger auf den polierten Steinplatten sitzen, neben den gepflanzten Tulpen und Tritonen und dem Wasser, alle in einer Stimmung der Trächtigkeit. Menschenwesen unter den warmen Schatten der Wolkenkratzer spürten die schwere Freude ihrer Natur und gaben ihr nach. Auch Sammler würde den Frühling genießen – einen jener vorletzten Lenze. Selbstverständlich war er verärgert. Sehr. Freilich war all dieses Zeug über Brest-Litowsk, all die alten Neuigkeiten über revolutionäre Intellektuelle versus die deutsche Militärführung in diesem Zusammenhang einfach komisch. Inkonsequent. Gewiß waren die Studenten auch komisch. Und was war das Schlimmste (abgesehen von der Grobheit)? Es gab geeignete Mittel, einen alten Langweiler zum Schweigen zu bringen. Es war durchaus möglich, daß er mit seinen Ausführungen über *Cosmopolis*, vor allem in einer öffentlichen Versammlung, ein alter Langweiler gewesen war. Das Schlimmste, vom Standpunkt der jungen Leute selber, war jedoch, daß sie ohne Würde handelten. Sie hatten kein Gefühl für den Adel, zur Intelligenz zu gehören und Richter der Gesellschaftsordnung zu sein. Wie schade! dachte der alte Sammler. Ein Mensch, der sich aus den richtigen Gründen werthält, hat und schafft Ordnung, Autorität. Wenn die inneren Teile in Ordnung sind. Die müssen in Ordnung sein. Aber was geschah, wenn man auf der Stufe des Windelkleckerns stehenblieb? Was war, wenn man von dem pathologischen Maßstab nicht loskam? (Sammler machte dafür die Deutschen und ihre Psychoanalyse verantwortlich!) Wer hatte die Windelflagge gehißt? Wer hatte die Scheiße zum Sakrament erhoben? Was für eine literarische und psychologische Bewegung war das? Mit bitterem Zorn hielt sich Mr. Sammler an der Deckenstange des überfüllten Busses fest und fuhr nach Süden, eine kurze Fahrt.

Er hatte bestimmt nicht an den schwarzen Taschendieb gedacht. Den verband er mit dem Columbus Circle. Der fuhr immer nach Norden, aber nicht nach Süden. Jedoch im hinteren Teil stand er, im Kamelhaarmantel, eine Ecke mit seinem mächtigen Körper füllend. Sammler sah ihn mit starkem innerem Widerstreben. Er widerstrebte, weil er in diesem schwankenden schwierigen Augenblick nicht den Wunsch hatte, ihn zu sehen. Mein Gott! Nicht jetzt! Sammler fühlte einen sofortigen inneren Abstieg: sein Herz sank. Sicher wie das Geschick, wie ein Naturgesetz, ein fallender Stein, ein steigendes Gas. Er wußte, daß der Dieb den Bus nicht zur Beförderung benutzte. Um eine Frau zu treffen, um nach Hause zu gelangen – wie immer er sich amüsierte –, nahm er unzweifelhaft ein Taxi. Er konnte es sich leisten. Aber jetzt blickte Sammler hinab auf seine Schulter, der größte Mann im Bus, bis auf den Dieb selber. Er sah, daß er auf der langen hinteren Bank jemanden in der Klemme hatte. Hinter der kräftigen Beugung seines Rückens verbarg er das Opfer vor den anderen Fahrgästen. Nur Sammler konnte von seiner Höhe aus sehen. Kein Grund, der Höhe oder dem Sehen dankbar zu sein. Der eingeengte Mann war alt, war schwach; schlechte Augen, die vor Angst tränten, weiße Wimpern, rote Lider und meeresschleimblau seine Augen, der Mund offen mit falschem Gebiß, das vom Oberkiefer herunterrutschte. Mantel und Jacke waren ebenfalls offen, das Hemd vorstehend wie eine schlecht geklebte grüne Tapete und das Futter seiner Jacke zerschlissen. Der Dieb zupfte an seiner Kleidung wie ein Arzt an einem Klinikpatienten. Er schob Schlips und Schal beiseite und zog die Brieftasche heraus. Dann rückte er lässig den eigenen Homburg (eine bloße animalische Bewegung) etwas aus der Stirn zurück, die gefurcht war, aber nicht aus Angst. Die Brieftasche war lang, Lederersatz, Plastik. Geöffnet gab sie ein paar Dollarscheine her. Es waren auch Karten darin. Der Dieb nahm sie in die Hand. Las sie mit seitlich geneigtem Kopf. Ließ sie fallen. Prüfte einen grünen, bundesstaatlich aussehenden Scheck, wahrscheinlich von der Sozialversicherung. Wegen seiner dunklen Brille hatte Mr. Sammler Schwierigkeiten mit der Sehschärfe. Zu viel Adrenalin lief ihm mit leichter, dünner Rapidität durchs Herz. Er war selbst nicht furchtsam, aber sein Herz schien sich zu fürchten, er erlitt einen Anfall. Er erkannte ihn, wußte den dazu gehörigen Namen: Tachycardia. Das Atmen war schwer. Er konnte nicht genug Luft kriegen. Er war besorgt, daß er ohnmächtig werden könnte. Oder daß Schlimmeres passierte. Den Scheck steckte der schwarze Mann in die eigene Tasche. Fotos fielen aus seinen Fingern wie die

Karten. Als er fertig war, tat er die Brieftasche wieder zurück in das graue, abgetragene zerschlissene Futter, schnippte den Schal des alten Mannes an seinen Platz. Mit ironischer Ruhe ergriffen Daumen und Zeigefinger den Knoten des Schlipses und zupften ihn annähernd, aber auch nur annähernd, zurecht. Es war in diesem Augenblick, daß er bei einer schnellen Kopfwendung Mr. Sammler sah. Mr. Sammler, beim Sehen gesehen, war noch mit seinem Herzen im schnellen Wirbel. Wie ein flüchtendes Lebewesen, das ihm davonlief. Seine Kehle schmerzte bis zur Wurzel der Zunge. Er fühlte einen jähen Schmerz im schlechten Auge. Aber er hatte eine gewisse Geistesgegenwart. Er ergriff die Chromstange zu seinen Häupten und beugte sich vor, als wolle er sehen, welche Straße an der Reihe war. Sechsundneunzigste. Mit anderen Worten, er vermied einen Blick, der fixiert werden konnte, oder ein Duell der Blicke. Er gab nichts zu und begann, sich zum hinteren Ausgang vorzuarbeiten, mit sanfter Dringlichkeit, türwärts gebückt. Er langte nach der Schnur, fand sie, zog, erreichte den Tritt, zwängte sich durch die Tür und stand auf dem Bürgersteig, wobei er den Regenschirm am Stoff, am Knauf festhielt.

Da sich die Tachycardia jetzt beruhigte, war er imstande zu gehen, wenn auch nicht mit der gewohnten Geschwindigkeit. Sein Plan war, den Riverside Drive zu überqueren und das erste Gebäude zu betreten, als ob er da wohnte. Er war dem Taschendieb an der Tür zuvorgekommen. Vielleicht würde dieser in seiner Unverfrorenheit ihn nicht für verfolgenswert erachten. Der Mann schien sich von niemand für bedroht zu fühlen. Nahm die Schlaffheit, die Feigheit der Welt für gegeben. Sammler öffnete mit Mühe eine große schwarzvergitterte Glastür und fand sich in einer leeren Halle. Er vermied den Fahrstuhl, entdeckte die Treppe, kletterte die erste Zeile hinauf und setzte sich auf den Treppenabsatz. Ein paar Minuten Ausruhen, und er gewann wieder seine Sauerstoffzufuhr, obwohl er das Gefühl hatte, daß sich im Innern etwas verflüchtigt hatte. Regelrecht ausgedünnt. Bevor er zur Straße zurückkehrte (es gab keinen Hinterausgang), steckte er den Regenschirm unter den Mantel, hakte ihn ins Armloch und verschnürte ihn mehr oder weniger sicher mit dem Gürtel. Er machte außerdem den Versuch, die Form seines Hutes zu ändern, indem er ihn von innen ausbeulte. Er ging an der West End Avenue vorbei zum Broadway, trat in die erste beste Imbißstube, setzte sich in den hinteren Winkel und bestellte Tee. Er trank die schwere Tasse leer, bis hinunter zum Gerbsäuregeschmack, drückte auf den triefenden Beutel und bat den Mann an der Theke um mehr Wasser, da er sich ausgetrocknet fühlte. Durch das Fenster war der Dieb nicht zu entdecken. Inzwischen war Sammlers dringendstes Bedürfnis sein Bett. Aber er wußte, wie man sich versteckt hielt. Er hatte es in Polen gelernt, im Krieg, in Wäldern, Kellern, Torwegen, Friedhöfen. Dinge, die er einst durchlebt hatte, und die eine gewisse Zone oder einen Spielraum ausgelöscht hatten, welche man im allgemeinen als gegeben annimmt. Als gegeben annimmt, daß man nicht beschossen wird, wenn man die Straße betritt, nicht totgeprügelt wird, wenn man sich hinhockt, um sich zu erleichtern, nicht im Torweg zu Tode gejagt wird wie eine Ratte. Nachdem diese zivile Zone einmal aufgehoben war, hatte Sammler niemals mehr volles Vertrauen zu ihrer Wiederherstellung.

Er hatte in New York wenig Anlaß gehabt, die Kunst des Unterschlüpfens und Entkommens zu üben. Aber jetzt, obwohl sein Gebein nach dem Bett schrie und sein Schädel nach den Kissen hungerte, saß er am Tresen mit seinem

Tee. Er konnte keine Busse mehr benutzen. Von nun an war es die Untergrundbahn. Die Untergrund war ein Greuel.

Aber Mr. Sammler hatte den Taschendieb nicht abgeschüttelt. Der Mann konnte sich offenbar schnell bewegen. Vielleicht hatte er sich den Ausstieg mitten im Block erzwungen und war zurückgesprintet, schwer aber geschwind mit Homburg und Kamelhaarmantel. Viel wahrscheinlicher hatte ihn der Dieb aber früher beobachtet, hatte ihn einmal zuvor beschattet und war ihm nach Hause gefolgt. Ja, so muß es gewesen sein. Denn als Mr. Sammler in die Eingangshalle seines Hauses eintrat, kam der Mann hurtig gleich hinter ihm herein, und nicht nur hinter ihm, sondern schob ihn von hinten, Bauch gegen Rücken. Er erhob nicht die Hände gegen Sammler, sondern schob. Kein Angestellter des Hauses war da. Die Pförtner, die auch den Fahrstuhl bedienten, verbrachten einen großen Teil ihrer Zeit im Keller.

»Was ist los? Was wollen Sie?« fragte Sammler.

Er sollte nie die Stimme des schwarzen Mannes vernehmen. Er sprach so wenig, wie ein Puma sprechen würde. Was er tat: er drängte Sammler in eine Ecke neben dem langen schwärzlichen geschnitzten Tisch, eine Art Renaissancestück, ein Ding, das zur Melancholie der Halle beitrug, neben der verzogenen Tapete der alten Wand, neben den rotäugigen Lichtern der doppelarmigen Messingleuchter. Dort hielt der Mann Sammler mit seinem Unterarm gegen die Wand. Der Schirm fiel zu Boden mit einem scharfen Knall der Krücke auf den Fliesen. Er blieb unbeachtet. Der Taschendieb knöpfte sich auf. Sammler hörte den Reißverschluß abwärtsgleiten. Dann wurde die dunkle Brille von Sammlers Gesicht entfernt und auf den Tisch gelegt. Er wurde stumm aufgefordert, nach unten zu blicken. Der

Mann hatte den Hosenschlitz geöffnet und sein Glied herausgezogen. Es wurde Sammler mit großen ovalen Hoden zur Schau gestellt, ein großes, braun-lilafarbenes unbeschnittenes Ding – ein Schlauch, eine Schlange; metallische Haare kräuselten sich an der dicken Basis, und die Spitze bog sich vor der tragenden, zeigenden Hand und ließ an die fleischige Beweglichkeit eines Elefantenrüssels denken, obwohl die Haut nicht dick oder rauh war, sondern eher schimmerte. Über den Vorderarm und die Faust, die es hielt, wurde Sammler genötigt, auf dieses Organ zu blicken. Ein Zwang wäre nicht erforderlich gewesen. Er hätte in jedem Fall geguckt.

Die Zwischenzeit war lang. Der Gesichtsausdruck des Mannes war nicht eigentlich drohend, sondern voll seltsamer, gelassener Souveränität. Das Ding wurde mit verwirrender Gewißheit gezeigt. Herrschergebärde. Dann wurde es in die Hose zurückgetan. *Quod erat demonstrandum.* Sammler wurde freigelassen. Der Schlitz wurde geschlossen, der Mantel geknöpft, der wunderbare fließende lachsfarbene Seidenschlips mit einer kräftigen Hand auf der kräftigen Brust geglättet. Die schwarzen Augen mit einem Leuchten höchster Unverblümtheit beschlossen mit leiser Bewegung diese Zusammenkunft, die Lektion, die Warnung, die Begegnung, die Übermittlung. Er nahm Sammlers dunkle Brille auf und setzte sie ihm wieder auf die Nase. Dann öffnete und setzte er die seine auf, rund, enzianblau, dezent bebändert mit dem schönen Gold von Dior.

Darauf ging er. Der Fahrstuhl, der mit einem Ruck aus dem Keller zurückkehrte, ging zur gleichen Zeit auf wie die Haustür. Sammler bückte sich lahm, hob den gefallenen Regenschirm auf und fuhr nach oben. Der Pförtner versuchte nicht zu plaudern. Für diese traurige Ungeselligkeit war man dankbar. Noch besser war, daß er nicht auf Margot traf. Und am besten, er ließ sich aufs Bett fallen, streckte sich aus, so wie er war, mit schmerzenden Füßen, dünnem Atem, Schmerz in der Herzgegend, benommenem Verstand und einer zeitweiligen Geistesleere. Wie der Fernsehmonitor in der Halle, weiß und grau, summend ohne Bild. Zwischen Kopf und Kissen lag ein hartes Rechteck, die marmorierte Pappe eines Heftes, meergrün. Mit Tesafilm war ein Zettel daran geheftet. Er zog ihn ins Licht, brachte ihn nahe ans Auge und zwang sich, mit Lippen, die stumm und bitter buchstabierten, die einzelnen Schriftzeichen zu lesen. Die Notiz war von S. (entweder Shula oder Slawa).

»Vati: Diese Vorträge über den Mond von Doktor V. Govinda Lal sind mir nur kurz geliehen. Sie haben Beziehung zum Erinnerungsbuch.« Wells natürlich, der um 1900 über den Mond geschrieben hatte. »Das ist das Allerneuste. Faszinierend. Vati, du mußt es lesen. Obligatorisch. Augen oder nicht. Und bald bitte! da Dr. Lal Gastdozent in der Columbia-Universität ist. Er muß es zurückhaben.« Mit furchtbarem Stirnrunzeln, Geduld und Nachsicht verflogen, war er von Abscheu gegen diese einspurige, beharrliche, verfolgungswütige, schaurig-komische Besessenheit seiner Tochter erfüllt. Er schöpfte einen langen, lungenpeinigenden, körperstreckenden Atemzug.

Dann schlug er das Heft auf und las, in Sepia, in rostiggoldener Tinte *Die Zukunft des Mondes*. »Wie lange«, lautete der erste Satz, »wird diese Erde noch die einzige Heimstatt der Menschen bleiben?«

Wie lange? Mein Gott, in der Tat! War es nicht höchste Zeit – die richtige Stunde fortzugehen? Um alles unter dem Himmel. Es gab eine Zeit, Steine aufzusammeln, und eine Zeit, Steine fortzuwerfen. Dabei betrachtete man die Erde nicht als einen verworfenen Stein, sondern als etwas, von dem man sich loswerfen sollte – dessen man sich entledigt. Diesen großen blauen weißen Planeten schießen lassen, oder sich von ihm fortschießen lassen.

2

Der mittlere Radius des Mondes 1737 Kilometer, der der
Erde 6371 Kilometer. Des Mondes Schwerkraft 161 cm/
sec², der Erde 981 cm/sec². Verwerfungen und Risse im
lunaren Grundgestein durch etxreme Temperaturen verursacht. Natürlich gibt es keinen Wind. Fünf Milliarden
windlose Jahre. Bis auf den solaren Wind. Stein zerbrök-
kelt, aber ohne die übliche Verwitterung. Der gespaltene
Stein braucht Zeit zum Fallen, denn die Anziehungskraft
ist niedriger und der Fallwinkel entsprechend spitzer. Zudem hätten im Vakuum des Mondes Steine, Sand, Staub
und Körper der Forscher alle die gleiche Fallgeschwindig-
keit, deshalb ist es wesentlich, die Erdrutschgefahr von
allen Seiten zu prüfen, bevor man zu klettern versucht.
Informationsorgane entwickeln sich rapide. Massenspek-
trometer. Solare Batterien. Von radioaktiven Isotopen erzeugte Elektrizität, von Strontium 90, Polonium 210, durch
thermoelektrische Energiekonserven. Dr. Lal hatte die
Telemetrie, Datenübermittlung gründlich berücksichtigt.
Hatte er etwas außer acht gelassen? Nachschub könnte
man auf eine Umlaufbahn bringen und nach Bedarf durch
ein Bremssystem herunterholen. Die Computer müßten
überaus präzise sein. Wenn man am Punkt X eine Tonne
Dynamit benötigte, wollte man sie nicht 800 Kilometer
davon entfernt herunterbringen. Und wenn es lebensnot-
wendiger Sauerstoff wäre? Und wegen der größeren Ober-
flächenkrümmung des Mondes sind die Horizonte kürzer,

und die bisherigen Geräte können keine Ordersignale über den Horizont hinaussenden. Eine noch genauere Koordination wird notwendig sein. Zum Wohl des Mondpersonals, um seine Erfindungsgabe zu steigern und einfach als wünschenswerten geistigen Stimulus empfahl Dr. Lal, in den Pionierkolonien Bier zu brauen. Denn Biersauerstoff ist für Sauerstoffgärten, für Treibhäuser unerläßlich. Ein kurzes Kapitel war der Auswahl einer lunaren Flora gewidmet. Nun denn, zähe Exemplare des Pflanzenreiches lebten in Margots Wohnzimmer. Man öffnete zwei Türen, und da waren sie: Kartoffelranken, Avocados, Gummibäume. Dr. Lal erwog Hopfen und Zuckerrüben.

Sammler dachte: Das ist nicht das Mittel, um dem raumzeitlichen Gefängnis zu entrinnen. Die Entfernung ist noch endlich. Endlichkeit ist noch Fühlen durch den Schleier, das Prüfen der nackten inneren Wirklichkeit mit der behandschuhten Hand. Immerhin konnte man den Vorteil sehen, von hier fortzukommen, Iglus aus Kunststoff im Vakuum zu bauen, in stillen Kolonien zu leben, die notwendigerweise karg waren, fossiles Wasser zu trinken und nur grundlegende Fragen zu bedenken. Ohne Zweifel. Shula-Slawa hatte ihm diesmal ein Dokument gebracht, das seine Aufmerksamkeit verdiente. Sie suchte immer idiotische Titel in der Fourth Avenue aus, von Straßenkarren, Bücher mit verschossenem Rücken und Regenflecken – England in den zwanziger und dreißiger Jahren, Bloomsbury, Downing Street, Clare Sheridan. Seine Regale waren vollgestopft mit Trödelkram, acht Bücher für 'nen Dollar, die in klaffenden Einkaufstaschen herbeigeschleppt wurden. Und sogar die Bücher, die er selbst gekauft hatte, waren weitgehend überflüssig. Nachdem man sich große Mühe mit ernsten Schriftstellern gegeben hatte, fand man nur wenig, was man nicht schon gewußt hatte. So viele falsche Anläufe, Sackgassen, Postulate, die vor dem Ende der Beweisführung dahinwelkten. Selbst die fähigsten Denker gerieten ins Tasten, wenn sie an ihre Grenzen gelangten und nicht mehr Beweise oder Sicherheiten besaßen. Ob sie nun Optimisten oder Pessimisten waren, ob die endgültige Sicht hell oder dunkel war, es war fast immer *terra cognita* für den alten Sammler. Daher hatte Dr. Lal einen gewissen Wert. Er brachte Neues. Sicher sollte es immer noch möglich sein, der Wahrheit auf der Innenbahn zu folgen, ohne aufwendige Vorbereitungen, Computer, Telemetrie, all dies technologische Fachwissen, die Investition und komplexe Organisation, die für den Besuch von Mars, Venus und Mond erforderlich waren. Dennoch mußten vielleicht dieselben menschlichen Aktivitäten, die uns so eingeschlossen hatten, uns auch wieder herauslassen. Die Mächte, die die Erde hatten zu klein werden lassen, konnten uns aus der Gefangenschaft befreien. Nach dem homöopathischen Prinzip. Wenn man die puritanische Revolution bis zum Ende fortsetzte, die sich der Welt der Materie aufgedrängt, alle Macht den materiellen Abläufen gegeben und dabei das religiöse Gefühl umgesetzt und erschöpft hatte. Oder in der vernichtenden Zusammenfassung von Max Weber, die Sammler auswendig kannte. »Fachmenschen ohne Geist, Genußmenschen ohne Herz, dies Nichts bildet sich ein, eine nie zuvor erreichte Stufe des Menschentums erstiegen zu haben.« Vielleicht gab es also keine andere Wahl als weiter in dieselbe Richtung vorzustoßen, auf eine vernachlässigte und zurückgebliebene Kraft zu harren, daß sie wieder vorprescht und sich die Führung sichert. Vielleicht durch eine wachsende Übereinkunft der besten Köpfe, nicht unähnlich der ›Offenen Verschwörung‹ von H. G. Wells. Vielleicht hatte der alte Knabe (Sammler, selbst ein alter Knabe, erwog es) doch recht gehabt.

Aber er legte das meergrünmarmorierte Heft, die golden-tintigen Thesen des V. Govinda Lal, die in steifem edwar-disch-pedantischen Hindu-Englisch geschrieben waren, bei-seite, um – tatsächlich unter geistigem Zwang – zu dem Taschendieb und dem Ding, das er ihm gezeigt hatte, zu-rückzukehren. Was hatte *das* bedeutet? Es hatte einen Schock versetzt. Schocks stimulierten das Bewußtsein. Bis zu einem gewissen Punkt, allerdings. Aber was war der Zweck, seine Genitalien bloßzustellen? *Qu'est ce que cela preuve?* War es ein französischer Mathematiker, der diese Frage gestellt hatte, nachdem er eine Tragödie Racines ge-sehen hatte? Soweit Sammler sich erinnerte. Nicht daß er das alte europäische Kulturspiel besonders gern spielte. Davon hatte er genug. Trotzdem kamen ihm ungerufen solche Sätze in den Sinn. Auf alle Fälle, da war das Organ des Mannes, ein Riesenstück Sexualfleisch, halbgeschwollen in seinem Stolz und ganz auf sich gestellt, ein prominenter und gesonderter Gegenstand, dazu bestimmt, Autorität zu vermitteln. Wie er, bei der Sexideologie dieser Tage, auch sehr wohl konnte. Es war ein Symbol der Superlegitimität oder Souveränität. Es war ein Mysterium. Es war unwider-leglich. Die gesamte Erläuterung. Dies ist das Wieso und Warum. Verstanden? Oh, der überragende, Schweigen ge-bietende Beweis. Wir betrachten diese Dinge, Mann, als Beweis in sich selbst. Und doch hatte auch der Ameisenbär empfindliche Längen solcher Art, nicht kompliziert durch Machtbehauptungen, selbst über Ameisen. Aber mache Na-tur zu deinem Gott, erhebe die Kreatürlichkeit, und man kann sich allenfalls auf grobe Ergebnisse gefaßt machen. Sammler wußte so manches von solch überbetonter Krea-türlichkeit, ohne es überhaupt zu wollen. Aus speziellen Gründen war er dieser Tage viel gefragt, viel besucht, oft um Rat gebeten und Empfänger von Beichten. Vielleicht lag es an den Sonnenflecken oder den Jahreszeiten, etwas Barometrischem oder sogar Astrologischem. Aber immer kam gerade jemand an und klopfte an seine Tür. Als er an den Ameisenbär dachte, an die Tatsache, daß er schon lange von dem schwarzen Mann aufs Korn genommen und beschattet worden war, wurde an seine Hintertür geklopft.

Wer war es? Sammler klang vielleicht gereizter, als er sich fühlte. Was er fühlte, war eher, daß andere mehr Kraft zum Leben besaßen als er. Dies verursachte geheimen Kummer. Und da war auch eine Illusion im Spiel, denn angesichts der gegnerischen Macht hatte niemand genügend Kraft.

Es trat ein Walter Bruch, einer der Familie. Walter, Margots Vetter, war ebenfalls mit den Gruners verwandt.

Die Kusine Angela hatte Sammler einmal zu einer Rouault-Ausstellung mitgenommen. Wunderschön gekleidet, duftend, raffiniert zurechtgemacht, führte sie Sammler von Saal zu Saal, bis es Sammler so vorkam, als sei sie ein rollender Reifen aus erlesenen Gold- und Gemmenfarben, und er, der ihr folgte, sei ein alter Stock, von dem sie nur gelegentlich angetippt zu werden brauchte. Als sie dann aber vor einem Porträt Rouaults stillstanden, hatten beide die gleiche Gedankenverbindung: Walter Bruch. Es war ein breiter, untersetzter, schwerer, rotgesichtiger Mann mit derben Zügen, wolligem Haar, starrend, ein gebackener Typ, der kühn genug dreinblickte, aber offenbar nicht imstande war, seine eigenen Gefühle zu ertragen. Der Mann bis aufs Haar. Es mußte Tausende solcher Männer geben. Aber dies war unser Walter. Im schwarzen Regenmantel, mit Kappe, graues Haar vor den Ohren gestaut, die rötlich-schwärzlichen Teetopfbäckchen, die dicken maulbeerfarbenen Lippen – nun, man stelle sich das Jenseits vor, stelle sich tonnenweise Seelen vor, stelle sich vor, sie seien zur Fleischwerdung und Geburt mit dominierenden Eigenschaften *ab initio* gesandt. In Bruchs Fall wäre die Stimme von Anbeginn bedeutsam gewesen. Er war ein Stimmenmensch, aus den Seelentonnen. Er sang in Chören, bei den Tempelsängern. Von Beruf war er Bariton und Musikwissenschaftler. Er fand alte Manuskripte und bearbeitete oder arrangierte sie für Gruppen, die alte oder barocke Musik darboten. Sein eigener kleiner Dreh, sagte er. Er sang gut. Seine Singstimme war gut, aber seine Sprechstimme barsch, schnell, kehlig. Er kollerte, quakte, grunzte, schluckte Silben.

Da er sich nahte, als Sammler gedanklich so beansprucht war, erhielt Bruch in seiner Idiosynkrasie einen sehr speziellen Empfang. Grob gesagt den folgenden: Dinge, denen man in der Welt begegnet, sind an die Formen unserer Wahrnehmung in Raum und Zeit und an die Formen unseres Denkens gebunden. Wir sehen, was vor uns ist, das Gegenwärtige, das Objektive. Das ewige Sein tritt auf diese Weise zeitlich in Erscheinung. Das einzige Mittel aus diesem Befangensein in den Formen, aus dieser Haft im Gefängnis der Projektionen herauszukommen, der einzige Kontakt mit dem Ewigen ist durch Freiheit. Sammler hielt sich für einen genügend guten Kantianer, um dies zu akzeptieren. Und er sah einen Mann wie Walter Bruch innerhalb der Formen sich das Herz abdrücken. Deswegen kam er zu Sammler. Deswegen spielte er den Clown, denn er spielte immer den Clown. Shula-Slawa erzählte einem, sie sei von berittener Polizei, die ein entsprungenes Reh verfolgte, niedergeworfen worden, als sie in einen Artikel in *Look* vertieft war. Bruch konnte ganz plötzlich anfangen zu singen wie der blinde Mann in der 72. Street, der einen Blindenhund mitschleppte und die Münzen in seiner Büchse klappern ließ: »Welch ein Freund ist unser Jesus – Gott segne Sie, mein Herr.« Er liebte auch gespielte Beerdigungen mit Latein und Musik, Monteverdi, Pergolesi, die c-moll-Messe von Mozart; er sang »Et incarnatus est« im Falsett. In seinen ersten Flüchtlingsjahren pflegten er und ein anderer deutscher Jude, der wie er in Macy's Warenhaus beschäftigt war, Messen für einander zu halten, wobei der eine in einer Versandkiste lag, billige Perlenschnüre ums Handgelenk gebunden, und der andere den Gottesdienst abhielt. Bruch hatte daran immer noch Spaß, liebte es, den Leichnam zu spielen. Sammler hatte es schon oft genug mit angesehen. Zusammen mit anderen Clownroutinen. Nazi-Massenversammlungen im Sportpalast. Bruch benutzte einen leeren Topf zur Resonanz, hielt ihn zum ›Hall‹ an den Mund, tobte wie Hitler und unterbrach sich selbst, um ›Sieg Heil‹ zu schreien. Sammler hatte niemals Spaß an dieser Lustbarkeit. Sie führte bald zu Bruchs Erinnerungen an Buchenwald. All dieses entsetzliche, komische, inkonsequente, sinnlose Zeug. Wie plötzlich im Jahre 1937 den Gefangenen Kochtöpfe zum Kauf angeboten wurden. Hunderttausende, fabrikneu. Warum? Bruch kaufte so viele Töpfe wie er konnte. Wofür? Die Gefangenen versuchen, sich gegenseitig Töpfe zu verkaufen. Und dann fiel ein Mann in den Latrinegraben. Niemand durfte ihm helfen, und er ertrank darin, während die anderen Gefangenen hilflos auf den Planken hockten. Ja, erstickte im Kot!

»Gut, schon gut, Walter«, sagte dann Sammler streng.

»Ja, ich weiß, das Schlimmste habe ich dort noch nicht mal erlebt, Onkel Sammler. Und du warst mitten im ganzen Krieg. Aber ich saß da mit Durchfall und Schmerzen. Meine Gedärme. Nacktes Arschloch.«

»Schon gut, Walter, wiederhole dich nicht so viel.«

Unseligerweise stand Bruch unter dem Zwang zu wieder-

holen, und Sammler fühlte Mitleid. Er war ungehalten und
voller Mitleid. Und bei Walter, wie bei so vielen anderen,
war es immer und immer wieder, war es immer noch und
ohne Ende das Geschlechtliche. Bruch verliebte sich in Frauenarme. Es mußten ziemlich junge, rundliche Frauenarme
sein. In der Regel dunkelhäutig. Oft waren es Puertorika-
nerinnen. Und im Sommer, vor allem im Sommer, ohne
Mäntel, wenn Frauenarme entblößt waren. Er sah sie in
der Untergrundbahn. Er fuhr mit ins spanische Harlem.
Er drückte sich gegen eine Metallstange. Ganz oben in
Harlem war er der einzige weiße Fahrgast. Und das ganze – die Anhimmlung, die Schande, die Gefahr einer Ohn-
macht, wenn es bei ihm kam! Hier, wenn er es erzählte,
begann er den haarigen Ansatz seines dicken Halses zu
befingern. Klinisch! Zu gleicher Zeit hatte er in der Regel
ein höchst idealistisches und feines Verhältnis mit einer
Dame. Klassisch! Des Mitleids, des Opfers, der Liebe
fähig. Selbst der Treue, auf seine eigene ungewöhnliche
Weise.
Augenblicklich »hing« er, wie er es nannte, an den Armen
einer Kassiererin im Drugstore.
»Ich gehe hin, sooft ich kann.«
»Ah so«, sagte Sammler.
»Es ist Wahnsinn. Ich habe meine Diplomatentasche unter
dem Arm. Sehr fest. Ausgezeichnetes Leder. In einem Kof-
fergeschäft der Fifth Avenue habe ich dafür 38.50 Dollar
bezahlt. Verstehst du?«
»Ich beginne zu begreifen.«
»Ich kaufe etwas für fünfundzwanzig, für zehn Cents.
Ein Päckchen Brillenputzer. Ich gebe einen großen Schein
– zehn Dollar, gar zwanzig. Ich gehe auf die Bank, um mir
neues Geld zu holen.«
»Ich verstehe.«

»Onkel Sammler, du hast keine Ahnung, was für mich in diesem runden Arm liegt. So dunkel! So schwer!«

»Nein, wahrscheinlich nicht.«

»Ich halte die Diplomatentasche gegen den Ladentisch, und ich drücke mich. Während sie das Geld wechselt, drücke ich mich.«

»Schon gut, Walter, erspare mir den Rest.«

»Onkel Sammler, vergib mir. Was kann ich tun? Für mich ist es die einzige Möglichkeit.«

»Nun, das ist deine Sache. Warum erzählst du's mir?«

»Es gibt einen Grund. Warum sollte ich es dir nicht erzählen? Es muß einen Grund geben. Bitte laß mich nicht aufhören. Sei gütig.«

»Du solltest von selbst aufhören.«

»Das kann ich nicht.«

»Bist du sicher?«

»Ich drücke. Ich habe einen Orgasmus. Ich benetze mich.« Sammler hob die Stimme. »Kannst du nicht mal was weglassen?«

»Onkel Sammler, was soll ich tun? Ich bin über sechzig.« Dann hob Bruch den Rücken seiner dicken, kurzen Hände zu den Augen. Die platte Nase gebläht, den Mund offen, verspritzte er Tränen und drehte affenartig seine Schultern, seinen Rumpf. Und mit diesen rührenden Lücken zwischen den Zähnen. Wenn er weinte, war er nicht barsch. Dann hörte man den Musiker.

»Mein ganzes Leben ist so gewesen.«

»Das tut mir leid, Walter.«

»Ich bin in der Klemme.«

»Nun, du hast ja niemand ein Leid angetan. Und die Menschen nehmen diese Dinge wirklich viel weniger ernst als früher. Könntest du dich nicht mehr auf andere Interessen konzentrieren, Walter? Übrigens ist dein Mißgeschick dem anderer Leute so ähnlich, du bist so zeitgenössisch, Walter, daß dir das etwas helfen sollte. Ist das kein Trost, daß es kein vereinzeltes viktorianisches Sexualleid mehr gibt? Jeder scheint diese Laster zu haben und erzählt der ganzen Welt davon. Heutzutage bist du sogar ein wenig altbacken. Ja, du hast ein altes Krafft-Ebing-Leiden aus dem neunzehnten Jahrhundert.«

Aber Sammler gebot sich Einhalt, da er den leichtfertigen Ton, der sich in seine Trostworte einschlich, nicht gutheißen konnte. Was jedoch die Vergangenheit betraf, so meinte er, was er sagte. Die sexuellen Verirrungen eines Mannes wie Bruch hatten ihren Ursprung in den Repressionen einer anderen Zeit, in Bildern von Frau und Mutter, die verschwanden. Er selbst, im alten Jahrhundert und im österreich-ungarischen Kaiserreich geboren, konnte die Veränderungen erkennen. Aber zugleich schien es ihm unfair, im Bett zu liegen und derartige Bemerkungen zu machen. Indes war der alte, der Original-Krakauer Sammler niemals besonders gütig gewesen. Er war ein einziger Sohn, verzogen von einer Mutter, die ihrerseits eine verzogene Tochter gewesen war. Eine erheiternde Erinnerung: Als Sammler ein kleiner Junge war, hatte er beim Husten den Mund mit der Hand einer Dienerin bedeckt, um keine Bazillen an die eigene Hand zu kriegen. Ein Familienscherz. Die Dienerin, grinsend, rotgesichtig, gutmütig, strohhaarig, gaumig (seltsame Beulen in ihrem Gaumen) Wajda hatte dem kleinen Sammler erlaubt, ihre Hand zu borgen. Als er dann älter war, pflegte die Mutter selbst, nicht Wadja, dem hageren, nervösen jungen Sammler seine Schokolade und Hörnchen zu bringen, während er in seinem Zimmer saß, Trollope und Bagehot las und sich zum »Engländer« machte. Er und seine Mutter standen damals im Ruf, exzentrisch und reizbar zu sein. Keine mitleidsvollen Menschen.

Nicht leicht zufriedenzustellen. Hochnäsig. All dies hatte sich gewiß in den letzten dreißig Jahren für Sammler beträchtlich gewandelt. Aber dann saß Walter Bruch mit seinen alten Bubenknöcheln in den Augen in seinem Zimmer und schluchzte, nachdem er von sich erzählt hatte. Und wenn es nichts zu erzählen gab? Es gab immer irgendwas. Bruch erzählte, wie er sich Spielsachen kaufte. Bei F. A. O. Schwarz oder in Antiquitätenläden kaufte er sich Affen zum Aufziehen, die sich vor einem Spiegel das Haar kämmten, die Zymbeln zusammenschlugen und Jigs tanzten, in grünen Jäckchen oder mit roten Mützen. Negertroubadours waren billiger geworden. Er spielte in seinem Zimmer mit den Sachen allein. Er schickte auch drohende, beleidigende Briefe an Musiker. Dann kam er, beichtete und weinte. Er weinte nicht um des Schauspiels willen. Er weinte, weil er fand, daß er sein Leben verspielt hätte. Hätte man ihm sagen können, daß das nicht stimmte?

Es war leichter bei einem Mann wie Bruch, auf breite Überlegungen überzuwechseln, Vergleiche anzustellen, Geschichte und Themen von allgemeinen Interesse zu bedenken. Zum Beispiel wurde Bruch auf eben dieser Linie der sexuellen Neurose von Leuten wie Freuds Rattenmann übertroffen, der in seinem Delirium glaubte, daß sich Ratten in seinen Anus nagten, überzeugt, daß sein Geschlechtsteil ebenfalls rattengleich sei und er selbst eine Art Ratte. Ein Mensch wie Bruch litt vergleichsweise an einem leichten Fall von Fetischismus. Wenn man den vergleichenden oder historischen Überblick hatte, dann wünschte man nur die hervorstechendsten, umwerfendsten Beispiele. Hatte man diese, dann konnte man den Rest, der nur eine Bürde oder überzähliges Gepäck war, fallen lassen, verschrotten und vergessen. Wenn man bedachte, was das historische Gedächtnis der Menschheit bewahren würde, dann lohnte es sich nicht, die Bruchs aufzubewahren – oder schließlich auch die Sammlers. Sammler machte sich nicht viel aus seinem Vergessenwerden, jedenfalls nicht bei denen, die das Andenken verwalteten. Er meinte, die Menschenfeindlichkeit der ganzen Vorstellung des »Erinnerungswürdigsten« entlarvt zu haben. Es war gewiß möglich, daß die historische Sicht es erleichterte, den größten Teil der Vorkommnisse unbeachtet zu lassen. Mit anderen Worten, die meisten von uns über Bord zu werfen. Aber hier war Walter Bruch, der in sein Zimmer gekommen war, weil er meinte, er könne mit ihm reden. Und wahrscheinlich würde Walter, wenn er aufhörte zu weinen, durch den Hinweis auf Krafft-Ebing gekränkt sein, durch die Versicherung, daß seine Verirrung nicht allzu ungewöhnlich sei. Nichts schien verletzender, als von einem Laster befallen zu sein, das kein Spitzenlaster war. Das rief Kierkegaards komischen Bericht von Leuten ins Gedächtnis, die um die Welt reisten, um Flüsse und Berge, neue Sterne, Vögel mit seltenem Gefieder, sonderbar mißgestaltete Fische, lächerliche Menschenrassen zu sehen – Touristen, die sich dem tierischen Stumpfsinn überließen, die Existenz anzustieren und zu meinen, man hätte etwas gesehen. Das konnte Kierkegaard nicht interessieren. Er suchte den Ritter des Glaubens, den wahren Wundermenschen. Dieses wahre Wunder, das seine Beziehungen mit dem Unendlichen geregelt hatte, war im Endlichen vollkommen heimisch. Imstande, das Juwel des Glaubens zu tragen und die Unendlichkeit symbolisch zu vollziehen, brauchte er infolgedessen nichts als das Endliche und Alltägliche. Während andere das Außergewöhnliche in der Welt suchten. Oder das zu sein wünschten, was angestaunt wurde. Sie wollten selbst die Vögel mit seltenem Gefieder sein, die sonderbar mißgestalteten Fische, die lächerlichen Menschenrassen. Nur Mr.

Sammler, ausgestreckt, sein langer alter Körper mit ziegelroten Backenknochen, das oft elektrisch geladene Haar auf dem Hinterkopf gesträubt – nur Mr. Sammler war beunruhigt. Er machte sich Sorge wegen der Verbrechensprobe, die der Glaubensritter zu bestehen hatte. Sollte der Glaubensritter die Kraft haben, die von Menschen erlassenen Gesetze im Gehorsam zu Gott zu übertreten? O ja, gewiß doch! Aber vielleicht wußte Sammler Dinge über den Mord, die die Entscheidungen ein kleines bißchen schwieriger gestalten könnten. Er dachte oft, was für eine ungeheure Anziehung das Verbrechen auf die Kinder der bürgerlichen Zivilisation ausgeübt hatte. Selbst die Besten lockten und prüften sich mit Gedanken an Messer und Pistole, sei es als Revolutionäre, als Supermen, Heilige oder Glaubensritter. Gesetzlos. Raskolnikows. Ach ja . . .

»Walter. Ich bin bekümmert. Bekümmert, dich leiden zu sehen.«

Die komischen Dinge, die sich in Sammlers Zimmer abspielten mit seinen Papieren, Büchern, dem Humidor, Waschbecken, der Kochplatte und dem Pyrexgefäß, den Dokumenten.

»Ich werde für dich beten, Walter.«

Bruch, sichtlich verblüfft, hörte auf zu weinen.

»Was meinst du, Onkel Sammler? Du betest?«

Die Baritonmusik verließ seine Stimme, sie war wieder barsch, und er kollerte barsch seine Worte.

»Onkel Sammler. Ich habe meine Arme. Du hast Gebete?«

Er schlug ein lautes Gewieher auf. Er lachte und schnaubte, schwang den Rumpf komisch hin und her, hielt sich beide Seiten, zeigte blind die beiden Nasenlöcher. Er verspottete jedoch Sammler nicht. Nicht eigentlich. Man mußte unterscheiden lernen. Unterscheiden und unterscheiden und unterscheiden. Auf Unterscheidung und nicht Erläuterung kam es an. Erläuterung war für die geistigen Massen. Erwachsenenbildung. Der Aufschwung allgemeiner Bewußtheit. Eine geistige Ebene, vergleichbar, sagen wir, dem wirtschaftlichen Niveau des Proletariats im Jahre 1848. Aber unterscheiden? Eine höhere Tätigkeit.

»Ich werde für dich beten«, sagte Sammler.

Danach sank das Gespräch eine Zeitlang zur reinen Geselligkeit ab. Sammler mußte sich Briefe ansehen, die Bruch an die *Post*, *Newsday*, die *Times* geschickt hatte und in denen er sich mit deren Musikkritikern anlegte. Das war wieder die streitbare, lächerliche Seite der Dinge, der dick auftragende, verklemmte, schauspielende, flegelhafte Bruch. Gerade als Sammler sich ausruhen wollte. Sich ein wenig erholen. Sich in Ordnung bringen. Und Bruchs ausgelassene, kehlige Dada-Routine war ansteckend. Geh, Walter, geh weg, damit ich für dich beten kann, hätte Sammler am liebsten gesagt, indem er in Bruchs Stil verfiel. Aber dann fragte Bruch: »Und wann erwartest du deinen Schwiegersohn?«

»Wen? Eisen?«

»Ja, er kommt. Vielleicht ist er schon da.«

»Das wußte ich nicht. Er hat oftmals gedroht zu kommen, um sich hier in New York als Künstler zu etablieren. Er hat überhaupt kein Interesse an Shula.«

»Das weiß ich«, sagte Bruch. »Und sie hat so viel Angst vor ihm.«

»Das würde bestimmt nicht gutgehen. Er ist zu gewalttätig. Ja, sie wird Angst haben. Sie wird sich auch geschmeichelt fühlen, wenn sie sich einbildet, daß er gekommen ist, um sie zurückzuerobern. Er will seine Bilder in der Madison Avenue ausstellen.«

»Hält er sich für so gut?«

»Er hat Drucken und Gravieren in Haifa gelernt, und ich

habe in seiner Werkstatt erfahren, daß er ein zuverlässiger Arbeiter war. Aber dann entdeckte er die Kunst, begann in seiner Freizeit zu malen und Graphiken anzufertigen. Darauf übersandte er jedem Familienmitglied ein nach alten Photographien angefertigtes Porträt. Hast du mal eins gesehen? Sie waren grauenhaft, Walter. Ein umnachteter Geist und eine beängstigende Seele haben diese Bilder geschaffen. Ich weiß nicht, wie er sie gemacht hat, aber er hat durch den Gebrauch der Farbe jedes Sujet der Farbe beraubt. Jeder sah aus wie eine Leiche, mit schwarzen Lippen und roten Augen und mit Gesichtern im Grün einer stehengelassenen gekochten Leber. Zu gleicher Zeit erinnerte das an ein kleines Schulmädchen, das lernt, hübsche Leute zu zeichnen, mit geschwungenem Mund und langenWimpern. Ich war ehrlich gesagt benommen, als ich mich wie eine pausbäckige Puppe aus den Katakomben wiedersah. In dem glänzenden Firnis, den er gebraucht, sah ich regelrecht geliefert aus. Es war, als sei ein Tod nicht genug für mich, sondern ich müsse einen doppelten Tod haben. Nun, soll er kommen. Seine verrückte Eingebung über New York mag richtig sein. Er ist ein fröhlicher Irrer. Jetzt haben so viele Intellektuelle entdeckt, daß Irrsinn höher steht als Wissen. Wenn er Lyndon B. Johnson, General Westmoreland, Rusk, Nixon oder Mr. Laird in diesem Stil malte, könnte er eine Berühmtheit der Kunstwelt werden. Macht und Geld treiben selbstverständlich die Menschen zum Wahnsinn. Warum sollte man also nicht Macht und Vermögen durch Irrsinn erringen? Das müßte Hand in Hand gehen.«

Sammler hatte seine Schuhe ausgezogen, und jetzt fühlten sich die langen schmächtigen Füße in braunen Socken kalt an; er breitete die Decke mit dem ausgefransten Seidenbandsaum darüber. Bruch deutete das so, daß er schlafen wolle. Oder hatte das Gespräch eine Wendung genommen, die Sammler nicht interessierte? Der Sänger verabschiedete sich.

Als Bruch hinaushastete – schwarzer Mantel, kurze Beine, sackbreiter Hintern, Mütze eng, Fahrradklammern an den Hosenbeinen (die selbstmörderische Herausforderung, in Manhattan Fahrrad zu fahren) –, dachte Sammler wieder an den Taschendieb, den Druck seines Körpers, die Halle und die brüchigen leinwandbespannten Wände, die beiden dunklen Brillen, den eidechsendicken, gebogenen Schlauch in der Hand, staubig-schale Schokoladenfarbe und ein kräftiger Hinweis auf das Kind, das zu erzeugen er da war. Häßlich, abstoßend, lachhaft, aber dennoch wichtig. Und Mr. Sammler selbst (eine jener gedanklichen Überfälle, denen zu widerstehen keinen Zweck mehr hatte) war gewohnt, seinen eigenen, sehr verschiedenen Akzent auf Dinge zu legen. Natürlich waren er und der Taschendieb verschieden. Alles war verschieden. Ihre gedanklichen, charakterlichen, geistigen Profile waren meilenweit voneinander entfernt. In früheren Tagen hatte Mr. Sammler gemeint, daß er in der gleichen biologischen Hinsicht recht ansehnlich sei, auf seine jüdische Art. Es hatte niemals eine große Rolle gespielt und spielte jetzt mit über Siebzig eine noch geringere Rolle. Aber eine sexuelle Tollheit übermannte die westliche Welt. Sammler erinnerte sich sogar undeutlich, gehört zu haben, daß ein Präsident der Vereinigten Staaten sich auf ähnliche Weise den Pressevertretern gezeigt haben sollte (nachdem er die Damen gebeten hatte, hinauszugehen) und wissen wollte, ob man einem so gut behängten Mann nicht trauen könnte, das Land zu führen. Die Geschichte war apokryph, gewiß, aber sie war nicht platterdings unmöglich bei dem in Frage stehenden Präsidenten, und was zählte, war, daß sie aufgekommen war und sich weit herumsprechen sollte, um sogar die Sammlers in ihrem Schlafzimmer der Westseite zu erreichen. Dann nehme man als ein anderes Beispiel die letzte Ausstellung Picassos. Angela hatte ihn zur Eröffnung ins Museum of Modern Art mitgenommen. Es war im streng sexuellen Sinne auch eine Exhibition. Der alte Picasso war wild besessen von sexuellen Ritzen, vom Phallus. Im panischen und komischen Schmerz seines Abschieds schuf er Organe zu Tausenden, vielleicht Zehntausenden. Lingam und Joni. Sammler meinte, es sei vielleicht erhellend, die Sanskritworte ins Gedächtnis zu rufen. Es würde ein wenig Perspektive schaffen. Aber es brauchte in Wirklichkeit nicht viel für ein so belastetes Thema. Und das war sehr belastet. Er dachte zum Beispiel an eine These von Angela Gruner, mit der sie nach einigen Gläsern Alkohol rausplatzte, als sie lachte, fröhlich war und sich offensichtlich ihrem Onkel Sammler gegenüber ungeniert fühlte (bis an die Grenze der Brutalität). »Ein jüdischer Kopf, ein schwarzer Schwanz, eine nordische Schönheit«, hatte sie gesagt, »das ist es, was eine Frau sich wünscht«. Machten zusammen den idealen Mann. Nun hatte sie immerhin Kreditkonten in den elegantesten Läden New Yorks und Zugang zum Besten in aller Welt. Wenn Pucci nicht hatte, was sie wollte, bestellte sie bei Hermès. Alles, was Geld kaufen, Luxus bieten, persönliche Schönheit einbringen oder was sexuelle Raffinesse umsetzen konnte. Wenn sie tatsächlich den idealen Mann fand, ihre göttliche Synthese – nun, sie war sicher, sie könnte es ihm lohnend machen. Das Beste war ihr nicht zu gut. Darüber schien es keinen Zweifel zu geben. In derartigen Augenblicken wurde Sammler mehr als je freundlich von Mondvisionen heimgesucht. Artemis – lunare Keuschheit. Auf dem Mond müßten die Menschen schwer arbeiten, um nur am Leben zu bleiben, zu atmen. Sie müßten eine strenge Wache über die Uhren aller Geräte halten. Vollkommen verschiedene Verhältnisse. Nüchterne Techniker – fast eine Priesterschaft.

Wenn es nicht Bruch war, der sich den Eingang mit seinen Beichten erzwang, wenn nicht Margot (denn sie begann jetzt nach drei Jahren dezenter Witwenschaft, an Herzensangelegenheiten zu denken – sicher mehr Erörterung als handgreifliche Aussichten: Erörterung, ernste Prüfung *ad infinitum*), wenn nicht Feffer mit seinen wahllosen Schlafzimmerabenteuern, dann war es Angela, die sich anvertrauen wollte. Wenn Vertrauen das richtige Wort dafür war. Chaos vermitteln. Bedrückung schaffen. Besonders da ihr Vater in letzter Zeit unpäßlich gewesen war. In diesem Augenblick sogar im Krankenhaus lag. Sammler hatte seine Gedanken zu diesem Chaos – er hatte seine eigenen Ansichten zu allem, höchst absonderliche Ansichten, aber wonach konnte er sonst gehen? Natürlich ließ er auch Spielraum für den Irrtum. Er war Europäer, und diese waren amerikanische Ausgeburten. Europäer hegten zuweilen komische Mißverständnisse über Amerika. Er konnte sich erinnern, daß viele Flüchtlinge ihre Koffer gepackt hatten, um nach Stevensons erster Niederlage nach Mexiko oder Japan abzureisen, da sie sicher waren, daß Ike eine Militärdiktatur errichten werde. Gewisse europäische Importe waren bemerkenswert erfolgreich in den Vereinigten Staaten – Psychoanalyse, Existenzialismus. Beide standen in Beziehung zur sexuellen Revolution.

Auf alle Fälle hatte eine Menge Kummer nach der freien, reizenden, reichen, nur ein ganz klein bißchen vulgären Angela Gruner auf der Lauer gelegen, und nun flog sie unter dicken Wolken. In erster Linie hatte sie Kummer mit Wharton Horricker. Sie war beeindruckt von, sie mochte, ja liebte wahrscheinlich Wharton Horricker. In den letzten zwei Jahren hatte Sammler von wenigen anderen Männern gehört. Treue, im strengen und buchstäblichen Sinn war nicht Angelas Sache, aber sie fühlte ein altmodisches Bedürfnis nach Horricker. Er war von der Madison Avenue, Marktforschungsexperte und statistisches Genie. Er war jünger als Angela. Anhänger der Körperkultur (Tennis, Gewichtheben). Groß, aus Kalifornien, herrliche Zähne. Es gab Gymnastikgeräte in seinem Haus. Angela beschrieb das schräge Brett mit Fußriemen für Sitzübungen, die Stahlstange in der Türöffnung für Klimmzüge. Und die Möbel aus Chrom und kaltem Marmor, die Lederriemen und englischen Offiziersklappstühle, die Op- und Pop-Kunstgegenstände, die indirekte Beleuchtung und die Vorherrschaft von Spiegeln. Horricker war schön. Sammler gab ihr recht. Frohgemut, noch etwas ungeformt war Horricker vielleicht von der Natur als Halunke geplant (wozu diese ganzen Muskeln? Gesundheit? Nicht Wegelagerei?) »Und wie er sich anzieht«, sagte Angela mit heiserem, komödiantischem Entzücken. Mit langen kalifornischen Beinen, schmalen Hüften, krausem, langem Haar mit einer himmlischen Welle am Hinterkopf war er ein Mod-Dandy. Äußerst kritisch der Kleidung anderer Menschen gegenüber. Selbst Angela mußte sich militärischer Inspektion unterziehen. Als er sie einmal unpassend angezogen fand, ließ er sie auf der Straße stehen. Ging rüber auf die andere Seite. Maßgenähte Hemden, Schuhe, Sweater kamen dauernd aus London und Mailand. Man konnte geistliche Musik spielen, während er sich das Haar schneiden (nein »legen«) ließ, sagte Angela. Er ging zu einem Griechen in der östlichen 56. Street. Ja, Sammler wußte eine ganze Menge über Wharton Horricker. Seine Gesundheitskost. Horricker hatte ihm sogar Flaschen mit Hefepulver gebracht. Sammler fand die Hefe wohltuend. Dann gab es die Sache mit den Krawatten. Horrickers Kollektion schöner Krawatten! Hier war der Vergleich mit seinem eigenen schwarzen Taschendieb unabweislich. Der Kult der männlichen Eleganz mußte bedacht werden. Etwas Wichtiges, noch Nebelhaftes über Salomon in seinem Glanz verglichen mit den Lilien auf dem Felde. Das findet sich noch. Dennoch wurde Wharton, trotz seiner selbstverliebten Verwöhntheit, seiner Intoleranz gegen schlecht gekleidete Menschen, trotz seines aufpolierten jüdischen Namens der dritten Generation von Sammler ernstgenommen. Er sympathisierte mit ihm, denn er begriff die irreführende und schädliche Macht Angelas, die ganz ohne Absicht hinterlistig war. Was sie sein wollte, war froh, freudebringend, überschäumend, frei, schön, gesund. Wie junge Amerikaner (die Pepsi-Generation, nicht wahr?) die Dinge betrachteten. Und sie erzählte dem alten Onkel Sammler alles – die Ehre ihrer Vertraulichkeiten war sein. Warum? Ach, sie fand, er sei der verständnisvollste, der am meisten europäisch-welterfahren-nichtprovinzielle, geistig vielseitig-intelligent-herzensjunge alte Flüchtling und interessiere sich wahrhaftig für die neuen Erscheinungsformen. Hatte er sich vielleicht nicht ein wenig darum bemüht, dieses Urteil zu verdienen? Hatte er sich nicht zur Verfügung gestellt, das Spiel mitgemacht, den reifen alten Emigranten gemimt? Wenn ja, dann war er mit sich selbst böse. Und, ja, so war es. Wenn er Dinge hörte, die er nicht hören wollte, so gab es dazu eine Parallele – im Bus hatte er Dinge gesehen, die er nicht sehen wollte. Aber war er nicht ein dutzendmal zum Columbus Circle gefahren, um den schwarzen Dieb zu suchen?

Ohne Hemmung, unverblümt, beschrieb Angela die Geschehnisse ihrem Onkel. Wenn sie in sein Zimmer kam, den Mantel, das Kopftuch ablegte, die Haare ausschüttelte mit den gefärbten Strähnen wie Waschbärpelz, nach arabischem Moschus roch, ein Geruch, der später noch an dem ärmlichen Stoff, den Sitzkissen, dem Couchüberzug haftete, selbst an den Vorhängen, hartnäckig wie Walnußflecken an den Fingern, dann setzte sie sich hin mit weißen gemusterten Strümpfen – *bas de poule*, wie die Franzosen sie nannten. Wangen vor Farben platzend, Augen ein dunkles sexuelles Blau, eine weiße, lebenssprühende Hitze im Fleisch des Halses, brachte sie Männern eine große Offenbarung, die machtvolle Botschaft des Geschlechts. In den Tagen dieses Zeitalters fühlten sich die Menschen verpflichtet, alle derartigen machtvollen Botschaften durch Komödie herabzustimmen, und die lieferte sie auch. In Amerika erforderten gewisse Formen des Erfolges ein Element der Parodie, Selbstverspottung, eine Satire auf das »Ding an sich«. Mae West hatte das, Senator Dirksen hatte es. Man entdeckte auch bei Angela Spuren der absonderlichen geistigen Rache am angeblichen »Ding an sich«. Sie schlug die Beine auf einem Stuhl übereinander, der zu zart gebaut war, um solche Schenkel zu beherbergen, und zu gerade für ihre Hüften. Sie öffnete die Tasche für eine Zigarette, und Sammler bot ihr Feuer. Sie liebte seine Manieren. Der Rauch kam aus der Nase, und sie sah ihn, wenn sie in guter Form war, fröhlich und mit einem Quentchen Hinterlist an. Die schöne Maid. Er war der alte Eremit. Wenn sie herzlich mit ihm wurde und lachte, dann sah man, daß sie einen breiten Mund und eine große Zunge hatte. In die elegante Frau verpackt sah er eine vulgäre. Die Lippen waren rot, die Zunge war oft blaß. Diese Zunge, eine Frauenzunge – offenbar spielte sie eine erstaunliche Rolle in ihrem freien luxuriösen Leben.

Zu ihrer ersten Begegnung mit Wharton Horricker war sie vom Village angerannt gekommen. Von etwas, was sie nicht absagen konnte. Sie hatte in der Nacht nicht gehascht, sondern nur Whisky getrunken, sagte sie. Hasch törnte sie nicht an, wie es ihr am meisten zusagte. Vier Telefongespräche führte sie mit Wharton von einer überfüllten Kneipe. Er sagte, er brauche seinen Schlaf, es war nach ein Uhr nachts: er war ein Kauz mit seinem Schlaf, seiner Gesundheit. Schließlich stürzte sie zu ihm herein mit einem dicken Kuß. Sie rief: »Jetzt vögeln wir die ganze Nacht!« Aber erst mußte sie ein Bad nehmen. Denn sie hatte den ganzen Abend nach ihm geschmachtet, »Ach, eine Frau ist ein Stinktier. So viele Gerüche, Onkel«, sagte sie. Sie zog alles aus, übersah aber den Schlüpfer, und fiel in die Wanne. Wharton war erstaunt und saß in seinem Schlafrock auf dem Toilettendeckel, während sie, von Whisky gerötet, sich die Brüste einseifte. Sammler wußte recht gut, wie die Brüste aussehen mußten. Denn schließlich war in ihren tief ausgeschnittenen Kleidern nur wenig verborgen. So seifte und spülte sie sich also, der nasse Schlüpfer wurde mit munterer Mühe entfernt, und sie wurde an der Hand zum Bett geführt. Oder führte selbst. Denn Horricker ging hinter ihr und küßte sie auf Genick und Schultern. Sie rief »Oh!« und wurde bestiegen.

Man erwartete von Sammler, daß er den Intimberichten aller Schattierungen wohlwollend zuhörte. Sonderbarerweise hatte auch Wells, wenngleich mit mehr Überlegung und Diskretion, mit ihm über sexuelle Leidenschaft gesprochen. Von einem so überlegenen Menschen hätte man eher Ansichten erwartet, die denen des greisen Sophokles ähnelten: »Mit größter Freude bin ich dem entronnen, wovon du sprichst; ich habe das Gefühl, als sei ich den Händen eines wahnwitzigen und tobsüchtigen Herrn entkommen!« Nichts dergleichen. Wie sich Sammler erinnerte, war Wells in den Siebzigern noch von Mädchen besessen. Er hatte schlagkräftige Argumente für eine totale Umwandlung des sexuellen Verhaltens, das mit der längeren Lebenserwartung in Einklang gebracht werden sollte. Als die Menschen durchschnittlich mit dreißig Jahren starben, war die durch Plackerei gebrochene, schlecht ernährte, kränkliche Menschheit vor dem dritten Jahrzehnt sexuell am Ende. Romeo und Julia waren Jugendliche. Da aber die zivilisierte Lebenserwartung sich den Siebzigern nähert, müßten die alten Maßstäbe der brutalen Kürze, frühen Erschöpfung und des Untergangs ausgeräumt werden. Erbitterung und allmählich sogar Wut ergriffen Wells an einer gewissen Stelle, wenn er über die abnehmenden Kräfte des Geistes, seine Grenzen der Aufnahmefähigkeit, die verminderte Kraft sprach, im hohen Alter ein frisches Interesse an neuen Ereignissen zu zeigen. Obwohl er Utopist war, konnte er sich nicht einmal vorstellen, daß die ersehnte Zukunft das Übermaß bringen würde, Pornographie, sexuelle Abnormität. Er glaubte vielmehr, wenn der alte Schmutz und die freudlose Krankheit abgeschafft seien, dann würde ein größerer, stärkerer, älterer, klügerer, besser ernährter, besser mit Sauerstoff versorgter, vitalerer Menschentyp entstehen, imstande, vernünftig zu essen und trinken, vollkommen autonom und geregelt in seinen Begierden, der nackt ging, während er ruhig seinen Pflichten nacheiferte und seine faszinierende und nützliche Geistesarbeit erledigte. Ja, allmählich würde der lange Schauder der Menschheit über die schnelle Vergänglichkeit der sterblichen Schönheit und Freude aufhören und durch die aus der Verlängerung geborene Weisheit ersetzt werden.

Oh, gefurchte Gesichter, graue Bärte, Augen, die zähen Ambra oder Harz ausschieden, ein großer Mangel an Witz gepaart mit kraftlosen Lenden, aus der Luft rückwärts wie ein Krebs ins Grab: Hamlet hatte darüber seine eigenen

Gedanken. Und wenn Sammler Angela viele Male zuhörte, während er im Bett lag und (mindestens) zwei Problemkomplexe mit zwei verschiedenen Augen betrachtete, während zugleich ein krampfiges Stechen zwischen Rippe und Hüfte ihn veranlaßte, zur nicht eintretenden Erleichterung ein Bein hochzuziehen, zeigte sein Gesicht Spuren der Ablehnung wie der Empfänglichkeit. Sein täglicher Eßlöffel nährender Hefe, ein primäres Erzeugnis von Naturzucker, aufgelöst und in Fruchtsaft zu einem rosafarbenen Schaum geschüttelt, hielt seine Farben frisch. Ein Ergebnis der Langlebigkeit war möglicherweise göttlicher Zeitvertreib. Man konnte Gottes Zeitvertreib aus der Bildung von Mustern erkennen, die für ihre richtige Entwicklung Zeit brauchten. Sammler hatte Angelas Großeltern gekannt. Sie waren orthodox gewesen. Das gab seiner Bekanntschaft mit Angelas Heidentum eine seltsame Pointe. Irgendwo bezweifelte er die Eignung dieser Juden für einen solchen erotisch-römischen Voodoo-Primitivismus. Er stellte in Frage, ob die Freilassung aus langer jüdischer Geistesdisziplin, erblicher Übung in Gesetzesstrenge, auf ein individuelles Gesuch hin zu haben war. Obgleich der Anspruch auf erotische Führerschaft auch von modern eingestellten geistlichen und geistigen jüdischen Gelehrten erhoben wurde, hegte Sammler seine Zweifel.

Angenommen und zugegeben, daß Glück darin besteht zu tun, was die meisten anderen Menschen tun. Dann muß man verkörpern, was andere verkörpern. Wenn Vorurteil, dann Vorurteil. Wenn Raserei, dann Raserei. Wenn Sex, dann Sex. Aber man widerstrebe nicht seiner Zeit. Man widerstrebe ihr nicht, damit basta. Es sei denn, man wäre eben ein Sammler und meinte, der Ehrenplatz befinde sich außerhalb. Was man jedoch durch Zurückgezogenheit erreichte, dadurch, daß man lediglich eine Spur war, ein

Bewußtsein auf Besuch, das zufällig in einem Schlafzimmer der Westseite hauste, berechtigte einen nicht zu einer außerhalb gelegenen Ehre. Zudem war das Innere so geräumig und nahm so viele Leute auf, daß man Amerikaner *war*, wenn man in den neunziger Straßen wohnte und unbestreitbar hier war. Und der Reiz, der überwältigende Glanz, die kaum noch erträgliche Erregung, die davon herrührte, daß man sich als Amerikaner des zwanzigsten Jahrhunderts bezeichnen konnte, war allen verfügbar. Jedem, der Augen hatte, um die Zeitung zu lesen und fernzusehen, jedem der die kollektiven Ekstasen der Nachrichten, Krisen und der Macht teilte. Jedem entsprechend seiner Erregbarkeit. Aber vielleicht war es noch etwas Tieferes. Die Menschheit beobachtete und beschrieb sich in den Wendungen ihres eigenen Geschicks. Sie selbst war das Subjekt, lebend oder in Nacht ertrinkend, sie selbst das Objekt, das überlebend oder unterliegend gesehen wurde und in sich den Anfall der Kraft und den Anfall der Lähmung spürte – denn die Leidenschaft der Menschheit war gleichzeitig das große Schaustück der Menschheit, eine Sache tiefer und seltsamer Teilnahme, auf allen Stufen, von Melodrama und bloßem Getöse bis hinab in die tiefsten Seelenschichten und in das feinste Verstummen, wo das unentdeckte Wissen ruht. Diese Art der Erfahrung konnte nach Sammlers Ansicht einigen Menschen herrliche Möglichkeiten für Geist und Seele bieten, aber der Mensch mußte zunächst einmal ungewöhnlich intelligent sein und dazu noch ungewöhnlich wendig und kritisch. Er glaubte nicht einmal, daß er, am eigenen Maßstab gemessen, qualifiziert sei. Wegen der hohen Geschwindigkeit verdichteten sich Jahrzehnte, Jahrhunderte, Epochen in Monate, Wochen, Tage, ja sogar Sentenzen. Um mitzuhalten mußte man laufen, rennen, schweben, über schimmernde Wasser fliegen, man mußte sehen können, was aus dem menschlichen Leben ausschied und was darin blieb. Man konnte kein altmodischer sitzender Weiser sein. Man mußte trainieren. Man mußte stark genug sein, von der örtlichen Wirkung der Verwandlung nicht erschreckt zu werden, mit Auflösung, verrückt gewordenen Straßen, ekligen Angstträumen, ins Dasein gerufenen Ungeheuern zu leben, mit Süchtigen, Trinkern, Perversen, die ihre Verzweiflung offen mitten in der Stadt zelebrierten. Man mußte imstande sein, die Verwicklungen der Seele, den Anblick von grausamer Zersetzung zu ertragen. Man mußte geduldig sein mit den Torheiten der Macht, mit der Unredlichkeit des Geschäfts. Täglich um fünf oder sechs Uhr morgens wachte Mr. Sammler auf und versuchte, die Situation in den Griff zu kriegen. Er glaubte nicht, daß er es konnte. Oder wenn er es könnte, daß er imstande wäre, jemand zu überzeugen oder zu bekehren. Er konnte Shula den Griff testamentarisch hinterlassen. Sie konnte den Besitz Rabbi Ipsheimer mitteilen. Sie konnte Pater Robles im Beichtstuhl zuflüstern, daß sie ihn hatte. Was konnte das Hauptstück sein? Bewußtsein und seine Schmerzen? Die Flucht aus dem Bewußtsein ins Primitive? Freiheit? Privileg? Dämonen? Die Austreibung jener Dämonen und Geister aus der Luft, wo sie immer gewesen waren, durch Aufklärung und Rationalismus? Und die Menschheit hatte niemals gelebt ohne ihre sie beherrschenden Dämonen und mußte sie wiederhaben! Ach, mit was für einer jämmerlichen, juckenden, blutenden, bedürfenden, idiotischen, genialen Kreatur hatten wir es hier zu tun! Und wie verrückt spielte sie (er und sie) mit all den seltsamen Eigenheiten der Existenz, mit allen Spielarten der Möglichkeit, mit Faxen aller Art, mit der Seele der Welt, mit dem Tod. Ließ sich das in ein zwei Aussagen verdichten? Die Menschheit konnte die Zukunftslosigkeit nicht ertragen. Wie es jetzt stand, war der Tod die einzige sichtbare Zukunft.

Eine Familie, ein Freundeskreis, ein Team der Lebenden setzte die Dinge in Bewegung, und dann erschien der Tod, und niemand war bereit, den Tod zur Kenntnis zu nehmen. Dr. Gruner, so hieß es, hatte sich einem kleinen chirurgischen Eingriff, einer unbedeutenden Operation unterzogen. Stimmte das? Eine Arterie zum Hirn, die Kopfschlagader, hatte begonnen, durch die schwachen Wände durchlässig zu werden. Sammler hatte nur langsam, widerstrebend begriffen, was das bedeuten konnte. Er hatte vielleicht einen praktischen Grund für dieses Widerstreben. Seit 1947 lebten er und Shula von Dr. Gruners Unterstützung. Er zahlte ihnen die Miete, erfand Arbeit für Shula, legte zur Sozialversicherung und den deutschen Wiedergutmachungszahlungen zu. Er war großzügig. Natürlich war er reich, aber die Reichen waren für gewöhnlich bösartig. Da sie sich nicht von den Machenschaften lossagen konnten, die ihnen das Geld erworben hatten, Halsabschneidereien, gewohnheitsmäßigem Betrug, irrer Behendigkeit in vielschichtiger Täuschung, den sonderbaren Übereinkünften des legitimen Schwindels. Für den alten Sammler, der mit seinem kleinen geröteten Gesicht, der filmigen Blase seines Auges und den leicht katerhaften Schnurrhaaren überlegte – eine meditative Insel auf der Insel Manhattan –, war es klar, daß die Reichen, die er kannte, Gewinner in Kämpfen der Kriminalität waren, einer erlaubten Kriminalität. Mit anderen Worten, sie triumphierten in Form von Täuschung und Herzenshärte, die von der politischen Ordnung insgesamt als produktiv angesehen wurde; Arten des Betrugs, Diebstahls oder (bestenfalls) der Vergeudung, die im großen und ganzen das nationale Sozialprodukt steigerten. Aber, halt einen Augenblick: Sammler versagte sich das Privileg des hochmoralischen Intellektuellen, der immer die reinsten Maßstäbe anlegen muß und den Rest der Gattung auf die Köpfe schlägt. Wenn er sich eine gerechte Gesellschaftsordnung vorzustellen suchte, war er dazu nicht imstande. Eine nicht korrupte Gesellschaft? Auch das konnte er nicht. Es gab keine Revolutionen seiner Erinnerung nach, die nicht für Gerechtigkeit, Freiheit und das reine Gute gemacht worden waren. Ihre letzte Phase war immer nihilistischer als die erste. Wenn also Dr. Gruner korrupt gewesen war, dann sollte man sich auch die anderen Reichen ansehen, was die für Herzen hatten. Keine Frage. Dr. Gruner, der eine große Menge Geld als Gynäkologe verdient hatte, und mehr noch später im Grundstückhandel, war im Ganzen gutherzig gewesen und hatte viel Familiengefühl, weit mehr als Sammler, der in seiner Jugend der entgegengesetzten Anschauung gehuldigt hatte, der modernen von Marx-Engels-Privateigentum-der-Urquell-von-Staat-und-Familie.

Sammler war bloß sechs oder sieben Jahre älter als Gruner, sein Neffe durch eine amüsante Formalität. Sammler war das Kind einer zweiten Ehe, und kam zur Welt, als sein Vater sechzig war. (Offenbar war Sammlers eigener Vater sexuell noch rüstig gewesen). Und Dr. Gruner hatte sich nach einem europäischen Onkel gesehnt. Er war betont ehrerbietig, geradezu chinesisch in der Beachtung alter Formen. Er hatte die alte Heimat mit zehn Jahren verlassen, war voller Sentimentalität für Krakau und wollte Erinnerungen an Großeltern, Tanten, Vettern und Kusinen wachhalten, mit denen Sammler niemals viel zu tun gehabt hatte. Er konnte nicht leicht erklären, daß dies Leute waren, von denen er sich hatte befreien wollen und derentwegen er so absurd britisch geworden war. Aber Dr. Gruner selbst war nach fünfzig Jahren noch in gewisser Weise Einwanderer. Trotz des großen Hauses in Westchester County und des Rolls-Royce, der glitzerte wie eine silberne Terrine, die seine höfliche jüdische Kahlheit deckte. Dr. Gruners Runzeln waren mild. Sie bekundeten Geduld und zuweilen sogar Wonne. Er hatte große edle Lippen. Ironie und Pessimismus waren auch darin sichtbar. Es war ein angenehmes, angenehm erleuchtetes Gesicht.

Und Sammler, ein Onkel durch eine Halbschwester – ein Onkel eigentlich mehr der Liebenswürdigkeit, durch Gruners frommen altertümlichen Wunsch –, wurde (groß, alternd, fremdländisch) als der letzte einer wunderbaren alten Generation angesehen. Mamas eigener Bruder, Onkel Artur, mit großen blassen Büscheln über den Augen, mit dünnen Runzeln, die unter dem breitkrempigen, vielleicht romantisch-britischen Hut ein majestätisches Gefälle hatten. Sammler sah es dem Gesicht seines »Neffen« mit dem tiefen Lächeln und den auffälligen Ohren an, daß seine historische Bedeutung für Gruner beträchtlich war. Auch seine *Erlebnisse* wurden achtungsvoll behandelt. Der Krieg. Weltbrand. Leiden.

Wegen seiner lebhaften Farben machte Gruner auf Sammler stets einen gesunden Eindruck. Aber der Doktor sagte eines Tages: »Zu hoher Blutdruck, Onkel, nicht Gesundheit.«

»Vielleicht solltest du nicht Karten spielen.«

Zweimal die Woche spielte Gruner in seinem Klub und in sehr lange ausgedehnten Sitzungen Rommé oder Canasta für hohe Einsätze. Das sagte wenigstens Angela, und sie war erfreut über das Laster ihres Vaters. Sie konnte so auf vererbte Laster hinweisen – sie und ihr jüngerer Bruder Wallace. Wallace war ein geborener Hasardeur. Er hatte schon die ersten fünfzigtausend durchgebracht, indem er sie bei einer Mafiagruppe in Las Vegas investierte. Vielleicht war sie auch nur eine Möchtegern-Mafia, denn sie hatte's nicht geschafft. Dr. Gruner war selbst in einem Gangsterviertel aufgewachsen und verfiel ab und zu in Gangstergewohnheiten und sprach aus dem Mundwinkel. Er war Witwer. Seine Frau war eine deutsche Jüdin gewesen, die ihrer Meinung nach gesellschaftlich über ihm stand. Ihre Familie waren Pioniere des Jahres 1848 gewesen. Gruner war ein ostjüdischer Emigrant. Ihr lag es ob, ihn zu verfeinern, ihm zu helfen, die Praxis auszubauen. Die verstorbene Mrs. Gruner war anständig und schicklich gewesen, mit dünnen Beinen, das getürmte Haar steif gesprüht, in einer Ausstattung von Peck & Peck, geometrisch korrekt auf den Millimeter. Gruner hatte an die gesellschaftliche Überlegenheit seiner Frau geglaubt.

»Es ist nicht Rommé, das meinem Blutdruck zusetzt. Wenn es keine Karten gäbe, denn gäbe es noch die Börse, und wenn keine Börse, dann die kooperativen Eigentumswohnungen in Florida, den Prozeß mit der Versicherungsgesellschaft, oder es gäbe immer noch Wallace. Es gäbe Angela.«

Gruner, der seine große, glühende Liebe mäßigte und väterliche Zuneigung mit Flüchen mischte, murmelte »Aas«, wenn seine Tochter, das ganze Fleisch in Bewegung, sich ihm nahte – Schenkel, Hüften, Busen mit einer gewissen gespielten Unschuld zur Schau gestellt. Vermutlich Männer zur Tollheit stachelnd und Frauen in Wut versetzend. Vor sich hin sagte Gruner »Kuh!« oder »Matschige Möse!«. Trotzdem hatte er ihr Geld ausgesetzt, so daß sie großzügig von den Zinsen leben konnten. Millionen verdorbener Damen, erkannte Sammler, hatten Vermögen, von dem sie lebten. Dumme Wesen, oder schlimmere, verplemperten den Wohlstand des Landes. Gruner hätte niemals die eingehenden Schilderungen ertragen können, die Sammler von Angela erhielt. Sie warnte ihn immer: »Daddy würde *sterben*, wenn er das wüßte.« Sammler war nicht der Ansicht; Elya wußte wahrscheinlich eine Menge. Die Wahrheit war selbstverständlich allen Beteiligten bekannt. Sie lag in Angelas Waden, dem Schnitt ihrer Blusen, der Bewegung ihrer Fingerspitzen, dem musikalischen Bronzeklang ihres Flüsterns.

Dr. Gruner hatte sich angewöhnt zu sagen: »O ja, ich kenne diese Nutte. Ich kenne meine Angela. Und Wallace!«

Sammler wußte zunächst nicht, was Aneurysma bedeutete; er hatte von Angela gehört, daß Gruner wegen einer Halsoperation im Krankenhaus sei. Am Tage, nachdem ihn der Taschendieb gestellt hatte, fuhr er zur Ostseite, um Gruner zu besuchen. Er fand ihn mit verbundenem Hals.

»Nun, Onkel Sammler?«

»Elya, wie geht es dir? Du siehst gut aus.« Und der alte Mann griff mit dem langen Arm unter sich, glättete die Unterseite des Regenmantels, knickte die dünnen Beine und setzte sich. Zwischen die Spitzen seiner rissigen und runzligen schwarzen Schuhe stellte er die Spitze seines Regenschirms und stützte sich mit beiden Händen auf die gebogene Krücke, beugte sich zum Bett hin mit polnisch-oxfordischer Höflichkeit. Peinlich genau der Krankenzimmerbesucher. Fein, verästelt gefurcht war die linke Seite seines Gesichts wie die Profilkarte eines schwierigen Geländes.

Dr. Gruner saß gerade aufgerichtet, ohne zu lächeln. Nachdem er sein Leben lang gute Laune an den Tag gelegt hatte, war seine Miene immer noch vorwiegend freundlich. Das war gegenwärtig allerdings nicht von Belang, sondern reine Gewohnheit.

»Ich stecke mitten in etwas drin.«

»Ist die Operation gelungen?«

»Ich habe ein Gerät in meinem Hals, Onkel.«

»Wofür?«

»Um den Blutstrom in der Arterie zu regeln – in der Kopfschlagader.«

»Ach ja? Ist es ein Ventil oder sowas?«

»Mehr oder weniger.«

»Soll das den Druck mindern?«

»Ja, dazu ist es da.«

»So. Nun, es scheint zu funktionieren. Du siehst aus wie immer. Normal, Elya.«

Offenbar war da etwas, was Dr. Gruner nicht preisgeben wollte. Sein Gesicht war weder unheilverkündend noch grimmig. Statt Härte meinte Sammler eine seltsame Note gespannter Leichtigkeit entdecken zu können. Der Arzt im Krankenhaus, im Pyjama, war ein guter Patient. Er sagte zu den Schwestern: »Dies ist mein Onkel. Sagen Sie ihm, was für ein Patient ich bin.«

»Oh, Herr Doktor ist ein wunderbarer Patient.«

Gruner hatte immer darauf gesehen, liebevolle Zustimmung, Anerkennung, den guten Willen aller, die sich ihm nahten, zu erhalten.

»Ich bin ganz und gar in den Händen des Chirurgen. Ich tue genau, was er sagt.«

»Er ist ein guter Arzt?«

»O ja. Er ist ein Hillbilly. Vom Farmland in Georgia. Er war ein Footballstar im College. Ich erinnere mich, von ihm in den Zeitungen gelesen zu haben. Er hat für die Technische Universität des Staates Georgia gespielt. Aber er ist beruflich sehr befähigt, ich bekomme meine Verordnungen von ihm und diskutiere nie über den Fall.«

»Also bist du mit ihm völlig zufrieden?«

»Gestern war die Schraube zu fest.«

»Was war die Folge?«

»Mir fiel das Sprechen schwer. Ich habe etwas die Koordination verloren. Du weißt ja, daß das Hirn Blutzufuhr braucht. Also mußten sie mich wieder lockern.«

»Aber heute geht's dir besser?«

»O ja.«

Die Post wurde gebracht, und Dr. Gruner bat Onkel Sammler, ein paar Notizen des Marktberichts zu lesen. Sammler hob das Papier an sein rechtes Auge und ließ das Fensterlicht konzentriert darauf fallen. »Das amerikanische Justizministerium will durch einen Prozeß Ling-Temco-Vought dazu zwingen, seinen Aktienanteil an den Jones und Laughlin Stahlwerken abzustoßen. Mit einer Maßnahme gegen das riesige Kartell . . .«

»Diese Kartelle saugen das gesamte Geschäftswesen der Vereinigten Staaten in sich auf. Eins hat, soweit ich unterrichtet bin, sämtliche Bestattungsinstitute New Yorks an sich gebracht. Ich habe Berichte, daß Campbell in Riverside von derselben Firma gekauft worden ist, die das Magazin *Mad* herausbringt.«

»Wie merkwürdig.«

»Die Jugend ist ein großes Geschäft, Schulkinder geben phantastische Geldsummen aus. Wenn genügend Jugendliche radikal werden, dann ist das ein neuer Massenmarkt, dann ist es eine große wirtschaftliche Operation.«

»Ich habe eine ungefähre Vorstellung.«

»Sehr wenig hält sich noch. Erst das Geld verdienen, dann das Geld vor der Inflationsschrumpfung bewahren. Wie man's investiert, wem man vertraut – man vertraut niemand –, was man dafür bekommt, wie man es vor den Räubern des Finanzamts rettet, den greulichen Steuerbehörden. Und wie man's vererbt . . . Testamente! Das sind die schlimmsten Probleme im Leben. Qualvoll!«

Onkel Sammler begriff nun vollkommen, wie es stand. Sein Neffe Gruner hatte ein großes Blutgefäß im Kopf, das von Geburt an schadhaft und vom lebenslangen Pulsschlag abgenutzt und verschlissen war. Ein Gerinnsel hatte sich durch sickerndes Blut gebildet. Das ganze Gallert zitterte. Man war an den Rand der Finsternis gerufen. Jeder Herzschlag konnte die Arterie öffnen und das Hirn mit Blut bespritzen. Diese Tatsachen brachten zögerndes Licht in Sammlers Hirn. War es an der Zeit? *Der* Zeit? Wie schrecklich! Aber ja! Elya würde an einem Blutsturz sterben. Wußte er es? Selbstverständlich. Er war Arzt, also mußte er es wissen. Aber er war menschlich, also konnte er sich vieles zurechtlegen. Wissen sowohl wie Nichtwissen – eins der häufigsten menschlichen Fabrikate. Dann kam Sammler, der seine Beobachtungsgabe aufs äußerste schärfte, nach zehn oder zwölf Minuten zu dem Schluß, daß Gruner unzweifelhaft Bescheid wußte. Er glaubte, daß Gruners Ehrensekunde gekommen war, die Sekunde, in der der Mensch über seine besten Eigenschaften gebieten konnte. Mr. Sammler hatte lange gelebt und verstand etwas von diesen Fällen letzter Kühnheit. *Wenn* noch Zeit war, wurde gelegentlich Gutes geschaffen. *Wenn* dabei ein gewisses Glück waltete.

»Onkel, versuch ein paar von diesen Geleefrüchten. Zitrone und Orange sind die besten. Aus Berseba.«

»Nimmst du nicht Rücksicht auf dein Gewicht?«

»Nein, tue ich nicht. Sie machen tolle Sachen dieser Tage in Israel.« Der Doktor hatte israelische Anleihen und Grundstücke gekauft. In Westchester bewirtete er mit israelischem Wein und Brandy. Er verschenkte in Israel angefertigte, schwer bossierte Kugelschreiber. Man konnte damit Schecks unterschreiben. Für alltägliche Zwecke waren sie nicht gut zu gebrauchen. Und bei zwei Gelegenheiten hatte Dr. Gruner gesagt, als er nach seinem Hut griff: »Ich glaube, ich fahre mal eine Zeitlang nach Jerusalem.«

»Wann willst du fort?«

»Gleich.«

»Jetzt gleich?«

»Gewiß.«

»So wie du bist?«

»So wie ich bin. Ich kann mir Zahnbürste und Rasierapparat kaufen, wenn ich lande. Ich bin dort gar zu gern.«

Er ließ sich von seinem Chauffeur zum Kennedy-Flughafen fahren. »Ich telegraphiere Ihnen, Emil, wenn ich zurückkehre.«

In Jerusalem lebten noch einige ältere Verwandte wie Sammler, und Gruner betrieb Genealogie mit ihnen, sein liebster Zeitvertreib. Mehr als ein Zeitvertreib. Er besaß eine Leidenschaft für die Versippung. Sammler fand dies merkwürdig, vor allem bei einem Arzt. Als einer, dessen Wohlstand im weiblichen Fruchtschleim begründet war, hätte er ein weniger spezifisches Gefühl für den eigenen Stamm empfinden können. Da er jetzt jedoch eine tödliche Trockenheit in den Rändern unter den Augen entdeckte, verstand Sammler den Grund dafür besser. Jedem nach seiner Bekundung. Gruner hatte in seinem Beruf seit zehn Jahren nicht mehr gearbeitet. Er hatte einen Herzanfall erlitten und sich mit Versicherungsgeldern vom Beruf zurückgezogen. Nach ein- oder zweijährigen Zahlungen behauptete die Versicherungsgesellschaft, er sei gesund genug, um zu praktizieren, worauf es zum Prozeß kam. Dann erkannte Gruner, daß die Versicherungsgesellschaften die besten juristischen Köpfe der Stadt für sich verpflichtet hatten. Die besten Anwälte waren vergeben, die Gerichte wurden von den Gesellschaften absichtlich mit trivialen Rechtsfällen überhäuft, so daß es Jahre dauerte, bis sein Fall zur

Verhandlung kam. Aber er gewann. Oder war im Begriff zu gewinnen. Er hatte seine Tätigkeit nicht gemocht – das Messer, Blut. Er war gewissenhaft gewesen. Er hatte seine Pflicht getan. Aber er hatte den Beruf nicht gemocht. Er war jedoch immer noch sorgfältig maniküert wie ein praktizierender Chirurg. Hier im Krankenhaus wurde die Maniküre geholt, und während Sammlers Besuch wurden Gruners Finger in einem Stahlbecken eingeweicht. Die seltsame Tönung von Männerfingern im Seifenwasser. Die Frau in ihrem weißen Kittel, jedes einzelne Haar ihres halslosen Kopfes dieselbe Schattierung von gefärbtem Schwarz, ohne Abwechslung, war deprimierend, schlampig um die Füße mit orthopädischen weißen Schuhen. Mit schweren Schultern beugte sie sich über die Nägel und konzentrierte sich auf ihre Arbeit. Sie hatte eine ziemlich breite, tränenschwangere Nase. Dr. Gruner mußte ihr Äußerungen abschmeicheln. Selbst einer so trüben Kreatur.

Das Zimmer war mit sonnigem Licht gefüllt, was (für Elya) nicht mehr oft der Fall sein mochte. Darin wurden altbekannte menschliche Haltungen vorgeführt. Die in der Vergangenheit keine großen Ergebnisse gezeitigt hatten. Von denen zu dieser späten Stunde nicht viel zu erwarten stand. Was wäre, wenn die Maniküre sich in Dr. Gruner verliebte? Was, wenn sie sein Sehnen erwiderte? Was war sein Sehnen? Mr. Sammler graute vor diesen unergiebigen Augenblicken der Klarheit. Wenn er sah, daß das einzelne Menschenwesen mehr verlangte, obwohl die menschlichen Fakten in ihrer Gesamtheit nicht mehr hergeben konnten. Sammler schätzte diese Augenblicke nicht, aber sie kamen trotzdem.

Die Frau schob die Häutchen zurück. Sie ließ sich aus ihren unterirdischen Gängen nicht hervorlocken. Intimität wurde abgelehnt.

»Onkel Arthur, kannst du mir was vom Bruder meiner Großmutter in der alten Heimat erzählen?«

»Wem?«

»Hessid war der Name des Mannes.«

»Hessid? Hessid? Ja, es gab eine Familie Hessid.«

»Er hatte eine Kornmühle und einen Laden in der Nähe vom Schloß. Nur ein kleines Geschäft mit ein paar Fässern.«

»Du mußt dich irren. Ich erinnere mich an niemand in der Familie, der etwas gemahlen hat. Andererseits hast du ein ausgezeichnetes Gedächtnis. Besser als meins.«

»Hessid. Ein großartig aussehender alter Mann mit breitem weißem Bart. Er trug eine Melone und eine sehr schmucke Weste mit Uhr und Kette. Wurde oft aufgerufen, die Torah zu lesen, obwohl er kein gewichtiger Geldgeber für die Synagoge gewesen sein kann.«

»Ah, die Synagoge. Ja siehst du, Elya, ich hatte mit der Synagoge nicht viel zu tun. Wir waren beinahe Freidenker. Besonders meine Mutter. Sie war polnisch erzogen worden. Sie gab mir einen emanzipierten Namen: Arthur.«

Sammler bedauerte, daß er bei Familienerinnerungen so unergiebig war. Da zeitgenössische Kontakte nicht recht befriedigten, hätte er Gruner gern geholfen, die Vergangenheit aufzuschönen.

»Ich habe den alten Hessid geliebt. Weißt du, ich war ein sehr liebevolles Kind.«

»Dessen bin ich sicher«, sagte Sammler. Er konnte sich an Gruner als Jungen kaum erinnern. Stehend sagte er: »Ich will dich nicht mit einem langen Besuch ermüden.«

»Oh, du ermüdest mich nicht. Aber du hast wahrscheinlich einiges zu tun. In der Bibliothek. Eins noch, bevor du gehst, Onkel – du bist immer noch in recht guter Form. Du hast die letzte Reise nach Israel sehr gut überstanden, und die war schwierig. Läufst du immer noch im Riverside Park wie früher?«

»Nicht in der letzten Zeit. Ich fühle mich zu steif dafür.«

»Ich wollte gerade sagen, es ist nicht sicher, dort zu laufen. Ich möchte nicht, daß du überfallen wirst. Wenn du vom Rennen außer Atem bist, springt so ein verrückter Kerl hervor und schneidet dir die Kehle durch! Wenn du aber auch zum Laufen zu steif bist, so bist du bei weitem noch nicht hinfällig. Ich weiß, du bist kein kränkelnder Typ, abgesehen von deinem Nervenleiden. Bekommst du immer noch die kleine Zahlung aus Westdeutschland? Und die Sozialversicherung? Ja, ich bin froh, daß uns die Anwälte diese Sache arrangiert haben, mit den Deutschen. Und ich will nicht, daß du dir Sorgen machst, Onkel Arthur.«

»Worum?«

»Um was auch immer. Die Sicherheit im hohen Alter. Einweisung in ein Heim. Du bleibst bei Margot. Das ist eine gute Frau. Die wird sich um dich kümmern. Ich sehe ein, daß Shula ein bißchen zu bestrampelt ist für dich. Sie belustigt andere Leute, aber nicht ihren Vater. Ich weiß, das kann vorkommen.«

»Ja, Margot ist anständig. Man könnte nichts Besseres verlangen.«

»Also denke dran, Onkel, keine Sorgen.«

»Danke dir, Elya.«

Ein verwirrender stirnfurchender Moment, der einem in die Brust, den Kopf und selbst hinunter in die Eingeweide fuhr und ums Herz und hinter die Augen – etwas Bewegendes, Schmerzendes, Brennendes. Die Frau polierte Gruners Nägel, und er saß aufrecht in der gänzlich zugeknöpften Pyamajacke; darüber der Verband, der den Hals mit seiner Schraube verdeckte. Sein großes, rötliches Gesicht war eher unschön, seine Glatze, die großohrige Unansehnlichkeit, die große Nasenspitze: Gruner gehörte zum einfachen Zweig der Familie. Es war jedoch ein männliches Gesicht, und wenn äußerliche Einwände beseitigt waren, ein gütiges Gesicht. Sammler kannte die Schwächen dieses Mannes. Sah sie als Staub und Kies, als Schutt auf einem Mosaik, den man fortkehren konnte. Darunter ein feiner, edelmütiger Gesichtsausdruck. Ein zuverlässiger Mann – ein Mann, der sich um andere Gedanken machte.

»Du bist zu Shula und mir gut gewesen, Elya.«

Gruner gab das weder zu, noch leugnete er. Vielleicht wehrte er durch die Starrheit seiner Haltung eine Dankbarkeit ab, die er nicht in vollem Umfang verdiente.

Kurz ausgedrückt: wenn die Erde verdient, verlassen zu werden, wenn wir nun scharenweise in andere Welten getrieben werden, angefangen mit dem Mond, dann nicht wegen deinesgleichen, hätte Sammler gesagt. Er sagte es noch kürzer: »Ich bin dankbar.«

»Du bist ein Gentleman, Onkel Arthur.«

»Ich bleibe mit dir in Verbindung.«

»Ja, komm wieder. Es tut mir gut.«

Sammler, außerhalb der gummileisen Tür, setzte seinen Hut auf. Ein Hut aus dem Soho, das war. Er ging mit seinem üblichen raschen Schritt den Gang entlang und hielt sich etwas mehr an die sehende Seite, indem er den rechten Fuß und die rechte Schulter etwas vorschob. Als er ins Vorzimmer kam, einen sonnigen Erkerraum mit weichen orangefarbenen Kunststoffmöbeln, fand er dort Wallace Gruner mit einem Arzt im weißen Kittel. Das war Elyas Chirurg.

»Der Onkel meines Vaters – Dr. Cosbie.«

»Guten Tag, Herr Dr. Cosbie.« Die denkbarerweise vergeudete Zierde von Mr. Sammlers Manieren. Wen gab es jetzt noch, der für diesen Kram der Alten Welt überhaupt aufnahmefähig war? Hier und da mochte eine Frau diesen Begrüßungsstil noch schätzen. Aber nicht ein Dr. Cosbie. Der Ex-Footballstar, berühmt in Georgia, kam Sammler vor wie eine Art menschlicher Mauer. Hoch und flach. Sein Gesicht war geheimnisvoll still und sehr weiß. Die Oberlippe war steil und dominierend. Der Mund selbst dünn und gerade. Ziemlich unnahbar hielt er die Hände hinter dem Rücken. Er hatte das Gehabe eines Generals, dessen Gedanken bei Bataillonen hinter dem nächsten Hügel weilen, wo sie außer Sicht in einen blutigen Kampf verwickelt sind. Einer Zivilistenwanze, die ihm in diesem Augenblick entgegentrat, hatte er nichts zu sagen.

»Wie geht es Dr. Gruner?«

»Macht gute Fortschritte. Ein guter Patient.«

Dr. Gruner wurde gesehen, wie er gesehen zu werden wünschte. Jede Gelegenheit hatte ihre Propaganda. Demokratie war Propaganda. Von der Regierung her drang die Propaganda in jede Facette des Lebens. Man hatte ein Verlangen, eine Ansicht, eine Masche, und man verbreitete sie. Sie faßten Fuß, jeder sprach von dem Ereignis in geziemender Weise, unter seinem Einfluß. In diesem Falle ließ Elya, ein Arzt, ein Patient, bekanntwerden, daß er der Patient aller Patienten war. Eine zulässige Schwäche, jungenhaft, aber was machte das schon? Es beanspruchte ein gewisses Interesse.

Angesichts eines Arztes hatte Sammler seine eigene Schwäche, denn oft wollte er ihn wegen seiner Symptome konsultieren. Das wurde selbstverständlich unterdrückt. Aber der Impuls war vorhanden. Er wollte erwähnen, daß er mit einem Geräusch im Kopf aufwachte, daß sein gutes Auge ein Korn im Winkel bildete, das er nicht herauskratzen konnte, es stak in der Falte, daß seine Füße nachts unerträglich brannten, daß er an *pruritis ani* litt. Ärzte verabscheuten Laien mit medizinischem Jargon. All dies wurde, natürlich, zensiert. Die Tachycardia als letztes vom Ganzen. Nichts wurde Cosbie geboten als eine gewisse kühle ältliche Rosigkeit. Ein Winterapfel. Ein gedankenvoller alter Mann. Farbige Brille. Eine breite, faltige Hutkrempe. Regenschirm an einem sonnigen Tag – unkonsequent. Lange, schmale Schuhe, rissig, aber mit Hochglanz.

Verhielt er sich herzlos gegenüber Elya? Nein, er trauerte. Aber was konnte er tun? Er fuhr fort zu denken und zu sehen.

Wie gewöhnlich war Wallace, selbst mitten im Gespräch, verträumt mit runden schwarzen Augen. Tief verträumt. Auch er hatte eine sehr weiße Farbe. In seinen späten zwanziger Jahren war er immer noch der kleine Bruder mit den Locken und Lippen eines kleinen Jungen. Vielleicht ein bißchen nachlässig in seiner Toilettensauberkeit, ebenfalls wie ein kleiner Junge, vermittelte er Sammler oft bei warmem Wetter (vielleicht war Sammlers Nase überempfindlich) einen leicht unreinen Geruch vom Hinterteil. Die leiseste Andeutung von fäkalischer Nachlässigkeit. Das stieß seinen Großonkel nicht ab. Es wurde nur festgestellt, durch ein seltsam verfeinertes Aufnahmesystem. Tatsächlich empfand Sammler eher Sympathie für den jungen Mann. Wallace fiel in die Shula-Kategorie. Es gab sogar eine Familienähnlichkeit, vor allem in den Augen – rund, dunkel, weit, sie füllten die großen, knochigen Höhlen, waren fähig, alles zu sehen, aber verträumt, träumerisch wie im Rausch. Er war eine krause Katze, sagte Angela. Mit Dr. Cosbie sprach er über Sport. Wallace bezeugte kein gewöhnliches Interesse für irgendein Thema. Bei ihm war jedes Interesse ungewöhnlich. Er verfiel in ein hitziges Fieber. Pferde, Football, Hockey, Baseball. Er beherrschte Durchschnittsleistung, Rekorde, Statistiken. Man konnte ihn nach dem Almanach examinieren. Dr. Gruner sagte, er stünde früh um vier Uhr auf, lerne Tabellen auswendig und kritzele linkshändig mit höchster Geschwindigkeit quer über den Körper hinweg. Dazu die intellektuelle, wenn auch etwas pädomorphe Stirn, die Feinheit der Nase, etwas zu klein, die Mitte des Gesichts, etwas konkav, und ein Ausdruck geistiger Stärke, Männlichkeit, Vornehmheit, alles ein wenig überzüchtet. Wallace wäre beinahe Physiker, beinahe Mathematiker, beinahe Rechtsanwalt (er hatte sogar das juristische Staatsexamen bestanden und schon einmal eine Praxis eingerichtet), beinahe Ingenieur, beinahe ein Doktor der Verhaltenswissenschaften geworden. Er war lizensierter Pilot. Beinahe Alkoholiker. Beinahe Homosexueller. Im Augenblick schien er ein Handikapper zu sein. Er hatte gelbe Blätter von juristischem Aktenpapier, die mit Mannschaftsnamen und Ziffern bedeckt waren, und er und Dr. Cosbie, der auch einen Hang zum Wetten zu haben schien, studierten diese verwickelten Berechnungen vieler Faktoren; offensichtlich war der Doktor fasziniert und redete Wallace nicht nur nach dem Munde. Der schlanke Wallace in seinem dunklen Anzug sah sehr gut aus. Ein junger Mann mit erstaunlichen Talenten. Es war rätselhaft.

»Für das Spiel in der Rose Bowl könnten Sie falsch getippt haben«, sagte der Arzt.

»Keineswegs«, erwiderte Wallace. »Prüfen Sie hier die Analyse der erkämpften Meterzahl. Ich habe die Ziffern des letzten Jahres aufgeschlüsselt und in meine spezielle Gleichung eingebaut: Sehen Sie hier . . .«

Soweit konnte Sammler dem Gespräch noch folgen. Er wartete einen Augenblick am Fenster, beobachtete den Verkehr und die Frauen mit Hunden, die an der Leine waren oder nicht. Ein leeres Gebäude gegenüber, dem

Abbruch preisgegeben. Große weiße X-Zeichen am Fensterglas. Auf dem Schaufenster des leeren Ladens waren seltsame Figuren oder Nicht-Figuren in dickem Weiß. Die meisten Krakeleien verdienten keine Beachtung. Diese beeindruckten aus irgendeinem Grunde Mr. Sammler als einschlägig. Beredt. Worüber? Zukünftiges Nichtsein. (Elya!) Aber auch über die Größe der Ewigkeit, die uns aus der gegenwärtigen Untiefe erheben soll. In unserer Zeit zogen Kräfte, Energien, die die Menschheit emportragen sollten, diese nach unten. Für die höheren Zwecke des Lebens stand nur wenig zur Verfügung. Die Angst vor dem Erhabenen verwirrte jeden Verstand. Fähigkeiten, Eindrücke, Visionen, die sich seit Urbeginn in den Menschen angesammelt hatten, vielleicht seit der Zeit, als die Materie zum erstenmal von einem Gran Bewußtsein erglänzte, waren weitgehend mit Eitelkeiten, Verneinungen verknüpft und offenbarten sich nur in formlosen Andeutungen oder in Chiffren, die auf die Fenster abbruchreifer Läden geschmiert waren. Alle fürchteten sich begreiflicherweise vor der Zukunft. Nicht vor dem Tode. Nicht jener Zukunft. Einer anderen Zukunft, in der sich die Seele voll und ganz auf das ewige Sein konzentrierte. Mr. Sammler glaubte das. Und in der Zwischenzeit gab es die Entschuldigung der geistigen Tollheit. Eine ganze Nation, die gesamte zivilisierte Gesellschaft vielleicht, suchte den schuldfreien Zustand der Tollheit. Den privilegierten, fast aristokratischen Zustand der Tollheit. In der Zwischenzeit sprachen diese dicken Schleifen und offenen Bogen quer über das Schaufenster eines alten Schneiderladens.

Es war in Polen, in der Kriegszeit, insbesondere während der drei oder vier Monate, als Sammler sich in einem Mausoleum versteckt hielt, daß er zum erstenmal die äußere Welt auf seltsame Ziffern und Zeichen hin zu beobachten begann. Das tote Leben jenes Sommers und bis in den Herbst hinein, als er ein Zeichenspäher war, und ein sehr kindischer, denn viele größere Formen von Bedeutung waren ausgerottet worden, und ein Strohhalm oder ein Spinnenfaden, ein Fleck, ein Käfer oder ein Sperling mußten gedeutet werden. Symbole allerorten und metaphysische Botschaften. Im Grab einer Familie namens Meswinski war er, sozusagen, als Hausgast. Der Friedhofswärter aus Friedenszeiten ließ ihm Brot zukommen. Auch Wasser. Einige Tage wurden ausgelassen, aber nicht viele, und für alle Fälle sparte sich Sammler eine kleine Brotreserve zusammen und mußte nicht verhungern. Der alte Cieslakiewicz war zuverlässig. Er brachte Brot in seinem Hut. Es roch nach Skalp, nach Kopf. Und während jener Periode lag alles in einer gelben Tönung, ein gelbes Licht am Himmel. In diesem Licht wurden schlechte Nachrichten für Sammler, schlechte Nachrichten für die Menschheit, schlechte Kunde über das eigentliche Wesen des Seins verbreitet. Etwas Hassenswertes und zuweilen Überwältigendes. In seiner schlimmsten Form schien es etwa folgendermaßen zu lauten: »Du bist zum Sein aufgerufen worden. Aufgerufen aus der Materie. Deshalb bist du hier. Und wenn auch der ungeheure Gesamtplan von tiefstem Interesse sein mag, ob er nun einem Gott entspringt oder in einer unbestimmten Quelle, die einen anderen Namen haben sollte, du selbst, eine endliche Existenz, mußt warten, schmerzhaft, angstvoll, herzversehrend, in dieser gelben Verzweiflung. Und warum? Aber du mußt!« So lag er also und wartete. Es kam noch manches dazu, als Sammler im Grab logierte. Nicht eine Zeit zum Denken, vielleicht, aber was war sonst zu tun? Es gab keine Ereignisse. Die Ereignisse hatten aufgehört. Es gab keine Nachrichten. Cieslakiewicz mit hängendem Schnurrbart, geschwollenen Händen,

Schüttellähmung, den häßlichen blauen Augen – Sammlers Retter – hatte keine Nachrichten oder wollte sie nicht mitteilen. Cieslakiewicz hatte sein Leben für ihn riskiert. Die Basis dieser Tatsache war höchst ungereimt. Sie mochten einander nicht leiden. Was war auch an Sammler zu leiden gewesen – halbnackt, verhungert, verklebtes Haar und Bart, als er aus dem Wald gekrochen kam. Lange Erfahrung mit den Toten, das Befaßtsein mit Menschenknochen hatte vielleicht den Wärter auf Sammlers Erscheinung vorbereitet. Er hatte ihn ins Grabmal der Meswinskis gelassen, ihm ein paar Lumpen zur Bekleidung gebracht. Nach dem Kriege hatte Sammler Geld und Pakete an Cieslakiewicz geschickt. Es gab einen Briefwechsel mit der Familie. Dann begannen, nach mehreren Jahren, die Briefe antisemitische Gefühle zu enthalten. Nichts furchtbar Bösartiges. Nur eine Spur von dem alten Zeug. Das war keine große Überraschung oder nur eine kurze. Cieslakiewicz hatte seine Zeit der Ehre und Barmherzigkeit gehabt. Er hatte sein Leben riskiert, um Sammler zu retten. Der alte Pole war auch ein Held. Aber das Heldentum endete. Er war ein alltäglicher Mensch und wollte wieder er selbst sein. Genug war genug. Hatte er kein Recht, er selbst zu sein? Sich in alte Vorurteile zu bequemen? Es war nur die »nachdenkliche« Person mit ihren ausgefallenen Forderungen, die mit Selbstbelästigungen weitermacht – verantwortlich den »höheren Werten«, der »Zivilisation«, die vorwärtsdrängte und so weiter. Es waren die Sammlers, die sich weiterhin vergeblich mühten, eine Art symbolischer Aufgabe zu erfüllen. Wovon das Hauptergebnis die Unruhe war, und daß man Ungemach ausgesetzt wurde. Mr. Sammler hatte einen symbolischen Charakter. Er persönlich war ein Symbol. Seine Freunde und die Familie hatten ihn zum Richter und Priester gemacht. Und wovon war er ein Symbol? Er wußte es nicht einmal. War es, weil er überlebt hatte? Er hatte nicht einmal das getan, denn von der früheren Person war so viel geschwunden. Das war kein Überleben, sondern ein Überdauern. Er hatte überdauert. Eine Zeitlang mochte er noch weiterdauern. Offenbar ein wenig länger als Elya Gruner mit der Klammer oder Schraube im Hals. *Das* konnte den Tod nicht sehr lange aufhalten. Ein plötzlicher Durchbruch roter Flüssigkeit, und der Mann war geliefert. Mit seinem ganzen Willen, seinen Absichten, seinen Tugenden, seinen guten Erfolgen als Arzt, seinen Unternehmungen, Kartenspielen, seiner Loyalität zu Israel, Abneigung gegen de Gaulle, mit all seiner Herzensgüte, Herzensgier, mit dem Mund, der leidenschaftliche Liebe zum Handgreiflichen bekundete, mit seinem Geldgerede, seiner jüdischen Vaterschaft, seiner Liebe und Verzweiflung über Sohn und Tochter. Wenn sein Leben – oder dieses, jenes, das andere Leben – vergangen war, fortgenommen, dann bliebe für Sammler, solange er dauerte, jene schlimme Inhaltsleere, das gelbe Licht polnischer Sommerhitze hinter der Mausoleumstür. Es war ebenfalls das Licht jenes Porzellanschrankzimmers, wo er mit Shula-Slawa eingekerkert gewesen war. Endlose inhaltsleere Stunden, in denen man innerlich aufgezehrt wird. Aufgezehrt, weil es an Zusammenhang mangelte. Vielleicht zur Strafe, weil man den Zusammenhang nicht gefunden hat. Oder aufgezehrt durch die Sehnsucht nach dem Geheiligten. Ja, geh und finde es, wenn jeder jeden ermordet. Wenn Antonina ermordet wurde. Wenn er selber neben ihr den Mord erfuhr. Wenn auf ihn und sechzig oder siebzig andere, alle nackt ausgezogen, vor dem selbstgegrabenen Grab, geschossen wurde und sie hineinfielen. Körper auf seinen Körper. Erdrückend. Seine tote Frau irgendwo in der Nähe. Er kämpfte sich viel später unter dem

Gewicht der Leichen hervor und kroch aus der lockeren Erde. Schleppte sich auf dem Bauch weiter. Versteckte sich in einem Schuppen. Fand einen Fetzen zum Anziehen. Lag viele Tage im Wald.

Fast dreißig Jahre danach an Apriltagen, in Sonnenschein, Frühlingszeit, eine neue Jahreszeit, das Hasten und die Intimität New Yorks, die im Begriff stand, als Frühjahr bezeichnet zu werden; an ein weiches lederartiges organgenes Sofa gelehnt, Füße auf einem dunkelbraunen finnischen Teppich mit gelbem Kern oder Nukleus – mit mitotischen Spindeln; auf eine Straße niederblickend, in dieser Straße das Fenster eines Schneiderladens, auf den der Geist der Zeit durch die unbewußte Vermittlung einer Jungenhand seine Prophezeiung geschrieben hatte.

Ist unsere Gattung geistesgestört?

Viele Indizien.

Alles erscheint natürlich als menschliche Erfindung. Einschließlich des Irrsinns. Der eine weitere Schöpfung jener qualvollen Erfindungsgabe sein mag. Auf der gegenwärtigen Stufe der menschlichen Evolution wurden Thesen aufgestellt (und Sammler war teilweise von ihnen überzeugt), durch die die Alternative reduziert wurde auf Heiligkeit oder Wahnsinn. Wir sind wahnsinnig, wenn wir nicht heilig sind, heilig nur, sofern wir uns über den Wahnsinn erheben. Die Schwerkraft des Wahnsinns zieht den Heiligen in den Erdensturz. Ein paar mögen begreifen, daß die Kraft, täglich und prompt seine Pflicht zu erfüllen, die Helden und Heiligen ausmacht. Nicht viele. Die meisten haben Phantasien, daß sie in höhere Zustände emporschnellen, und fühlen sich gerade irre genug, um qualifiziert zu sein.

Man nehme als Beispiel einen Menschen wie Wallace Gruner. Der Arzt war fort, und Wallace stand da mit seinem gelben Papier, anmutig, hübsch mit seinen langen Wimpern. Wieviel Normalität, welche Stabilität war Wallace zu opfern bereit, um die Gnade des Wahnsinns zu erlangen?

»Onkel?«

»Ach ja, Wallace?«

Manche waren exzentrisch, manche waren histrionisch. Wahrscheinlich war Wallace echt verrückt. Für ihn war eine mächtige Anstrengung vonnöten, sich für alltägliche Vorkommnisse zu interessieren. Das war möglicherweise der Grund, weshalb Sportstatistiken ihn in ein solches Fieber stürzten, warum er so oft im Weltraum zu weilen schien. *Dans la lune*. Nun, er behandelte wenigstens Sammler nicht als Symbol, und er hatte anscheinend keinen Gebrauch für Priester, Richter oder Beichtväter. Wallace sagte, was er an Onkel Sammler schätzte, sei sein Witz. Sammler sagte, vor allem, wenn er sich äußerst irritiert oder verärgert, wenn er sich gereizt fühlte, witzige Dinge. Im alten europäischen Stil. Oft signalisierten diese witzigen Äußerungen einen nahenden Nervenanfall.

Wenn aber Wallace mit Sammler ein Gespräch begann, lächelte er sogleich und wiederholte manchmal die Pointen von Sammlers Witzen.

»Keine abgerundete Persönlichkeit, Onkel?«

Von sich selbst hatte Sammler einmal gesagt: »Ich bin in manchen Dingen dümmer als in anderen, nicht gleichdumm in allen Richtungen, ich bin keine abgerundete Persönlichkeit.«

Oder auch, seit kurzem ein Lieblingszitat von Wallace: »Der Billardtisch, Onkel. Der Billardtisch.«

Das hatte mit Angelas Reise nach Mexiko zu tun. Sie und Horricker hatten einen unglücklichen mexikanischen Urlaub verbracht. Im Januar hatte sie genug gehabt von New York und vom Winter. Sie wollte nach Mexiko, einem heißen Ort, wo es etwas Grünes zu sehen gab. Dann hatte plötzlich Sammler, bevor er sich Einhalt gebieten konnte, gesagt: »Heiß? Etwas Grünes? Ein Billardtisch in der Hölle würde dieser Beschreibung entsprechen.«

»Donnerlittchen, das hat mich wirklich plattgewalzt«, sagte Wallace.

Später fragte er Sammler, ob die Wörter genau richtig seien. Sammler lächelte, seine Wangen röteten sich, aber er weigerte sich, den Ausspruch zu wiederholen. Wallace war nicht witzig. Er hatte keine solchen Aussprüche. Aber er hatte Erfahrungen, er erfand seltsame Projekte. Vor mehreren Jahren flog er nach Tanger, um sich dort ein Pferd zu kaufen und Marokko und Tunis zu Pferde zu bereisen. Er nahm nicht seinen Honda, weil er meinte, man solle rückständige Völker vom Pferderücken aus erleben. Er hatte Jakob Burckhardts *Der Geist ist die Kraft* von Sammler geborgt, und das beeindruckte ihn stark. Er wollte Menschen auf verschiedenen Stufen der Entwicklung beobachten. In Spanisch-Marokko wurde er im Hotel beraubt. Von einem Mann mit Pistole, der sich im Schrank versteckt hatte. Er flog darauf in die Türkei und machte einen zweiten Versuch. Irgendwie gelang es ihm, zu Pferd nach Rußland hineinzukommen. In Sowjet-Armenien wurde er von der Polizei festgenommen. Nachdem Gruner fünf- oder sechsmal bei Senator Javits vorstellig geworden war, wurde Wallace aus dem Gefängnis entlassen. Dann erlitt Wallace, der, wieder zurück in New York, eines Tages mit einer jungen Dame ins Kino gegangen war, um den Film *Geburt eines Kindes* zu sehen, gerade im Augenblick der Geburt einen Schwächeanfall, schlug mit dem Kopf auf die Rückenlehne seines Sitzes und verlor das Bewußtsein. Als er zu sich kam, lag er auf dem Boden. Er entdeckte, daß seine Begleiterin in ihrer Verlegenheit von ihm weggerückt war und den Platz gewechselt hatte. Er hatte einen Auftritt mit ihr, weil sie ihn im Stich gelassen hatte. Wallace, der sich den Rolls-Royce seines Vaters auslieh, ließ ihn sich irgendwie abhanden kommen: nachlässig geparkt endete er auf dem Grund eines Stausees in der Nähe von Croton. Er fuhr einen städtischen Omnibus quer durch die Stadt, um Schulden zu bezahlen. Die Mafia war hinter ihm her. Sein Buchmacher gab ihm zwei Monate Frist. Sein Totosystem hatte nicht funktioniert. Er flog mit einem Freund nach Peru, um in den Anden zu klettern. War angeblich ein recht guter Pilot. Er bot Sammler an, ihn mit in die Luft zu nehmen (»Nein, ich glaube lieber nicht. Trotzdem, vielen Dank, Wallace.«) Er meldete sich freiwillig als Entwicklungshelfer im eigenen Land. Er wollte kleinen schwarzen Kindern nützlich sein – als Basketballtrainer auf dem Spielplatz.

»Was hält dieser Chirurg ernstlich von Elyas Chancen, Wallace?«

»Er will ein neues Röntgenbild vom Kopf machen.«

»Planen sie jetzt eine Hirnoperation?«

»Das kommt drauf an, ob sie an die Stelle rankönnen. Sie können sie vielleicht nicht erreichen. Na, und wenn sie sie nicht erreichen können, können sie sie nicht erreichen.«

»Wenn man ihn ansieht, würde man nie denken... Er sieht so wohl aus.«

»O ja«, sagte Wallace. »Warum nicht?«

Sammler seufzte darüber. Er ahnte, wie zufrieden die verstorbene Mrs. Gruner mit ihrem Wallace gewesen sein mußte, dem wohlgeformten Kopf, langen Hals, krausen Haar und feinen Augenbrauen, der kurzen, klaren Linie der Nase und der gepflegten Nacktheit seiner Zähne, dem Resultat gekonnter Orthodontie.

»Das ist erblich, so ein Aneurysma. Man wird einfach mit

einer dünnen Wand in der Arterie geboren. Ich kann's haben. Angela auch, obwohl es mich wundern sollte, wenn die irgendwo 'ne dünne Stelle hat. Aber Leute, auch junge Leute, die in jeder anderen Hinsicht vollkommen sind, fallen manchmal tot davon um. Gehen einher, kräftig, schön, guter Dinge, wenn es innerlich explodiert. Sie sterben. Erst ist da eine Blase. Vielleicht, wie sie die Eidechsen aus der Kehle blasen. Dann Tod. Du hast so lange gelebt, dir ist das wahrscheinlich schon einmal begegnet.«

»Selbst für mich gibt es immer ein bißchen was Neues.«

»Ich hatte große Schwierigkeiten mit dem Kreuzworträtsel in der Sonntagsausgabe von letzter Woche. Hast du dich damit beschäftigt?«

»Nein.«

»Manchmal tust du's doch.«

»Margot hat die *Times* nicht mitgebracht.«

»Erstaunlich, wie du Wörter kennst.«

Einige Monate lang hatte Wallace tatsächlich als Anwalt praktiziert. Sein Vater mietete ein Büro, seine Mutter hatte es mit Hilfe von Croze, dem Innenarchitekten, möbliert. Sechs Monate lang stand Wallace pünktlich auf wie jeder Pendler und ging zur Arbeit. Aber bei der Arbeit stellte sich heraus, daß er an nichts arbeitete als an Kreuzworträtseln, die Tür verriegelte, das Telefon von der Gabel nahm und auf dem Ledersofa lag. Das war alles. Nein, noch eins: er knöpfte der Stenotypistin das Kleid auf und betrachtete ihre Brüste. Diese Information kam von Angela, die es direkt von dem Mädchen selbst hatte. Warum ließ das Mädchen es zu? Vielleicht meinte sie, es würde zur Ehe führen. Hoffnungen auf Wallace setzen? Das täte keine geistig gesunde Frau. Aber sein Interesse für ihre Brüste war augenscheinlich wissenschaftlich gewesen. Etwas über Brustwarzen. Wie Jean Jacques Rousseau, der sich so in die

Brüste einer venetianischen Hure vertiefte, daß sie ihn fortstieß und sagte, er solle lieber Mathematik studieren. (Wieder Onkel Sammlers große Belesenheit, seine europäische Kultur.)

»Ich mag die Leute nicht, die Rätsel ausdenken. Sie sind geistig minderwertig«, sagte Wallace. »Warum müssen Menschen so viel Trödelkram wissen? Es ist an der Ostküste gezüchteter Bildungsmüll. Klugscheißende-Columbia-Universität-Quiz-Mentalitäts-Trivial-Information. Ich habe dich tatsächlich wegen eines alten englischen Tanzes angerufen. Jig, Reel, Hornpipe war alles, was ich aufbringen konnte. Aber dieser begann mit einem ›M‹.«

»Einem ›M‹? War vielleicht Morrice.«

»O verdammt. Natürlich war's Morrice. Herrje, dein Verstand ist in guter Verfassung. Wie erinnerst du dich?«

»Milton, *Comus*. Ein schwankender Morrice auf zum Mond.«

»Oh, das ist hübsch. Oh, das ist wirklich reizend, ein schwankender Morrice.«

»›Nun auf zum Mond in schwankendem Morriceschritt‹. Es sind die Fische, milliardenweise, glaube ich, und die Meere selber, die den Tanz aufführen.«

»Nein, das ist großartig. Du mußt das richtige Leben führen, wenn du dich an so hübsche Dinge erinnerst. Dein Geist ist nicht von Narrenkram aufgezehrt. Du bist ein guter alter Bursche, Onkel Arthur. Ich mag alte Leute nicht. Ich respektiere nicht viele Individuen – ein paar physikalische Wissenschaftler. Aber du, du bist in gewisser Weise sehr ernst, hast aber einen guten Sinn für Humor. Die einzigen Witze, die ich erzähle, stammen von dir. Übrigens will ich mich vergewissern, ob ich den Witz mit de Gaulle richtig habe. Er sagte, er wolle nicht unter dem Arc de Triomphe begraben sein, neben einem Unbekannten.

A côté d'un inconnu. Stimmt's?«

»So weit ja.«

»Mein Vater verabscheut de Gaulle, weil er den Arabern den Hof macht. Ich mag de Gaulle, weil er ein Monument ist. Und er wollte auch nicht im Invalidendom bei Napoléon liegen, weil der nur ein schäbiger Korporal war?«

»Ja.«

»Aber die Israelis wollten hunderttausend Dollar von ihm für einen Platz im Heiligen Grab?«

»Das ist der Witz.«

»Und de Gaulle sagte: »Für drei Tage? Das ist zuviel Geld! ›Pour trois jours?‹ Er würde auferstehen, wie? Nun das finde ich sehr komisch.« Wallaces gewichtiges Urteil.

»Polen erzählen sehr gerne Witze«, sagte er. Er hatte keinen Sinn für Humor. Manchmal fand er Gelegenheit zu lachen.

»Besiegte Menschen neigen zum Witz.«

»Du schätzt die Polen nicht sehr, Onkel.«

»Ich glaube, im großen und ganzen schätze ich sie mehr als sie mich. Übrigens hat mir ein Pan einst das Leben gerettet.«

»Und Shula im Kloster.«

»Ja, das auch. Die Nonnen haben sie versteckt.«

»Ich kann mich erinnern, wie Shula vor Jahren in New Rochelle im Nachthemd die Treppe runterkam, und sie war kein Kind mehr, sie muß siebenundzwanzig oder so gewesen sein, und kniete vor allen im Wohnzimmer nieder und betete. Hat sie Latein gebraucht? Jedenfalls war ihr Nachthemd verdammt flittrig. Ich dachte, sie wollte dich mit ihrem christlichen Akt auf die Palme bringen. Es stieß einen vor den Kopf, nicht wahr, in einem jüdischen Haus? Immerhin ein paar Juden. Ist sie noch so 'ne Christin?«

»Zu Weihnachten und Ostern ein bißchen.«

»Und sie fällt dir mit H. G. Wells auf die Nerven. Aber Väter sind weich mit Töchtern. Sieh doch, wie Vater Angela vorzieht. Er hat ihr zehnmal mehr gegeben. Weil sie ihn an Mae West erinnerte. Er lächelte immer ihre Mammen an. Er hat's selbst nicht gemerkt. Mutter und ich haben's gesehen.«

»Was glaubst du, geschieht, Wallace?«

»Mein Vater? Er wird's nicht schaffen. Er hat etwa zwei Prozent Chance. Was nützt schon die Schraube?«

»Er kämpft.

»Jeder Fisch kämpft. Ein Haken im Kiemen. Er wird in den falschen Teil vom Universum gezerrt. Es muß sein wie ein Ertrinken in der Luft.«

»Ach, das ist entsetzlich«, sagte Sammler.

»Trotzdem ist manchen Leuten der Tod sehr willkommen. Wenn sie sich den Lustapparat ruiniert haben, würden viele sicherlich lieber tot sein. Was mir gerade einfällt: wenn die Eltern leben, stehen sie zwischen dir und dem Tod. Sie müssen erst dran, also fühlt man sich ziemlich sicher. Aber wenn sie sterben, bist du der nächste, und es ist niemand vor einem an der Reihe. Gleichzeitig sehe ich jetzt schon, daß ich emotional die falsche Einstellung habe, und ich weiß, daß ich später dafür büßen werde. Ich bin ein Teil des Systems, ob ich will oder nicht.« Ein weiterer Moment stummen, abirrenden Nachdenkens – Mr. Sammler spürte die Dichte und Regellosigkeit von Wallaces Gedanken. Dann sagte Wallace: »Ich möchte wissen, warum Dr. Cosbie so scharf auf Football-Toto ist.«

»Bist du's denn nicht?«

»Nicht so, wie ich war. Vater hat ihm erzählt, wieviel ich über Berufsfootball weiß. Collegefootball auch. Das liegt jetzt alles hinter mir. Aber es sieht Vater ähnlich, daß er mich seinem Chirurgen opfert, damit ich etwas für ihn tue und wir alle eng vertraut und gute Freunde sind.«

»Gibt es denn etwas anderes, worauf du jetzt scharf bist?«

»Ja. Feffer und ich haben eine Geschäftsidee. Das ist praktisch das einzige, woran ich jetzt denken kann.«

»Ach, Feffer. Er hat mich in der Columbia im Stich gelassen, und ich habe ihn seither nicht mehr gesehen. Ich habe mich sogar gefragt, ob er an mir Geld verdienen wollte.«

»Er ist ein unerhört einfallsreicher Geschäftsmann. Er würde jeden übers Ohr hauen. Aber vielleicht nicht dich. Hier ist, was wir uns als Unternehmen ausgeheckt haben. Luftaufnahmen von Landhäusern. Dann kommt der Verkäufer mit den Bildern – nicht nur Kontaktabzügen, sondern den völlig entwickelten Bildern – und schlägt ein Koppelungsgeschäft vor. Wir wollen die Bäume und Sträucher auf dem Grundstück identifizieren und hübsch beschriften, in Latein und Englisch. Die Leute fühlen sich unwissend hinsichtlich der Pflanzen auf ihrem Besitz.«

»Kennt Feffer sich mit Bäumen aus?«

»In jeder Gegend stellen wir uns einen Botanikstudenten an. Im Dutchess County könnten wir zum Beispiel ein Mädchen von Vassar kriegen.«

Mr. Sammler konnte ein Lächeln nicht unterdrücken. »Feffer würde sie verführen, und zudem noch die Frau des Hauses.«

»O nein. Ich passe auf, daß er nicht über die Stränge schlägt. Ich kann diesen Mann zügeln. Er ist ein Superverkäufer. Der Frühling ist eine gute Startzeit. Genau jetzt. Bevor die Blätter zu dicht sind für Luftaufnahmen. Im Sommer können wir Montauk, Chilmark, Wellfleet, Nantucket vom Meer aus bearbeiten. Mein Vater will mir das Geld nicht geben.«

»Ist es viel?«

»Ein Flugzeug und Ausrüstung? Ja, es ist beträchtlich.«

»Du willst dir ein Flugzeug kaufen, nicht mieten?«

»Mieten ist sinnlos. Wenn man kauft, kann man's von der Steuer absetzen. Wertminderung. Das Geheimnis des Geschäftslebens ist, die Regierung das Risiko decken zu lassen. Bei Vaters Einkommensstufe sparen wir siebzig Cents auf den Dollar. Die Steuerveranlagung ist Mord. Er gibt seit Mutters Tod keine gemeinsame Steuererklärung ab und ist nicht Familienoberhaupt. Er will mir keine Pauschalsumme mehr geben. Das Geld ist für mich treuhänderisch festgelegt, so daß ich vom Ertrag leben muß. Als ich meine Chance hatte, habe ich fünfzigtausend in diese Boutique gesteckt.«

»Ich dachte, Glückspiel in Las Vegas.«

»Nein, nein, es war ein Motelkomplex in Vegas, und wir hatten das Bekleidungsgeschäft, Boutique für Männer.«

Ein wütender Ausstatter und Verzierer von Männerleibern wäre Wallace geworden.

»Onkel Arthur. Ich möchte dich gern anstellen. Feffer ist einverstanden. Feffer liebt dich, mußt du wissen. Wenn du nicht willst, nehmen wir Shula für fünfzig Dollar die Woche.«

»Und als Gegenleistung? Du willst, daß ich mit deinem Vater spreche?«

»Deinen Einfluß geltend machst.«

»Nein, Wallace. Ich fürchte, das kann ich nicht. Denk doch nur, was im Gang ist. Das ist grauenhaft. Ich habe Angst.«

»Du würdest ihn nicht aufregen. Er denkt dieselben Gedanken, ob du nun mit ihm sprichst oder nicht. Sechs vom einen, ein halbes Dutzend vom anderen. Er brütet auf alle Fälle darüber.«

»Nein, nein.«

»Schön, das ist deine Entscheidung. Es gibt aber noch

was anderes. Zu Hause in New Rochelle ist Geld. Im Haus.«

»Wie war das bitte?« Vor Neugier, Unsicherheit wurde Sammlers Stimme lauter.

»Verstecktes Bargeld. Eine große Summe. Niemals erklärt.«

»Das kann doch nicht sein, oder?«

»O ja kann es das, Onkel. Du bist überrascht. Wenn das Innere eines Menschen nur so einfach wäre wie das einer Wassermelone – rotes Fleisch, schwarze Kerne. Hin und wieder hat Papa als Liebesdienst für hochgestellte Persönlichkeiten Operationen ausgeführt. Künstliche Erweiterung und Auskratzung. Nur wenn es eine furchtbare Krise war, wenn eine junge Erbin der guten Gesellschaft schwanger wurde. Höchste Geheimhaltung. Nur aus Mitleid. Mein Vater bemitleidete berühmte Familien und erhielt große Geldgeschenke dafür.«

»Wallace, hör zu. Wir wollen mal offen reden. Elya ist ein guter Mann. Er steht dicht vor dem Ende. Du bist sein Sohn. Du bist mit dem Gedanken aufgewachsen, daß du für deine Gesundheit den Vater zu Boden zwingen mußt. Du hast ein von Mißgeschick verfolgtes Leben geführt. Das weiß ich. Aber dieser veraltete kapitalistische Familienstreit mit obligater Psychologie muß endlich aufhören. Ich sage dir das, weil du im Grunde intelligent bist. Du hast eine Menge ausgefallener Sachen angestellt. Niemand kann dich langweilig nennen. Aber du kannst langweilig werden, wenn du nicht Schluß machst. Du könntest dich jetzt ehrenvoll zurückziehen mit vielen interessanten Erlebnissen, die du aufzuweisen hast. Genug. Du solltest etwas anderes versuchen.«

»Nun, Onkel Sammler, du hast gute Manieren. Das weiß ich. In mancher Hinsicht hältst du dich auch abseits. Gewissermaßen auf Abstand vom Leben. Aber du läßt dich ein auf Mumpitz und *schtick*. Das ist deine altmodische polnische Höflichkeit. Trotzdem ist hier auch ein praktisches Problem. Ausschließlich praktisch.«

»Praktisch?«

»Mein Vater hat zig-Tausende von Dollar im Hause und will nicht sagen wo. Er ist böse auf uns. *Er* steckt im kapitalistischen Familienstreit mit obligater Psychologie. Du hast vollkommen recht – warum sollte sich ein Mensch im neurotischen Fieber ausbrennen? Es gibt höhere Ziele im Leben. Ich finde sie nicht Scheiße. Bei weitem nicht. Aber siehst du, Onkel, wenn ich dieses Flugzeug habe, kann ich mir mit ein paar Flugstunden ein nettes Einkommen verschaffen. Ich kann in der verbleibenden Zeit Philosophie lesen. Ich kann meinen Doktor in Mathematik fertigmachen. Nur hör dir dies noch an. Menschen sind wie einfache ganze Zahlen. Verstehst du?«

»Nein, natürlich nicht, Wallace.«

»Die Zahlen haben auch eine wichtige Beziehung zu den Menschen. Die Reihe der Zahlen ist wie die Reihe der Menschen – unbegrenzte Nummern von Individuen. Die Eigenschaften der Zahlen sind wie die Eigenschaften der Materie, andernfalls könnten uns mathematische Ausdrücke nicht sagen, was die Materie tun wird oder kann. Mathematische Gleichungen führen uns zu physikalischen Realitäten. Noch nicht gesehenen Dingen. Wie die Turbulenz erhitzter Gase. Verstehst du jetzt?«

»Nur äußerst vage.«

»Die Gleichungen gingen den tatsächlichen Beobachtungen voraus. Was wir brauchen, ist also ein ähnliches Zeichensystem für den Menschen. Was ist in diesem System Eins? Wie sieht die menschliche ganze Zahl aus? Siehst du, jetzt hast du mich dazu gebracht, ernst mit dir zu sprechen. Aber nur ein oder zwei Minuten möchte ich noch über die andere Sache reden. Es ist Geld im Haus. Ich glaube, es gibt Leerrohre quer durch den Dachboden, in denen er die Scheine versteckt hat. Er hat einmal einen Klempner von der Mafia ausgeliehen. Ich weiß es. Du brauchst bloß Andeutungen auf Rohre oder Dachboden in deine nächste Unterhaltung einfließen zu lassen. Sehen, wie er reagiert. Vielleicht entschließt er sich, es dir zu sagen. Ich will das Haus nicht auseinandernehmen müssen.«

»Nein, gewiß nicht«, sagte Sammler.

Was *ist* Eins?

3

Heimwärts.

In der Second Avenue hörte man das lenzliche Scharren von Rollschuhen auf hohlen, brüchigen Bürgersteigen, eine wohltuende Rauhheit. Sammler wandte sich fort vom neuen New York getürmter massierter Wohnungen zum älteren New York aus Sandstein und Schmiedeeisen, sah durch große schwarze Kreise in einem Zaun Osterglocken und Tulpen, die Münder dieser Blumen offen und schimmernd, aber auf das reine Gelb war bereits Ruß gesprenkelt. Man könnte in dieser Stadt Blumenwäscher werden. Das wäre eine zusätzliche Geschäftschance für Wallace und Feffer.

Er ging einmal um den Stuyvesant Park, eine Ellipse in einem Quadrat mit der Statue des Holländers mit dem Stelzfuß, die Ecken von Büschen starrend. Er berührte die Pflastersteine bei jedem vierten Schritt mit dem Stock. Sammler trug Dr. Govinda Lals Manuskript unterm Arm. Er hatte es für die Untergrundbahnfahrt mitgenommen, obwohl er nicht gern in der Öffentlichkeit Aufsehen erregte, indem er die Seite vor dem Auge hin- und herbewegte, die Hutkrempe zurückschob und angespannte Konzentration zeigte. Er tat das selten.

Man fälle ein Lot vom Mond. Durchschneide damit ein Grab. Drinnen ein Mann, bisher gepflegt, warmgehalten, manikürt. Die schweren Regenbogenfarben setzten ein. Verwesung. Mr. Sammler hatte einmal mit dem Tod auf viel vertrauterem Fuß gestanden. Er hatte Boden verloren, war zurückgewichen. Er war sehr erfüllt von seinem Neffen, einem von ihm ganz verschiedenen Mann. Er bewunderte ihn, liebte ihn. Er konnte mit der vollen Summe der ihn betreffenden Tatsachen nicht fertig werden. Entlegene Betrachtungen schienen zu helfen – der Mond, seine Leblosigkeit, seine Todlosigkeit. Eine weiße verwitterte Perle. Von einem einzelnen Auge als einzelnes Auge gesehen.

Sammler hatte gelernt, auf öffentlichen Wegen in New York Obacht zu geben, weil sie unweigerlich von Hunden beschmutzt waren. Innerhalb der eisenumhegten Flächen war das grüne Licht des Grases fast ganz erloschen, von Tierexkrementen verbrannt. Die Platanen, gefleckte Borke, aber sehr hübsch, braun und weiß, machten sich bereit, Blätter auszustoßen. Roter Backstein, das Quäkerseminar, und rötlicher, rauher, warmer Stein, breit, klobig, solide, die anglikanische Kirche, St. George. Sammler hatte gehört, daß J. Pierpont Morgan, der echte, dort Platzanweiser gewesen war. In österreichisch-ungarisch-polnisch-krakauischer Altertümlichkeit sprachen alte Leute, die von Morgan in der Zeitung gelesen hatten, von ihm mit hoher Ehrerbietung als Piepernotter-Morgan. Sonntags in St. George konnte der Gott der Börsenmakler eine Weile ruhig atmen in der aufgewühlten Stadt. In Gedanken war Sammler gereizt gegen das Weiße Protestantische Amerika, weil es nicht besser Ordnung hielt. Feiges Sich-Fügen. Keine starke herrschende Klasse. Auf eine geheime, demütigende Weise beflissen, sich herabzulassen und mit all den Minderheitsmassen zu mischen und gegen sich selbst zu rasen. Und die Geistlichkeit? Verwandelte sie Schwerter in Pflugscharen? Nein, verwandelten eher den Priesterkragen in Athletenschutz. Aber das gehörte nicht hierher.

Auf seine Schritte achtend (die Hunde), hielt er Ausschau nach einer Bank für zehn Minuten, um an Gruner zu denken oder seine Gedanken von ihm abzulenken. Vielleicht auch, um trotz großer Trauer ein paar Absätze in dem fesselnden Mondmanuskript zu lesen. Er bemerkte eine Landstreicherin, die betrunken schlief wie ein Dugong, den Seekuhbauch gewölbt, die Beine lila geschwollen, ein kurzes Kleid, ein Minifetzen. An der Zaunecke pinkelte ein Säufer verdrossen auf Zeitungen und altes Laub. Die Polizei kümmerte sich selten um diese alten menschlichen Ruinen. Jüngere Leute, ureinwohnerhaft aussehend, waren auch hier. Barfüßig die Männer wie die Bettler in Bombay, verklebte Bärte, schnaubten reichlich Haar aus den Nasenlöchern, die Köpfe waren durch Löcher in wollenen Ponchos gesteckt, ein wenig peruanisch. Eingeborene von irgendwoher. Unschuldig, bar jeder Aggression, unbeteiligt, ganz wie der Stier Ferdinand. Keine *corrida* für sie, nur Blumen schnuppern unter dem lieblichen Korkbaum. Wie ähnlich auch dem Eloi in H. G. Wells' Phantasie *Die Zeitmaschine*. Hübsches menschliches Vieh von den kannibalistischen Morlocks getrieben, die ein unterirdisches Leben führten und Licht und Feuer fürchteten. Ja, Wells, dieser zähe, kleine alte Bursche, hatte schließlich doch seine prophetischen Visionen gehabt. Shula hatte nicht ganz unrecht, wenn sie für ein Erinnerungsbuch zu Felde zog. Ein solches Buch sollte geschrieben werden. Nur war wenig Zeit übrig für eine geruhsame Erzählung von diesem und jenem, von Dingen, die in sich recht merkwürdig waren, daß sich Wells zum Beispiel noch mit achtundsiebzig Jahren um die Aufnahme in die Royal Society bemühte – seine Arbeit (über Regenwürmer?) entsprach den Anforderungen nicht. Nicht Regenwürmer. »Das Element der Illusion in der Kontinuität individuellen Lebens bei den höheren Metazoa.« Sie machten ihn nicht zum Mitglied. Aber das auseinanderzuspulen hätte Wochen gedauert, und es gab keine freien

Wochen für Sammler. Er hatte andere Notwendigkeiten, höhere Dringlichkeiten.

Er sollte nicht einmal das lesen – *das* waren die Seiten von Govinda Lal in bronzener Tinte und altmodischer Schönschrift. Er schrieb gotische Buchstaben. Aber Mr. Sammler, der so viel über sich hatte ergehen lassen, war gegen echte Faszination widerstandslos. Auf Seite siebzig hatte Lal begonnen, über Organismen zu spekulieren, die denkbarerweise sich den extremen lunaren Lebensverhältnissen anpassen könnten. Gab es keine Pflanzen, die die Oberfläche des Mondes bedecken könnten? Wasser und Kohlenstoffdioxyd müßten vorhanden sein, äußerste Temperaturen ertragen werden. Flechten, meinte Govinda, könnten es unter Umständen schaffen. Ebenso gewisse Arten der Kaktusfamilie. Die erfolgreiche Pflanze, eine Kreuzung von Flechte und Kaktus, würde Menschenaugen allerdings unheimlich vorkommen. Aber die Möglichkeiten des Lebens sind auch jetzt noch unvorstellbar vielfältig. Welchen Unmöglichkeiten war es nicht schon begegnet? Wer weiß, was die Tiefen des Meeres noch hergeben mögen? Lebewesen, vielleicht nur jeweils ein Exemplar der Gattung. Ein groteskes Einzelstück, das unter zwanzig Meilen Wasser sein Gleichgewicht gefunden hat. Kaum ein Wunder, sagte Govinda, daß die Menschen die nächsten Möglichkeiten so hitzig betonten und so begierig von der Erdoberfläche absprängen. Die Einbildungskraft ist eine angeborene biologische Kraft, die versucht, unmögliche Bedingungen zu überwinden.

Mr. Sammler hob das Gesicht, denn er spürte, daß jemand auf ihn zueilte. Er sah Feffer. Immer in Hast. Feffer war dick, hätte abnehmen sollen. Er hatte einen schlimmen Rücken und trug zeitweilig ein elastisches orthopädisches Kleidungsstück. Groß, mit frischen Farben, mit dem lebhaften braunen Bart à la Franz I. und gerader Nase schien

Feffer von seinem Körper, den Beinen stets Eile zu verlangen. Eine fast rennende Dringlichkeit. Die Hände, linkisch und rosig, waren erhoben, als fürchte er, mit einer anderen, der seinen gleichen, Eile zusammenzustoßen. Die braunen Augen waren schlüsselförmig. Mit zunehmendem Alter würden die Winkel deutlicher gekerbt sein.

»Ich dachte mir, sie könnten hier einen Augenblick verweilen«, sagte Feffer. »Wallace erzählte, Sie seien eben erst gegangen, also bin ich runtergerannt.«

»Wirklich? Nun, die Sonne scheint, und ich hatte keine Eile, zur Untergrundbahn hinabzusteigen. Ich habe Sie seit der Vorlesung nicht mehr gesehen.«

»Das stimmt. Ich mußte zum Telefon. Ich habe mir sagen lassen, daß Sie großartig waren. Ich bitte aufrichtig um Verzeihung für das Betragen des Studenten. Da haben Sie meine Generation! Ich weiß nicht mal, ob es richtige Studenten waren oder lediglich einige rauhe Typen – Sie wissen, Radikale, Ausgeflippte. Es sind nicht die Jüngeren, die Ungelegenheiten schaffen. Alle Führer sind älter. Aber Fanny hat sich Ihrer angenommen, nicht wahr?«

»Die junge Dame?«

»Ich bin nicht einfach verschwunden. Ich habe einem Mädchen den Auftrag gegeben, sich um Sie zu kümmern.«

»Ah so. Vielleicht etwa Ihre Frau?«

»Nein nein.« Feffer lächelte geschwind und sprach geschwind weiter, wobei er sich auf die Bankkante setzte. Er trug ein zweireihiges dunkelblaues Samtjackett mit großen Perlmuttknöpfen. Sein Arm erreichte die Rückenlehne der Bank und lag liebevoll nahe Sammlers Schulter. »Nicht meine Frau. Bloß ein Mädchen, das ich ab und zu vögele und betreue.«

»Soso. Das erscheint alles so rapide. Es kommt mir so vor, als wäre etwas Elektronisches in Ihren Kontakten. Sie hätten nicht fortgehen dürfen. Ich war Ihr Gast. Vermutlich für Sie zu spät, noch Manieren zu lernen. Immerhin war sie sehr nett. Sie hat mich aus dem Saal geführt. Ich hatte keine so große Menge erwartet. Ich glaubte, Sie wollten an mir Geld verdienen.«

»Ich? Nein. Niemals. Glauben Sie mir – nein. Es war eine Wohltätigkeitsveranstaltung für Negerkinder, wie ich Ihnen sagte. Sie müssen mir glauben, Mr. Sammler. Ich würde Sie nicht übers Ohr hauen, dafür habe ich zuviel Respekt vor Ihnen. Sie wissen's vielleicht nicht, oder es ist Ihnen gleichgültig, aber Sie haben bei mir 'ne besondere Stellung, die praktisch geheiligt ist. Ihr Leben, Ihre Erlebnisse, Ihr Charakter, Ihre Ansichten – plus Ihre Seele. Es gibt Beziehungen, die ich um alles in der Welt schützen würde. Und wäre ich nicht ans Telefon gerufen worden, hätte ich diesen Burschen zur Sau gemacht. Ich kenne diesen Scheißer. Er hat ein Buch über Homosexuelle im Gefängnis geschrieben, er ist sozusagen der Jean Genet des armen Mannes. Hinterlader hinter Gittern. Oder man ist ein reiner christlicher Engel, weil man einen Mord begeht und herrliche männliche Liebesverhältnisse hat. Sie wissen, wie das geht.«

»Ich habe eine allgemeine Vorstellung. Aber Sie haben mich irregeführt, Lionel.«

»Nicht mit Absicht. In letzter Minute ist ein Redner für eine andere Studentenveranstaltung nicht erschienen, und einige Kommilitonen, die verzweifelt waren, fingen mich ab. Ich sah darin ein Mittel, den Erlös zu verdoppeln. Für das Projekt mit den Lesebehinderten. Ich nahm an, es würde Ihnen nicht viel ausmachen, Sie würden es verstehen. Da habe ich einen Handel abgeschlossen. Ich habe mir ihre Besten geholt.«

»Was war das Thema des ausgefallenen Sprechers?«

»Sorel und moderne Gewaltanwendung war's, glaube ich.«

»Und ich habe über Orwell gesprochen, und was für ein geistig gesunder Mensch er war.«

»Viele junge Radikale sehen Orwell als Teil der antikommunistischen Bande kalter Krieger. Sie haben doch nicht wirklich die königlich-britische Flotte gepriesen, oder?«

»Haben Sie das gehört?«

»Wenn der Anruf nicht so wichtig gewesen wäre, dann wäre ich nie rausgegangen. Es war die Frage, ob ich eine Lokomotive kaufen sollte oder nicht. Die Bundesregierung schafft diese komischen Situationen durch Steuervergünstigungen, um Investitionen zu ermutigen. Wo ihrer Meinung nach der Dollar eingesetzt werden soll. Man kann ein Düsenflugzeug kaufen und es an die Fluglinien vermieten. Man kann die Lokomotive an die Penn-Central oder die Baltimore & Ohio Eisenbahngesellschaft vermieten. Investitionen in Vieh werden ähnlich unterstützt.«

»Verdienen Sie bereits derartige Summen, daß Sie diese Nachlässe nötig haben?«

Sammler wollte Feffer nicht in Traumgespräche, Phantasien, Lügen hineinmanövrieren. Er wußte nicht, wieviel der junge Mann einfach erfand, um zu beeindrucken, zu unterhalten. Feffer hatte ein sonderbares Bedürfnis, sich mit dem Brokat des Prahlens zu bedecken. Geld, Prahlerei – jüdische Schwächen. Auch amerikanische? Da Sammler keine zeitgenössischen amerikanischen Informationen besaß, war er hier vorsichtig. Es war jedoch nicht aus Gutmütigkeit, daß er sich diese Großsprecherei anhörte. Sammler schätzte die Lebensfülle im jungen Feffer, die wunderbare strotzende Farbe seiner Wangen, die Leidenschaftstöne, die er anschlug. Die einem Instrument ähnelnde Stimme spielte mit immer höherer Intensität, aber musikalisch hoffnungslos – die Untertöne flehten regelrecht um Hilfe.

Manchmal jedoch schien es Sammler, als könne seine Sicht der Dinge nicht richtig sein. Seine Erlebnisse waren allzu anomal gewesen, und er fürchtete, daß er Anomalitäten auf das Leben projizierte. Das Leben war vermutlich nicht schuldlos, aber er meinte häufig, das Leben sei nicht, und es könne nicht sein, was er sah. Und dann hatte er wieder gelegentlich, ganz überwältigend, das Gefühl, daß im Gegenteil sein Fall an Anomalität millionenfach vom Leben übertroffen wurde. Was für Verdrehtheiten!

»Aber bitte, Lionel, Sie sind doch nicht im Begriff, eine ganze Lokomotive zu kaufen?«

»Nicht allein. Als Teilnehmer einer Gruppe. Einhunderttausend Dollar der Anteil.«

»Und was wird aus dem anderen Plan mit Wallace? Häuser photographieren und Bäume identifizieren?«

»Das klingt hirnverbrannt, ist aber in Wirklichkeit eine sehr gute Geschäftsidee. Ich beabsichtige, persönlich damit zu experimentieren. Ich habe ein großes Verkaufstalent. Ich darf das für mich in Anspruch nehmen. Wenn die Sache einschlägt, will ich sie national organisieren, mit Verkaufsteams in allen Teilen des Landes. Wir brauchen örtliche Pflanzenkenner. Die Probleme würden sich in Portland, Oregon anders darstellen als in Miami, Beach oder Austin, Texas. ›Der Wissensdurst ist etwas, was zur Natur des Menschen gehört.‹ Das ist der erste Satz der *Metaphysik* des Aristoteles. Ich bin nie viel weiter gekommen, aber ich habe mir gedacht, daß der Rest sowieso überholt sein muß. Jedenfalls, wenn es sie zu wissen verlangt, dann macht es sie schwermütig, wenn sie die Sträucher auf ihrem Grundbesitz nicht benennen können. Sie fühlen sich wie Popanze. Die Sträucher haben eine Zugehörigkeit. Sie selbst aber nicht. Und ich bin überzeugt, daß die Kenntnis der Namen dem Menschen Selbstvertrauen verleiht. Ich bin jahrelang zu Psychiatern gegangen, aber haben die mich von etwas geheilt? Das haben sie nicht. Sie haben hingegen meine Probleme mit Etiketten versehen, die nach Wissen klingen. Das ist ein großer Trost und rechtfertigt das Geld. Man sagt: ›Ich bin manisch.‹ Oder man sagt: ›Ich bin reaktiv-depressiv.‹ Man sagt von einem sozialen Problem: ›Das ist Kolonialismus.‹ Dann erfährt auch das dumpfeste Hirn ein inneres Feuerwerk, und die Funken lassen einem den Schädel bersten. Das ist himmlisch. Man glaubt, man sei ein neuer Mensch. Nun, der Weg zum Reichtum und Macht ist, sich da anzuhängen. Wenn man ein Unternehmen startet, dann beschreibt man aufs neue die Phänomene und schafft das Gefühl, daß wir ein Ziel erreichen. Wenn die Leute etwas benannt, oder neu benannt haben wollen, dann kann man Geld verdienen als Taxonom. Ja, ich will ganz entschieden diesen Gedanken von Wallace ausprobieren.«

»Es kommt zur Unzeit. Muß er ein Flugzeug haben?«

›Ich kann nicht sagen, ob das unerläßlich ist, aber er scheint da eine Macke mit dem Fliegen zu haben. Aber das ist sein Bündel. Andere Leute haben andere Bündel.«

Diesen letzten Satz über andere Leute hatte er mit großer Bedeutung einfließen lassen. Sammler sah, was sich anbahnte. Feffer tat so, als hielte er aus Taktgefühl (das er nicht besaß) eine Neuigkeit zurück, die preiszugeben er kaum abwarten konnte. Das Verlangen glänzte in seinem Gesicht. In den Augen. Auf den bereiten Lippen.

»Worauf spielen Sie an?«

›Ich spiele tatsächlich auf einen gewissen hindustanischen Wissenschaftler an. Ich glaube, sein Name ist Lal. Ich vermute, dieser Lal ist ein Gastdozent an der Columbia-Universität.«

»Was ist mit ihm?«

»Vor einigen Tagen ist nach seiner Vorlesung eine Frau
auf ihn zugekommen. Sie bat ihn, sein Manuskript sehen
zu dürfen. Er meinte, sie wolle sich etwas im Text ansehen
und überließ es ihr. Eine kleine Gruppe von Leuten stand
um ihn herum. Ich glaube, H. G. Wells wurde erwähnt.
Dann verschwand die Dame mit dem Manuskript.«
Sammler nahm den Hut ab und legte ihn über die meer-
marmorierte Pappe auf seinem Schoß.
»Sie ist damit fortgegangen?«
»Verschwand mit dem einzigen Exemplar der Arbeit.«
»Aha. Wie bedauerlich. Dem einzigen, wie? Recht schlimm.«
»Ja, ich dachte mir, daß Sie so denken würden. Dr. Lal
erwartete, sie werde damit zurückkommen, sie sei lediglich
zerstreut. Er hat vierundzwanzig Stunden lang nichts ver-
lauten lassen. Aber dann ist er zur höheren Instanz gegangen. Ist es die Abteilung für Astronomie? Oder ein Welt-
raumprogramm der Columbia-Universität?«
»Wie kommt es, daß Sie immer derartige Informationen
haben, Lionel?«
»Bei meiner Lebensweise muß ich solche Kontakte pflegen.
Selbstverständlich kenne ich die Sicherheitsbeamten – die
Universitätspolizei. Auf alle Fälle waren sie nicht gerüstet,
diesen Fall zu bearbeiten. Sie mußten Untersuchungsbe-
amte holen. Pinkerton-Detektive. Der ursprüngliche Pin-
kerton wurde von Abraham Lincoln persönlich damit be-
traut, den Geheimdienst zu organisieren, wissen Sie? Sie
wissen das, oder nicht?«
»Es scheint keine Sache von großer Wichtigkeit zu sein.
Ich nehme an, die Pinkertons wissen, wie man dieses
Objekts habhaft wird. Ist es nicht dumm, nur ein Exemplar zu besitzen? Bei all diesen Xerox- und Vervielfältigungsmaschinen, und der Mann *ist* schließlich Wissenschaftler.«

»Ja, ich weiß nicht. Da war Carlyle. Da war T. E. Lawrence. Hochintelligente Leute, stimmt's? Und die haben beide das einzige Exemplar eines Meisterwerks verloren.«

»Schlimm. Schlimm.«

»Inzwischen ist das ganze Gelände mit Plakaten übersät. Manuskript vermißt. Die Dame wird auch beschrieben. Oft bei öffentlichen Vorträgen gesehen. Sie trägt eine Perücke, hat eine Einkaufstasche, steht irgendwie im Zusammenhang mit H. G. Wells.«

»So. Aha.«

»Sie wissen nichts davon, oder, Mr. Sammler? Natürlich will ich helfen.«

»Ich bin erstaunt über das Maß an Information, das Ihnen anhaftet. Sie erinnern mich an eine Froschzunge. Sie schnellt heraus und kommt mit Schnaken bedeckt zurück.«

»Ich glaubte nicht, daß ich Schaden anrichte. Wenn es um Sie geht, Mr. Sammler, habe ich nur ein Interesse, und das ist Schutz. Ich habe Ihnen gegenüber einen Beschützerinstinkt. Ich bin mir bewußt, daß das ödipalisch sein mag – wieder die Namen –, aber ich empfinde Ihnen gegenüber Verehrung. Sie sind der einzige Mensch in der Welt, bei dem ich ein Wort wie Verehrung gebrauchen würde. Das ist die Sorte von Wörtern, die man schreibt, aber nicht ausspricht.«

»Ja, das begreife ich in etwa, Lionel.« Mr. Sammlers Stirn, die feucht geworden war, juckte. Er berührte sie zart mit seinem geplätteten Taschentuch. Es war Shula, die die Taschentücher so glatt und platt zurückbrachte.

»Ich weiß, daß Sie versuchen, Ihr Wissen, Ihre Lebenserfahrung gedrängt zusammenzufassen. In einem Vermächtnis.«

»Woher wissen Sie das?«

»Sie haben's mir erzählt.«

»Wirklich? Daran kann ich mich nicht erinnern. Das ist sehr privat. Wenn ich, ohne es zu merken, Dinge verrate, ist das ein schlechtes Zeichen. Ich habe bestimmt nie beabsichtigt, es zu erwähnen.«

»Wir standen vor dem Bretton Hall Hotel, dem jämmerlichen Trümmerhaufen, und Sie stützten sich auf Ihren Schirm. Und darf ich sagen« – hier gab es Zeichen eines aufwallenden Gefühls – »bei anderen Leuten mag ich Zweifel hegen, ob sie überhaupt menschlich sind, aber Sie liebe ich ohne Vorbehalt. Und um Ihre Seele zu erleichtern, Sie haben nichts mit mir besprochen, sondern nur gesagt, Sie wollten gern Ihre Lebenserfahrung auf ein paar Sätze verdichten. Vielleicht nur eine einzige These.«

»Sidney Smith.«

»Smith?«

»Er sagte: ›Kurze Meinungen, um Gotteswillen, kurze Meinungen.‹ Ein englischer Geistlicher.«

Zu hören, was Shula-Slawe angestellt hatte (blödsinniger vaterergebener Komödiendiebstahl), füllte bedrückend gewisse Bedrückungsräume, die sich in den letzten drei Jahrzehnten geöffnet und erweitert hatten. Wegen Elya standen sie heute alle klaffend offen. Vor 1939 konnte sich Sammler keiner solchen Last und Verfinsterung erinnern. Gab es irgendwo in der Welt eine Schrumpftinktur, die für derartige Öffnungen verschrieben werden konnte? Sammler mühte sich, das Komische der Sache ins Auge zu fassen, Shula in Raumschuhen, verrutschtes Grellrot auf den Lippen, aufsteigend wie ein kleiner Gespensterleib aus Grimms Märchen und sich mit dem Schatz eines Hindu-Weisen aus dem Staub machend. Sammler selbst wurde von Shula wie eine Art Zauberer behandelt. Sie dachte, er sei Prospero. Er konnte wunderschöne Kultur machen. Ein Erinnerungsbuch von höchstem Anspruch erstellen, so zauberhaft, daß die Welt noch lange wissen würde, wie großartig es war, ein Sammler zu sein. Die Antwort privaten Wahnsinns auf öffentlichen Wahnsinn (in einem Zeitalter des Overkill) bestand in mehr Auszeichnung, mehr hoher Leistung, mehr funkelnden Diamanten vor die bewundernde Menschheit gestreut. Perlen vor die Säue? Mr. Sammler dachte an Rabbi Ipsheimer, zu dessen Gottesdienst er von Shula geschleppt worden war, und änderte das alte Sprichwort. Künstliche Perlen wurden von diesen Jetset-Predigern vor echte Säue geworfen. Sich das ausgedacht zu haben, machte ihn vergnügter. Seine nervös elegante Hand formte eine zitternde Brücke über den getönten Brillengläsern und rückte sie ohne Not auf der Nase zurecht. Nun, er war nicht, wofür Shula ihn hielt. Zudem war er nicht, was Feffer meinte. Wie konnte er die Bedürfnisse dieser Phantasien befriedigen? Feffer nahm ihn in dem rasenden Wirbel seines Geistes als Fixpunkt. Bei solchen hyperenergischen Umwälzungen verliebte man sich in Ideen der Stabilität, und Sammler war eine Idee der Stabilität. Und wie ausgiebig Feffer ihm schmeichelte! Sammler bedauerte das. Er vergewisserte sich, daß sein großer Hut das Manuskript vollständig bedeckte.

»Wünschen Sie, daß ich etwas unternehme?« fragte Feffer.

»Ach ja, Lionel.« Er stand auf. »Gehen Sie mit mir zur Untergrundbahn. Ich will zum Union Square.«

Sie verließen den kleinen Park durch das schmiedeeiserne Tor, gingen westwärts am Versammlungshaus der Quäker und dann an den kühlen Sandsteingebäuden vorbei, die hinter Bäumen standen. Die angeketteten bauchigen Mülltonnen. Eine der Ketten steckte sogar in einem Futteral. Und da waren Hunde, eine Unzahl Hunde. Hingebungsvolle Hundebetreuung – von Schulkindern, von Frauen in ziemlich großer Aufmachung, von gewissen Homosexuellen. Man war versucht zu sagen, daß nur die Eskimos annähernd so viel mit Hunden zu schaffen hatten wie dieser örtliche Ableger der Menschheit. Die Tierärzte mußten bestimmt Segeljachten besitzen. Ihre Liquidationen waren hoch.

Ich werde sofort Shula dingfest machen, beschloß Mr. Sammler. Er haßte Szenen mit seiner Tochter. Sie konnte halsstarrig werden, anfangen zu kreischen. Er war ihr zu sehr zugetan. Er liebte sie zärtlich. Und wirklich, sein einziger Beitrag zur Fortpflanzung der Gattung! Es erfüllte ihn mit Herzeleid und Bedauern, daß er und Antonina keine bessere Mischung erzeugt hatten. Seit sie ein Kind war, hatte er, besonders in der Schlankheit ihres Halses, der so verletzlich durchpulst war, in den sichtbaren Drüsen und blauen Adern, und den großen, bläulichen Augenlidern und dem überlastigen Kopf ein trauriges Vermächtnis gesehen, geistig gestört, zart, und fühlte sich berührt von Furcht vor dem Verhängnis. Nun ja, die polnischen Nonnen hatten sie gerettet. Als er sie vom Kloster abholen kam, war sie schon vierzehn Jahre alt. Jetzt war sie über vierzig und streunte mit der Einkaufstasche in New York umher. Sie mußte das Manuskript umgehend zurückgeben. Dr. Govinda Lal würde außer sich sein. Wer konnte wissen, welche asiatische Form die Verzweiflung dieses Mannes annahm?

Indessen war auch in Sammlers Bewußtsein eine rote Wallung. Vielleicht verursacht durch Elya Gruners Zustand. Diese nahm eine merkwürdige Gestalt an, die eines riesigen scharlachroten Futterals, eines himmelfüllenden Seidengewebes, die Lasche mit einem schwarzen Knopf befestigt. Er fragte sich, ob das nicht dasselbe sei, was Mystiker unter der Vision einer Mandala verstanden, und glaubte, die Vorstellung sei ihm vielleicht durch eine Ideenverbindung mit

Govinda – einem Asiaten – eingegeben worden. Aber er selbst, ein Jude, so britannisiert oder amerikanisiert er auch sein mochte, war ebenfalls Asiat. Als er das letzte Mal in Israel war, und das war vor sehr kurzer Zeit, hatte er sich gewundert, wie europäisch schließlich doch die Juden waren. Die Krise, die er dort miterlebte, hatte einen gewissen tieferen Orientalismus ans Tageslicht gebracht. Selbst in der deutschen und holländischen Judenschaft, fand er. Und was den schwarzen Knopf betraf, war das eine Nachempfindung des weißen Mondes?

Durch die 15. Street strömte ein warmer Frühlingshauch. Flieder und Abwässer. Es gab bislang noch keinen Flieder, aber ein Element des mörderischen Gases war samten und süß und erinnerte an blühenden Flieder. Ringsumher war eine Weichheit, vielleicht von zerfallendem Ruß oder von Luft, die viele menschliche Brüste durchlaufen hat, in vielen Hirnen umgesetzt oder von ebenso vielen Gedärmen ausgeschieden worden ist – und kam zu ihm – o ja, tief! Hin und wieder ergab sich ein dankbares und launiges Vergnügen, das offenbar nicht folgerichtig war und von dem rötlichen Braun des Sandsteins oder von kühlen Ecken in der Wärme erregt wurde. Wonne aus der Umgebung! Eine gewisse Zeitlang hatte sich Sammler solchen körperlichen Eindrücken widersetzt – daß man in fast komischer Weise von einer vorübergehenden und ganz zufälligen Süße umworben wurde. Eine ziemlich lange Zeit hatte er gemeint, daß er nicht eigentlich menschlich war. Er spürte während dieser Periode kein besonderes Bedürfnis nach den meisten Lebewesen. Sehr wenig Interesse für sich selbst. Kalt sogar gegen den Gedanken der Wiederherstellung. Was war denn da wiederherzustellen? Wenig Anteil an früheren Formen seines Ich. Unbeteiligt. Sein Urteil fast leer. Aber dann, zehn oder zwölf Jahre nach dem Krieg, merkte er, daß sich auch dies änderte. In der menschlichen Szenerie, gemeinsam mit allen anderen, innerhalb der Geschehnisse des Alltagslebens, *war* er menschlich – kurz gesagt, das Kreatürliche schlich sich wieder ein. Mit seinen niedrigen Kniffen, seinem hündischen hinternschnupperndem Charme. So daß jetzt Sammler tatsächlich nicht wußte, wie er sich benehmen sollte. Er wollte, mit Gott, frei sein von der Fessel des Gemeinen und Endlichen. Eine von der Natur, von Eindrücken und von der Alltäglichkeit freigegebene Seele. Daß dies geschah, darauf mußte Gott sicherlich warten. Und ein Mann, der getötet und begraben worden war, sollte kein anderes Anliegen haben. Er sollte vollkommen abgeschieden sein. Eckhart sagte unumwunden, daß Gott die abgeschiedene Lauterkeit und Einheit liebe. Gott selbst fühlte sich zur abgeschiedenen Seele hingezogen. Was außer dem Geist sollte ein Mann pflegen, der aus dem Grabe zurückgekehrt war? Trotzdem, und recht geheimnisvoll, geschah es, wie Sammler beobachtete, daß man immer wieder, und so mächtig, so eindringlich, zu menschlichen Zuständen zurückgelockt wurde. So daß die Flecken in der eigenen Substanz immer alles, dem sich der Mensch zuwendet, alles was um ihn her im Fluß ist, mit ihren Spiegelungen betüpfeln würden. Der Schatten seiner Nerven würde immer Streifen werfen wie Bäume auf dem Gras, wie Wasser über Sand, das lichtgewobene Netzwerk. Es war eine zweite Begegnung des abgeschiedenen Geistes mit schicksalhaften biologischen Notwendigkeiten, ein Rückspiel mit der beharrlichen Kreatur.

Folglich hört man auf dem Wege der Untergrundbahn, Station Union Square, Feffer erklären, warum es erforderlich ist, eine Diesellok zu kaufen. Ein bildschöner Geschäftsstreich. So zeitgerecht! So abgestimmt auf Frühling, Tod, orientalische Mandalas, Abwässergase mit lullender

Fliedersüße versetzt. Wonne vom Backstein, vom Himmel! Wonne und mystische Freude.

Mr. Arthur Sammler, Beichtvater New Yorker Exzentriker, Seelsorger wilder Männer und Erzeuger einer wilden Frau, Protokollar der Tollheit. Bezieht man einmal Stellung, zieht man einmal eine Grundlinie, so wird man vom Andersartigen berannt. Erklärt man sich fürs Normale, wird man vom Abartigen bestürmt. Alle Haltungen werden vom Gegensätzlichen verhöhnt. Das geschieht eben, wenn sich das Individuum von der Selbstverleugnung ab- und den kreatürlichen Verhältnissen wieder zuwendet. Teile oder Aspekte seines früheren Ich kehren zum Leben zurück. Der frühere Charakter verlangt sein Recht, manchmal auch peinlich, schwach, schmählich. Es war der frühere Sammler, der Sammler von London und Krakau, der am Columbus Circle aus dem Bus gestiegen war, voll törichtem Eifer, einen schwarzen Verbrecher zu Gesicht zu kriegen. Er mußte jetzt den Bus meiden, da er sich vor einer weiteren Begegnung fürchtete. Er war gewarnt, geradezu belehrt worden, nicht mehr zu erscheinen.

»Moment mal«, sagte Feffer. »Ich weiß, Sie hassen die Untergrundbahn. Hat sich da nicht etwas geändert? Ich dachte, Sie hätten regelrecht Platzangst?«

Feffer war äußerst intelligent. Er war ohne Abgangszeugnis von der Schule zur Universität zugelassen worden, weil er in den Zulassungsprüfungen unerhörte Zensuren erreicht hatte. Er war schlau, gerissen, zudringlich, dazu frech, charmant und energisch. In seinen Augen erschien ein seltsam stachliger Blick, eine Art aufspießender Intimität. Sammler, der frühere Sammler, hatte kaum die Kraft gehabt, solchen Blicken zu widerstehen.

»Es ist doch nicht wegen des Verbrechers, den Sie im Bus gesehen haben, oder?«

»Wer hat Ihnen von dem erzählt?«

»Ihre Nichte, Mrs. Arkin. Ich habe das vor der Vorlesung erwähnt.«

»Das stimmt. Und sie hat's Ihnen erzählt? Wie?«

»Ja, über den eleganten Aufzug, die Accessoires von Dior und all das. Was für eine großartige Geschichte. Sie haben also Angst vor ihm. Warum? Hat er Sie entdeckt?«

»Etwas dergleichen.«

»Hat er gesprochen?«

»Kein Wort.«

»Etwas ist passiert, Mr. Sammler. Sie sollten es mir lieber erzählen. Sie verstehen vielleicht nicht das New Yorker Idiom. Sie könnten in Gefahr sein. Sie sollten es einem jüngeren Menschen erzählen.«

»Sie verwirren mich, Feffer. Es gibt Augenblicke, in denen ich unter Ihrem Einfluß nicht ganz ich selbst bin. Ich gerate durcheinander. Sie sind sehr laut, sehr turbulent.«

»Der Mann hat Ihnen etwas angetan. Ich weiß es. Was hat er getan? Er kann Ihnen ein Leid zufügen. Sie können in Gefahr sein und sollten es nicht für sich behalten. Sie sind sehr weise, aber nicht hip, und diese Bestie, Mr. Sammler, scheint ein wahrer Tiger zu sein. Haben Sie ihn bei der Tat gesehen?«

»Ja.«

»Und hat er Sie dabei ertappt?«

»Das auch.«

»Das ist ernst. Was hat er nun getan, um Sie vom Bus zu verjagen? Sie haben es der Polizei gemeldet?«

»Ich hab's versucht. Kommen Sie, Feffer, Sie verwickeln mich in Dinge, die mir nicht liegen.«

»Daß Sie vom Bus vertrieben sind, sollte Sie stören, die Behinderung Ihrer Gewohnheiten und dergleichen. Haben Sie Angst vor ihm?«

»Nun, ich war erregt. Mein Herz hat sehr hart geschlagen. Der Geist ist so unberechenbar. Objektiv gesehen finde ich wenig Geschmack an solchen Erlebnissen, aber es gibt ein so absurdes Verlangen nach Handlungen, die sich mit anderen Handlungen verknüpfen, nach Zusammenhang, nach Form, nach Mysterien oder Legenden. Ich mag geglaubt haben, daß ich keine gemeine menschliche Neugier mehr übrig hätte, aber ich habe mich überraschenderweise geirrt. Und das paßt mir nicht, das paßt mir gar nicht.«

»Als er Sie sah, hat er sie verfolgt?« fragte Feffer.

»Er ist mir nachgegangen, ja. Und nun wollen wir die Sache auf sich beruhen lassen.«

Feffer war dazu nicht imstande. Sein Gesicht flammte. In der altväterlichen Rahmung seines Bartes prickelte es vor modernen Leidenschaften. »Er ist Ihnen gefolgt, hat aber nichts gesagt? Er muß doch seine Meinung klargemacht haben. Was hat er getan? Er hat Sie bedroht. Hat er ein Messer gegen Sie gezogen?«

»Nein«.

»Eine Pistole? Hat er eine Pistole auf Sie gerichtet?«

»Keine Pistole.« Wäre Sammler seelisch ausgeglichener gewesen, hätte er Feffer widerstehen können. Aber seine Standfestigkeit war nicht gut. Das Hinabsteigen zur Untergrundbahn war eine Strapaze. Das Grab, Elya, Tod, Grablegung, das Gewölbe Meswinskis.

»Aber er hat rausgekriegt, wo Sie wohnen?« sagte Feffer.

»Ja, Feffer, er spürte mich auf. Er muß mich schon einige Zeit im Auge gehabt haben. Er folgte mir in meine Eingangshalle.«

»Aber was hat er getan, Mr. Sammler! Um Gotteswillen, warum wollen Sie's nicht sagen?«

»Was ist da zu sagen? Es ist lachhaft. Es ist der Rede nicht wert. Einfach unsinnig.«

»Unsinnig? Sind Sie sicher, es ist Unsinn? Lassen Sie lieber einen Jüngeren urteilen. Eine andere Generation. Eine andere...«

»Nun vielleicht haben Sie einen natürlichen Anspruch auf diese bizarren, unsinnigen Dinge. So eine hungrige Neugier darauf. Ich will's kurz machen. Der Mann hat sich vor mir entblößt.«

»Nein! Das ist ja wild! Vor Ihnen? Das ist Klasse! Hat er Sie in die Ecke gedrängt?«

»Ja.«

»In Ihrer eigenen Halle hat er das Ding gegen Sie gezogen? Er hat's gezückt?«

Sammler wollte nicht mehr darüber sagen.

»Ungeheuer!« sagte Feffer. »Wie zum Teufel sah es aus?« Er lachte auch. Wie wunderbar, was für eine... eine plötzliche Herrlichkeit. Und wenn Sammler Lachen deuten konnte, dann starb Feffer vor Begierde, dieses Phänomen zu sehen. Sammler schützen, ja. Ihn durch die Gefahren New Yorks führen, ja. Aber sehen, sich einmischen, eindrängeln, das war Lionel von Kopf bis Fuß. Mußte ein Stück der Szene haben – Sammler glaubte, das sei der gängige Jargon. »Er hat seinen Schwanz rausgeholt? Kein Wort gesagt? Bloß gezückt? Donnerwetter, Mr. Sammler! Was zum Teufel hat er gemeint? Wie groß war das Ding? Sie haben's nicht gesagt. Ich kann's mir denken. Das könnte direkt aus *Finnegans Wake* stammen. ›Ein jeder muß seine Lenden entblößen!‹ Und er arbeitet zwischen dem Columbus Circle und der 72. Street im Stoßverkehr? Ja, was kann man dagegen unternehmen? New York ist wirklich eine Luststadt. Und all diese Typen, die als Bürgermeister kandidieren wie ein Haufen Idioten. Und Lindsay, denken Sie nur, Lindsay führt den Wahlkampf auf der Basis seiner Verdienste. Seiner *Verdienste*, nichts weniger, wenn man nicht einmal einen Polizisten schicken kann, um einen Banditen zu verhaften. Und die anderen Burschen mit *ihren* Verdiensten! Mr. Sammler, ich kenne einen Mann beim Fernsehen der NBC, der ein Sprechprogramm leitet. Er ist in Wahrheit Fannys Mann. Wir sollten Sie dort auftreten lassen, um all das zur Debatte zu stellen.«

»Nun, machen Sie halblang, Feffer.«

»Es würde allen verdammt viel von Nutzen sein, Sie zu hören. Ich weiß, ich weiß, es ist wie der Mann gesagt hat, man erreicht nicht den Verstand des Betrachters, sondern nur seinen Hintern. Man kitzelt ihm den Hintern mit schönen Federn tiefer Gedanken.«

»Durchaus.«

»Und doch, Mr. Sammler, Einfluß haben und Macht. Oder den Blender mit dem echten Artikel konfrontieren. Sie sollten New York madig machen. Sie sollten sprechen wie ein Prophet, wie von einer anderen Welt. Das Fernsehen sollte eingesetzt werden. Von *uns* eingesetzt – und vielleicht gefiele es Ihnen, aus der Isolation herauszutreten.«

»Das haben wir gestern in der Columbia Universität getan, Feffer. Ich bin aus der Isolation herausgetreten. Sie haben mich schon in einen Akteur verwandelt.«

»Ich denke nur an das Gute, das Sie tun könnten.«

»Sie denken an die Arrangements, die Sie deichseln können, wie Sie einen Finderlohn von Fannys Mann einstreichen, und wie nahe Sie das Fernsehen und die Genitalien jenes Mannes zusammenbringen können.« Mr. Sammler lächelte breit. Noch einen Augenblick und er hätte tatsächlich gelacht, herausgerissen aus seinen trüben Gedanken.

»Meinetwegen«, sagte Feffer. »Ich habe nicht dieselben Ideale über die private Sphäre wie Sie. Ich bin bereit, davon abzusehen.«

»Recht so.«

»Ich fahre im Bus mit Ihnen.«

»Nein, danke.«

»Um sicherzustellen, daß Sie niemand belästigt.«

»Sie wollen doch nur, daß ich ihn Ihnen zeige.«

»Wirklich, ich weiß, wie sehr Sie die Untergrund vermeiden, ja *hassen*.«

»Es wird schon gehen.«

»Natürlich haben Sie meine Neugier angestachelt, warum sollte ich's leugnen? Ich weiß, daß Sie mir schließlich von ihm erzählt haben, um mich loszuwerden, und hier plage ich Sie immer noch. Sie sagen, er trägt einen Kamelhaarmantel?«

»Ich hab's dafür gehalten.«

»Einen Homburg? Eine dunkle Diorbrille?«

»Beim Homburg bin ich sicher. Dior ist eine Vermutung.«

»Sie sind ein guter Beobachter, ich verlasse mich auf Ihr Wort. Auch ein Schnurrbart, schicke Hemden und psychedelische Schlipse. Er ist ein Prinz irgendwelcher Art, oder hält sich dafür.«

»Ja«, sagte Sammler, »eine gewisse Majestät ist angemaßt.«

»Ich habe einen Einfall, der ihn betrifft.«

»Lassen Sie ihn. Lassen Sie ihn sein, ich rate Ihnen.«

»Ich würde mich nicht direkt mit ihm einlassen. Das täte ich nie. Er würde nicht einmal ahnen, daß ich da bin. Aber Kameras kann man überall einschmuggeln. Man hat sogar Bilder vom Kind im Mutterleib. Irgendwie haben die 'ne Kamera eingeführt. Ich habe gerade eine neue Minox erworben, die so klein ist wie ein Feuerzeug.«

»Seien Sie nicht töricht, Lionel.«

»Er würde es überhaupt nicht merken. Ich versichere Sie. Wäre ganz ahnungslos. Bilder können wertvoll sein. Man fängt einen Verbrecher, verkauft die Story an *Look*. Macht gleichzeitig die Polizei zur Sau, und Lindsay, der kein

Recht hat, Bürgermeister zu sein, während er für die Präsidentschaft kandidiert. Drei Fliegen auf einen Schlag.«

Die niedrige Mauer des Union Square, die erhöhte grüne Plattform des von trockenen grauen Fußgängerpfaden geteilten Rasens und der schnelle kreisende Verkehr – die widerlichen, rücksichtslosen, stinkenden Automobile. Sammler brauchte Feffers Hand nicht an seinem Ellbogen. Er machte sich davon frei.

»Ich gehe hier runter.«

»Zu dieser Tageszeit kriegen Sie kein Taxi. Es ist gerade Schichtwechsel. Ich fahre mit Ihnen nach Norden.«

Sammler, der immer noch Hut und Heft an der Seite trug, den Regenschirm übers Handgelenk gehakt, verfolgte seinen Weg im Halblicht der Gänge, im Rauch gegrillter Würste. Die hurtigen Drehkreuze zählten die Münzen mit dem Geräusch einer Schnarre. Das Büffelgerumpel der Züge. Sammler wollte allein fahren. Feffer konnte ihn nicht allein lassen. Feffer konnte nicht still sein. Er hatte das Bedürfnis, unablässig zu verblüffen, neues Interesse auszustrahlen. Und selbstverständlich, da er Sammler respektierte, mußte er kleine Tests anstellen, kleine Zeichen oder Andeutungen von Respektlosigkeit einflechten, ein wenig hier, ein bißchen da, Freiheiten, Vertraulichkeiten, Anspielungen, Proben auf schwache Stellen. Mein lieber Mann, warum so genau hinsehen? Es gibt vielerorts Verdorbenes. Ich könnte's Ihnen zeigen.

»Diese Fanny – das Mädchen, das Sie hinausgeführt hat – die ist sehr bereitwillig«, sagte Feffer.

Er schwatzte weiter. »Heutzutage sind die Mädchen so. Noch etwas schüchtern. Nicht eigentlich so großartig im Heu. Trotz großer Titten. Natürlich verheiratet. Der Mann arbeitet nachts. Er ist Chef des Sprechprogramms, das ich erwähnt hatte...« Und weiter: »Ich liebe Gesellschaft. Wir verbringen eine Menge Zeit miteinander. Und als dann, ein Sachverständiger von der Versicherung kam...«

»Was für ein Sachverständiger war das?« fragte Sammler.

»Ich habe Ersatz für ein Gepäckstück verlangt, das im Flughafen beschädigt worden ist. Der Mann kam zu mir, als Fanny mich besuchte, und hat sich in sie verliebt – päng. Genauso. Er war noch dazu ein Riesenbursche, mit Schimpansenzähnen. Sagte, er sei von der Harvard Business School geschaßt worden. Ein richtig gelbes Gesicht, und schwitzend. Scheußlich. Er sah aus wie ein Ölfilter, den man vor fünftausend Meilen hätte austauschen sollen.«

»So, wirklich?«

»Ich habe also sein Interesse an Fanny geschürt. Das war gut für meinen Schadensanspruch. Würde ich ihm ihre Telefonnummer geben? Das habe ich natürlich getan.«

»Mit ihrer Erlaubnis?«

»Ich dachte, sie würde nichts dagegen haben. Dann rief er an und sagte: ›Hier ist Gus, mein Schatz. Triff dich mit mir zu einem Drink.‹ Aber ihr Mann hatte den Anruf entgegengenommen. Er arbeitet nachts. Als Gus das nächste Mal zu mir kam, sagte ich: »Junge, Gus, ihr Mann ist vielleicht geladen. Gehen Sie nicht hin. Er ist auch brutal.« Dann sagte Gus...«

Gab es keine Station für die 18. Street? Es gab 23., 34. In der 42. mußte man zur anderen Linie umsteigen.

»Gus sagte: ›Wovor fürchte ich mich? Sehen Sie, ich trage eine Waffe.‹ Er zog eine Pistole raus. Ich war angedonnert. Aber es war keine sehr dolle Pistole. Ich sagte: ›So ein Ding? Damit könnten Sie nicht mal durch 'n Telefonbuch schießen.‹ Und bevor ich wußte, hatte er ein Telefonbuch auf einem Notenständer und zielte darauf. Ich habe nie so 'nen Knall gehört. Das ganze Haus hat's gehört. Aber ich hatte recht. Die Kugel ging nur zwei Zoll rein. Konnte das Telefonbuch von Manhattan nicht durchschlagen.«

»Ja, eine schlechte Waffe.«

»Verstehen Sie was von Waffen?«

»Etwas.«

»Na, man könnte mit dieser Kanone einen Mann gerade etwa verwunden. Würde wahrscheinlich nicht töten, es sei denn, man schießt ihn aus der Nähe in den Kopf. Wie viele Irre doch so rumlaufen.«

»Ganz recht.«

»Aber ich kriege zweihundert Dollar von der Versicherung, was mehr ist, als der Koffer wert ist, ein Stück Mist.«

»Ja, kluges Geschäft.«

»Am nächsten Tag kam Gus wieder und wollte, daß ich ihm eine Empfehlung schreibe.«

»Für wen?«

»Für seinen Vorgesetzten in der Schadensabteilung.«

An der 96. Street stiegen sie beide hinauf in den dicken Trubel des Broadway. Feffer begleitete Sammler bis zu dessen Haustür.

»Wenn Sie Beistand brauchen, Mr. Sammler . . .«

»Ich bitte Sie nicht herauf, Lionel. Die Sache ist die, daß ich mich ermüdet fühle.«

»Es ist Frühling. Ich meine, es ist der Temperaturwechsel«, sagte Feffer. »Selbst die Jugend ist dafür anfällig.«

Mr. Sammler fischte im Fahrstuhl den Schlüssel aus seinem Portemonnaie. Er drang in die Diele ein. Zu Ehren des Frühlings hatte Margot Forsythien in Einweckgläser gestellt. Ein Glas wurde sofort umgestoßen. Sammler holte eine Rolle Papierhandtücher aus der Küche und vergewisserte sich, als er durch die Wohnung ging, daß Margot nicht zu Hause war. Er wischte das verschüttete Wasser auf, sah zu, wie sich das absorbierende Papier verdunkelte, dann hob er das Telefon auf die Ahornlehne des Sofas, setzte sich auf die Bandanna-Überzüge und wählte Shulas Nummer. Keine Antwort. Vielleicht hatte sie ihr Telefon abgestellt. Sammler hatte sie mehrere Tage nicht mehr gesehen. Da sie jetzt eine Diebin war, hielt sie sich sehr wahrscheinlich versteckt. Wenn Eisen tatsächlich in New York war, hatte sie einen zusätzlichen Grund, sich zu verkriechen. Sammler konnte sich allerdings nicht vorstellen, daß Eisen sie wirklich belästigen wollte. Er hatte andere Eisen im Feuer, hatte andere Eisen zu schmieden (wie vernarrt der alte Sammler in solche Redewendungen war!)

Nachdem Sammler die Papierhandtücher, triefende und trockene, in die Küche zurückgetragen hatte, schnitt er sich mehrere Scheiben Salami mit dem großen Küchenmesser ab (Margot schien keine kleinen Messer zu haben, sie zerkleinerte sogar Zwiebeln mit diesen großen Klingen). Er machte sich ein Sandwich. Colmans englischer Mostrich, immer noch bevorzugt. Margots kalorienarmer Preißelbeersaft. Da er keine sauberen Gläser finden konnte, schlürfte er aus einem Pappbecher. Er empfand das Wachs als peinlich, aber er war im Begriff, das Haus zu verlassen und hatte keine Zeit zum Spülen und Trocknen. Er ging sofort über den Broadway zu Shulas Wohnung. Er klingelte, er klopfte, erhob die Stimme und sagte: »Shula. Es ist Vater. Mach auf. Shula?« Er schrieb eine Notiz und schob sie unter die Tür. »Rufe mich sofort an.« Als er dann im schwarzen Fahrstuhl (wie rostig und schwarz er war) hinunterfuhr, schaute er in ihren Briefkasten, den sie nie verschloß. Er war voll, und er durchblätterte die Post. Sachen zum Wegwerfen. Persönliche Briefe keine. Also war sie offenbar fort, hatte ihre Post nicht herausgeholt. Vielleicht hatte sie den Zug nach New Rochelle genommen. Sie hatte einen Schlüssel zum Gruner-Haus. Sammler hatte das Angebot, einen Schlüssel zu ihrer Wohnung zu bekommen, abgelehnt. Er wollte nicht hereinspazieren, wenn sie einen Liebhaber bei sich hatte. Vor Liebhabern, wie sie sie haben würde, müßte man sicher das Grausen kriegen. Unzweifelhaft hatte sie einen hin und wieder. Vielleicht für ihren Teint, wenn er schlecht war. Er hatte das einmal eine Frau sagen hören. Und Shula war stolz auf ihre reine Haut. Wie konnte man wissen, was Menschen – Individuen – *wirklich* taten!

Als er zurückkam, fragte er Margot: »Du hast wohl Shula nicht gesehen, oder?«

»Nein, Onkel Sammler. Aber dich hat jemand angerufen, dein Schwiegersohn.«

»Eisen hat angerufen?«

»Ich habe ihm gesagt, du wärst in der Klinik.«

»Was kann er gewollt haben?«

»Nun, die Familie besuchen. Er hat allerdings gesagt, die besuchen mich nicht, wenn sie in Israel sind, Elya nicht und du nicht. Er schien wirklich beleidigt.«

Margots Sympathien, so leicht verfügbar, so stark, ließen andere hartherzig erscheinen.

»Und Elya, wie geht es ihm?« fragte sie.

»Nicht gut, fürchte ich.«

»Oh, ich muß gehen und den armen Elya besuchen.«

»Das solltest du, aber ganz kurz.«

»Oh, ich würde ihn nicht ermüden. Und was Shula betrifft, die hat Angst, Eisen zu sehen. Sie glaubt, sie hätte ihm ein furchtbares Unrecht zugefügt, als du sie zwangst, ihn zu verlassen.«

»Das habe ich nicht. Sie ist mit Freuden gegangen. Er schien auch erfreut. Hat sich Eisen nach ihr erkundigt?«

»Kein Wort. Hat nicht mal ihren Namen erwähnt. Er hat von seiner Arbeit gesprochen. Seiner Kunst. Er sucht sich ein Atelier.«

»Ja ... Das wird in dieser Künstlerstadt nicht leicht zu finden sein. Bodenspeicher. Aber dann hat er ja in Stalingrad gekämpft, er könnte auf einem Boden überwintern.«

»Er wollte ins Krankenhaus und eine Zeichnung von Elya machen.«

»Etwas, was wir auf alle Fälle verhindern sollten.«

»Onkel Sammler, möchtest du mir bei einem Kotelett Gesellschaft leisten? Ich mache Schnitzel.«

»Nein danke, ich habe gegessen.«

Er ging in sein Zimmer.

Ein Leseglas zitternd in der langen linken Hand, warf Sammler zittrige Transparente auf das Schreibpapier. Von der Schreibtischlampe folgten glasige Brennpunkte der Helligkeit den Worten, die er schrieb.

Sehr geehrter Herr Professor Doktor,

Ihr Manuskript ist in Sicherheit. Die Frau, die es ausgeliehen hat, ist meine Tochter. Sie hat nichts Böses gewollt. Es war nur ihr unbeholfenes plumpes Mittel, mir zu helfen und damit ein eingebildetes Projekt zu fördern, von dem sie besessen ist. Sie ist von einer Vision durchdrungen – von H. G. Wells, der wissenschaftlichen Zukunft. Psychologisch archaisch – alle Fossilien ihrer geistigen Schichten quicklebendig (auch der Mond ist ja eine Art Fossil) –, träumt sie von der Zukunft. Dabei ringt ja jeder, ein jeglicher auf seine ungeschickte, dumpfe Weise, mit einer Macht, einem Jakobsengel, um eine endgültige Befriedigung oder einen Glanz zu erlangen, die vorenthalten bleiben. Haben Sie auf alle Fälle die Güte und bitten Sie die zuständigen Stellen, ihre Nachforschungen einzustellen. Ich ersuche Sie darum. Meine Tocher hat anscheinend geglaubt, Sie hätten ihr das Dokument geliehen, obwohl es auf arglistige Überlegung hindeutet, daß sie Ihnen nicht ihren Namen und ihre Adresse angegeben hat. Jedenfalls würde ich Ihnen gern *Die Zukunft des Mondes* überbringen. Ich habe es mit Bewunderung gelesen, obwohl meine Qualifikationen auf dem wissenschaftlichen Gebiet gleich null sind. Vor mehr als dreißig Jahren genoß ich die Freundschaft von H. G. Wells, dessen Mondphantasie Sie unzweifelhaft kennen – Seleniten, unterirdischer Mondozean und all das. Als Korrespondent für osteuropäische Zeitschriften habe ich lange Jahre in England gelebt. Woburn Square. Ach, es war herrlich. Aber ich entschuldige mich für meine Tochter. Ich kann mir sehr wohl die Geistesqualen vorstellen, die sie Ihnen verursacht hat. Bei Frauen scheint das genaue Gefühl für Gut und Böse anders gelagert zu sein. Das Manuskript liegt augenblicklich vor mir. Es befindet sich in einem marmorierten grünen Pappdeckel, und die Tinte ist braun und schimmernd, fast bronzen. Man kann mich telefonisch zu jeder Stunde der Nacht über die Endicott-Nummer erreichen, die unter dem obigen Datum steht.

Ihr gehorsamer Diener
Arthur Sammler

»Margot«, sagte er, als er vom Schreibtisch aufstand.

Sie saß allein, aß im Speisezimmer unter einem nachgemachten Tiffany-Schirm aus heiterem rotgrünem Papier. Die Tischdecke war aus indonesisch bedrucktem Stoff. Alles war eigentlich sehr dunkel in diesem unpraktischen Zimmer. Sie sah dort selbst dunkel aus, während sie das gelbumkrustete Kalbfleisch auf dem Teller schnitt. Er sollte sich öfter mit ihr zur Mahlzeit setzen. Eine kinderlose Witwe. Er fühlte Mitleid mit ihr, dem kleinen Gesicht mit den schweren schwarzen Ponies. Er nahm sich einen Stuhl. »Hör zu, Margot, wir haben ein Problem mit Shula.«

»Ich will für dich decken.«

»Nein, danke. Ich habe keinen Appetit. Bitte setze dich. Ich fürchte, Shula hat etwas gestohlen. Nicht wirklich ein

Diebstahl. Das wäre Unsinn. Sie hat etwas genommen. Ein Manuskript von einem Hindu-Wissenschaftler in der Columbia. Sie hat es natürlich für mich getan. Diese Idiotie mit H. G. Wells. Verstehst du, Margot, dieses indische Buch behandelt die Kolonisierung des Mondes und der Planeten. Shula hat das einzige Exemplar entwendet.«

»Der Mond. Wie faszinierend, Onkel.«

»Ja. Industrien auf dem Mond. Manufakturzentren auf dem Mond. Wie man Städte baut.«

»Ich kann verstehen, warum Shula es für dich wollte.«

»Aber es muß wieder zurück. Es ist doch gestohlenes Gut, und man hat Detektive herangezogen. Und ich kann Shula nicht finden. Sie weiß, daß sie Unrecht getan hat.«

»Ach, Onkel Sammler, würdest du das ein Verbrechen nennen? Nicht von Shula. Armes Geschöpf.«

»Ja, armes Geschöpf. Auf wen trifft das nicht zu, wenn du anfängst mit armes Geschöpf?«

»Ich hätte es nie von Ussher gesagt. Ich würde es auch von dir nicht sagen.«

»Wirklich? Nun, meinetwegen, ich akzeptiere die Berichtigung. Jedenfalls muß der Inder unterrichtet werden. Hier habe ich einen Brief für ihn.«

»Warum kein Telegramm?«

»Zwecklos. Telegramme werden nicht mehr ausgetragen.«

»Das hat Ussher auch immer gesagt. Er sagte, die Botenjungen werfen sie in die Gosse.«

»Per Post schicken hilft nicht. Es kann drei Tage dauern, bis der Brief ankommt. All diese örtlichen Verbindungen sind zerrüttet«, sagte Sammler. »Selbst Krakau in Franz Josephs Zeiten war verläßlicher als das Postsystem der Vereinigten Staaten. Und Shula könnte von der Polizei aufgegriffen werden, das ist es, was ich fürchte. Könnten wir den Pförtner in einem Taxi schicken?«

»Warum nicht das Telefon?«

»Ja, gewiß, wenn man sicher sein könnte, daß wir mit Dr. Lal selbst sprechen. Eine direkte Erklärung. Daran hatte ich nicht gedacht. Aber wie kriegt man seine Nummer?«

»Könntest du ihm nicht das Manuskript hinbringen?«

»Wo ich jetzt weiß, daß ich das einzige Exemplar habe, zögere ich, Margot, damit auf die Straße zu gehen, und vor allem in der Dunkelheit, wo die Überfälle stattfinden. Nimm an, es würde mir aus der Hand gerissen.«

»Und die Polizei?«

»Die hat sich schlecht bewährt. Ich wünsche sie zu vermeiden. Ich habe eventuell an die Sicherheitsbeamten der Columbia-Universität gedacht oder selbst die Pinkerton-Detektive, aber ich würde es lieber Dr. Lal persönlich überreichen, um sicherzugehen, daß gegen Shula keine Anklage erhoben wird. Das indische Temperament ist so reizbar, weißt du. Wenn er keinem von uns begegnet, mit keinem persönlich bekannt wird, dann wird er sich von der Polizei beraten lassen. Dann brauchten wir einen Anwalt. Schlage nicht Wallace vor. In der Vergangenheit hatte Elya derartige Dinge immer einem Mr. Widick übergeben.«

»Ja, vielleicht ist es am besten, ihm einen Brief zu überreichen. Besser als anrufen. Vielleicht sollte ich den Brief zu ihm hintragen, Onkel. Persönlich.«

»Ach ja, eine Frau. Wenn er von einer Frau kommt, hat er vielleicht eine besänftigende Wirkung.«

»Besser als ein Pförtner. Es ist noch hell. Ich kann mir ein Taxi nehmen.«

»Ich habe ein bißchen Geld in meinem Zimmer. Etwa zehn Dollar.«

Dann hörte er Margot am Telefon Erkundigungen einholen. Er argwöhnte, daß er auf die denkbar umständlichste Weise vorging. Aber Margot war sofort zur Hilfe bereit, wenn wirkliche Schwierigkeiten auftraten. Sie fing keine Diskussion über Shula an – über die Auswirkungen des Krieges oder Antoninas Tod oder Pubertät in einem polnischen Nonnenkloster, oder was der Terror der Psyche einem jungen Mädchen antun konnte. Elya hat recht. Ussher auch. Margot war eine gute Seele. Blieb nicht mechanisch im gewohnten Stil, wenn das Signal gegeben wurde. Wie es andere taten, die in ihre Routine sprangen. In die eingefahrenen Geleise schwenkten.

Im Badezimmer rauschte mächtig das Wasser. Sie nahm eine Dusche, das übliche Zeichen, daß sie sich anschickte, auszugehen. Wenn sie drei Gelegenheiten hatte, das Haus zu verlassen, duschte sie sich dreimal am Tag. Danach hörte er sie sehr hurtig in ihr Schlafzimmer gehen, ohne Schuhe, aber mit schnellem Bumsen, wenn sie Schränke und Schubfächer öffnete. Nach etwa zwanzig Minuten war sie mit ihrem schlichten schwarzen Kleid und mit einem schwarzen Strohhut an seiner Tür und bat um den Brief. Sie war ein liebes Wesen.

»Du weißt, wo er ist?« fragte Sammler. »Hast du mit ihm gesprochen?«

»Nicht persönlich. Er war aus. Aber er wohnt in Butler Hall, und die Telefonzentrale wußte genau darüber Bescheid.«

Handschuhe, obgleich der Abend warm war. Parfüm, eine ziemliche Menge. Bloße Arme. Bruch hätte vielleicht diese Arme geliebt. Sie hatten eine nette kleine eigene Schwere. Sie war zuzeiten eine hübsche Frau. Und Sammler sah, daß sie froh war, diese Besorgung zu erledigen. Es rettete sie vor einem leeren Abend zu Hause. Ussher hatte sich gern die Spätprogramme im Fernsehen angesehen. Margot stellte selten das Fernsehen an. Es war oft kaputt. Seit Usshers Tod hatte es begonnen, in seinem Holzgehäuse veraltet auszusehen. Vielleicht war es gar kein Holz, sondern ein holzähnlicher Behälter aus dunklem und gemasertem Material.

»Wenn ich Dr. Lal antreffe – sollte ich vielleicht in der Butler Hall auf ihn warten? Soll ich ihn gleich mitbringen?«

»Ich hatte vor, wieder in die Klinik zu gehen«, sagte Sammler. »Du weißt, es steht sehr schlimm um Elya.«

»Ach, der arme Elya. Ich weiß, es kommt eins zum anderen. Aber ermüde dich nicht zu sehr. Du bist gerade erst nach Hause gekommen.«

»Ich lege mich ein Viertelstündchen hin. Ja, wenn Dr. Lal kommen will, unbedingt ja. Laß ihn kommen.«

Bevor sie ging, wollte Margot den alten Mann küssen. Er entzog sich dem nicht, obwohl er fühlte, daß Menschen selten in der richtigen Verfassung sind zum Küssen und daß ein Kuß meistens in besudelnder Weise als Erinnerungshilfe für Glückseligkeit gegeben wurde. Aber dieser Kuß von Margot, die nach oben faßte, sich auf die Zehenspitzen hob und ihre dicken kräftigen Beine anstrengte, war geziemend. Sie schien dankbar, daß er lieber mit ihr leben wollte als mit Shula, daß er sie so gern mochte und daß er sich auch in der Not an sie wandte. Durch ihn sollte sie überdies einen hervorragenden Mann kennenlernen, einen hindostanischen Wissenschaftler. Sie war parfümiert, hatte die Augen geschminkt.

Er sagte: »Ich müßte um zehn wieder zu Hause sein.«

»Dann bringe ich ihn mit, wenn er da ist, lieber Onkel, und er kann hier mit mir warten. Er wird so ungeduldig nach seinem Manuskript verlangen.«

Er sah sie bald auf der Straße. Er berührte den Friesvorhang und beobachtete sie, als sie zur West End Avenue ging, auf der blassen Breite des Bürgersteigs, und nach einem Taxi Ausschau hielt. Sie war klein, sie war kräftig und hatte eine Art geballten Frauenstolz. Sie wackelte ein bißchen, wie Frauen es in der Eile tun. Seltsam gebastelt. Und ganz vertrakt. Frauen! Der Luftzug mußte zwischen ihren Beinen wehen. Derartige Betrachtungen entstanden meist in gutmütiger Distanzierung, einer Art abschiednehmender Distanzierung, in erdverlassender Objektivität.

Noch bei Tageslicht begann die weiße Lichtreklame von Spry auf dem jenseitigen Hudsonufer vor blassem Grün und auch hinab ins Wasser zu blinken, während im Kupfer des Sonnenuntergangs der Asphaltbauch der Straße leise verzerrt erschien, leise übelriechend mit den vielen Gullydeckeln. Und die Wagen immer dicht in die Straßen gepackt. Maschinen zum Fortfahren.

Sammler zog sich Schuhe und Socken aus und hob einen langen Fuß zum Waschbecken. War er nicht zu alt für derartige Bewegungen? Offenbar nicht. In der Abgeschiedenheit seines Zimmers war er tatsächlich weniger steif in den Gliedern. Er badete die Füße und trocknete sie nicht gründlich ab, denn es war ein warmer Abend. Verdampfung linderte die Schmerzen. Gemessen an den Evolutionsperioden waren wir noch nicht lange Zweifüßler, und das Fleisch der Füße büßte dafür, besonders im Frühling, wenn die Organismen eine besondere Ausdehnung erfuhren. Müde und ruhig atmend legte sich Sammler nieder. Er ließ die Füße unbedeckt. Er brachte die Kühle des Lakens auf seine flache schlanke Brust. Er drehte die Lampe weg, so daß sie auf den vorgezogenen Vorhang schien.

Der Luxus, durch das Verhängnis nicht verängstigt zu sein – das mochte seinen Zustand beschreiben. Da die Erde alles in allem nun ein Bahnsteig war, ein Einschiffungsort, konnte man mit einem absoluten Angstminimum an die Abfahrt denken. Damit wollte er die Angst eines anderen

Menschen für diesen nicht aus den Augen verlieren (er dachte an Elya mit dem geeichten metallenen Foltergerät im Hals). Aber er fühlte sich oft ganz davon befreit. Und bald mußte sich alles wandeln. Menschen würden ihre Uhren nach anderen Sonnen als dieser stellen. Oder die Zeit würde verschwinden. Wir brauchten in der Sternenzukunft keine persönlichen Namen der alten Sorte, keine Festlegung. Wir würden von anderen Substantiven bezeichnet sein. Tage und Nächte würden in die Museen gehören. Die Erde ein Gedenkpark, ein karussellhafter Friedhof. Die Meere zerpulverten unsere Gebeine wie Quarz, machten Sand, mahlten unseren Frieden für uns nach Ewigkeiten. Nun, das wäre gut – ein wehmütig Gutes.

Ah. Bevor er nach Margots Verschwinden den Vorhang zugezogen hatte, bevor er sich setzte, um die Schuhe auszuziehen, bevor er sich wandte, um die Füße zu waschen, hatte er, das fiel ihm jetzt ein, den Mond nicht zu weit von der Lichtreklame gesehen, rund wie ein Verkehrssignal. Dieses Mondbild oder kreisrunde Nachbild war noch bei ihm. Wir kennen jetzt von Aufnahmen der Astronauten die Schönheit der Erde, das Weiß und Blau, die Fließwolken, das große schwebende Leuchten. Ein herrlicher Planet. Aber wurde nicht alles getan, den ferneren Aufenthalt hier unerträglich zu machen, eine unbewußte Kollaboration aller Seelen, Gift und Wahnsinn zu verbreiten? Uns auszutreiben? Nicht so sehr faustisches Streben, dachte Sammler, als eine Strategie der verbrannten Erde. Verwüste alles, und was erhält der Tod? Beschmutze und flüchte dich dann in die Wonne des Vergessens. Oder jage anderen Welten zu.

Er merkte an diesen Überlegungen, daß er sich bereitmachte, Govinda Lal zu begegnen. Sie würden vielleicht solche Dinge bereden. Dr. Lal, dessen Gebiet die Biophysik zu sein schien und der sich wie die meisten Experten als Nicht-Individuum herausstellen mochte, gab zumindest in seiner Schrift Hinweise einer größeren Nachdenklichkeit. Denn nach jeder technischen Abhandlung stellte er Betrachtungen an über die menschlichen Aspekte zukünftiger Entwicklungen. Er schien zum Beispiel gemerkt zu haben, daß die Entdeckung Amerikas in der sündigen alten Welt Hoffnungen auf ein neues Eden erweckt hatte. »Ein gemeinsames Bewußtsein«, hatte Lal geschrieben, »mag sehr wohl das neue Amerika sein. Zugang zu zentralen Datenmechanismen könnte einen neuen Adam züchten.« Aber es war sehr seltsam, wobei Mr. Sammler sich ertappte, während er in seinem Zimmer in einem alten Haus lag. Beim Setzen hatte der Putz des Gebäudes Risse bekommen, und an diesen schrägen Rissen entlang hatte er in Gedanken gewisse Theoreme geschrieben. Nach einem derselben stand er persönlich abseits von allen Entwicklungen. Aus einem Gefühl der Unterwerfung, aus Alter, aus Höflichkeit bestätigte er sich zuweilen selbst, her*aus* zu sein, *hors d'usage*, nicht ein Mann der Zeit. Keine Kraft der Natur, nichts Paradoxes oder Dämonisches, er hatte keinen Antrieb, durch die Masken der Erscheinungen durchzubrechen. Nicht »Ich und das All«. Nein, seine persönliche Auffassung war die eines durch andere Menschen konditionierten Menschen, und in dem Wissen, daß gegenwärtige Anordnungen nicht, *sub specie aeternitatis, die* Wahrheit waren, sondern daß man mit einer solchen Wahrheit zufrieden sein solle, wie man sie durch Annäherung erhält. Versuchen, mit einem gesitteten Herzen zu leben. Mit selbstloser Liebe. Mit einem Sinn für die mystische Potenz der Menschheit. Mit einem Hang, an die Archetypen des Guten zu glauben. Ein Verlangen nach Tugend war kein Zufall.

Neue Welten? Frische Anfänge? Keine so ganz einfache

Angelegenheit. (Sammler mühte sich um eine Ablenkung.) Was tat Kapitän Nemo in 20 000 *Meilen unterm Meer?* Er saß in seinem Unterseeboot, dem *Nautilus*, und spielte auf dem Meeresboden Bach und Händel auf der Orgel. Guter Stoff, aber alt. Und wie war's mit Wells' Zeit- reisenden, als er sich Jahrtausende in der Zukunft befand? Er verliebte sich Hals über Kopf in eine schöne Eloi-Maid. Etwas Geliebtes mit sich zu nehmen, sei es hinunter in die Tiefe oder außerhalb von Raum und Zeit, und es sich zu bewahren – das schien der Impuls zu sein. Jules Verne hatte durchaus recht, Händel auf dem Meeresboden zu haben, nicht Wagner, obwohl in Vernes Tagen Wagner Avantgarde unter den Symbolisten war, weil er Wort und Ton verschmolz. Nach Nietzsche nahmen die Deutschen, die von ihrem Deutschtum unerträglich geknechtet waren, Wagner wie Haschisch. Für Sammlers Ohren war Wagner Stimmungsmusik für ein Pogrom. Und was sollte man auf dem Mond haben, elektronische Kompositionen? Mr. Sammler würde dem widerraten. Die Kunst, die vor der Wissenschaft ihren Kotau macht.

Aber Sammler war von anderen Dingen bewegt, die kei- neswegs spielerisch waren. Feffer, der ihn aufheitern woll- te, hatte ihm die Geschichte von dem Versicherungsmann erzählt, der die Pistole zog. Es war keine Erheiterung. Feffer hatte gesagt, mit dieser miesen Waffe müsse man jemanden von nahem erschießen, und zwar in den Kopf. Fangschuß geben. Dieses in den Kopf schießen hatte Samm- ler versucht auszuschließen, abzuschirmen. Hoffnungslos. Verdorrte Erheiterung. Er sah sich gezwungen nachzugeben, gewissen unerträglichen Dingen ins Auge zu sehen. Diese Dinge ließen sich nicht gängeln. Man mußte sie auf sich nehmen. Sie waren eine Kraft in seinem Innern geworden, die sich nicht darum kümmerte, ob er sie ertragen konnte oder nicht. Für andere Gesichter oder Angstträume, für ihn jedoch Tageslichtereignisse, in vollem Bewußtsein. Gewiß hatte Sammler keine Dinge erlebt, die allen anderen versagt waren. Andere hatten Ähnliches erlebt. Vorher und nachher. Besonders Nichteuropäer nahmen derartiges gelassener hin. Bestimmt muß ein Navajo- oder Apachenindianer irgendwann in den Grand Canyon gestürzt sein, sich nachher aufgerappelt und seinem Stamm nichts davon erzählt haben. Dinge, die geschehen, geschehen. So war es in seinem Fall geschehen, daß Sammler mit seiner Frau und anderen sich an einem völlig wolkenlosen Tag nackt ausziehen mußte. Dann warten, im Massengrab erschossen zu werden. (Über ein ähnliches neues Grab, hatte Eichmann gesagt, sei er gegangen, und das frische Blut, das an seinen Schuhen hochquoll, hätte ihm Übelkeit bereitet. Ein oder zwei Tage mußte er das Bett hüten.) Sammler war schon an jenem Tage mit einem Gewehrkolben ins Auge geschlagen und geblendet worden. Im Zurückzucken vom Leben, als er nackt war, fühlte er sich schon tot. Aber irgendwie war es ihm nicht gelungen, wie den anderen, Anschluß zu bekommen. Wenn er das Ereignis, wie er es manchmal tat, mit einem Telefonnetz verglich: der Tod hatte den Hörer nicht abgenommen, um seinen Anruf entgegenzunehmen. Manchmal, wenn er heutzutage über den Broadway ging und ein Telefon in einem Laden mit offenen Türen klingeln hörte, versuchte er den Wortlaut zu finden, zu erahnen, den man vom Tod vernehmen würde. »Hallo. Ah du, endlich.« »Hallo.« Und die Luft auf der Straße dampfte förmlich vor Blei, spielte ins Messingfarbene. Aber wenn es lebende New Yorker Körper waren, die vorbeigingen, wie es einst tote Körper gewesen waren, die sich auf ihm häuften, wenn dort die Menge schlenderte, lungerte, sich schleppte, hüpfte (ein Broadway-Mob, zu dem er gehörte) – wenn dem so war, dann gab es auch genug, um jeden Mund zu füttern: Gebackenes, rohes Fleisch, geräuchertes Fleisch, blutenden Fisch, gegrilltes Schweinefleisch und Huhn, Äpfel wie Munition, Orangen als Anti-Hunger-Granaten. In den Gossen, an den Rinnsteinen entlang lag viel Eßbares, das, wie er um drei Uhr morgens beobachtete, von nachtstreunenden Ratten gefressen wurde. Semmeln, Hühnerknochen, für die er einst Gott gedankt hätte. Als er Partisan im Samoschter Wald war, frierend, das tote Auge wie eine Eiskugel in seinem Kopf. Er beneidete gefallene Äste, weil er ihrem Zustand so nahe kam. In einer vermoderten gefrorenen Pferdedecke und mit lumpenumhüllten Füßen. Mr. Sammler trug eine Waffe. Er und andere verhungerte Männer, die Wurzeln und Gras kauten, um am Leben zu bleiben. Sie stahlen sich nachts hervor, um Brücken zu sprengen, Geleise zu lockern, deutsche Nachzügler zu töten.

Sammler selbst Männer erschießend. Da schoß Feffers verrückter Versicherungsmann, von einem Impuls gepackt oder vom Verlangen, sich aufzuspielen, auf das Telefonbuch auf dem Notenständer. Darin lag ein komischer Fanatismus. Eine Kugel durch eine Million eng gedruckter Namen zu jagen – ein Gesellschaftsspiel. Aber Sammler wurde aus der Gesellschaft und zurück in den Samoschter Wald getrieben. Dort erschoß er aus sehr kurzer Entfernung einen Mann, den er entwaffnet hatte. Er zwang ihn, seinen Karabiner wegzuwerfen. Zur Seite. Gute fünf Fuß in den Schnee. Er schlug flach auf und versank. Sammler befahl dem Mann, seinen Mantel auszuziehen. Dann den Uniformrock. Den Sweater. Die Stiefel. Danach sagte er zu Sammler mit leiser Stimme: »*Nicht schießen.*« Er bat um sein Leben. Rothaarig, ein großes Kinn mit bronzenen Stoppeln, atmete er kaum. Er war weiß. Lila unter den

Augen. Sammler sah bereits den Sand auf sein Gesicht gesprenkelt. Er sah das Grab auf seiner Haut. Den Schmutzstreifen der Lippe, die langen Hautfurchen, die sich von der Nase herabzogen, bereits mit Erde gefüllt – dieser Mann war für Sammler schon unter dem Boden. Er war nicht mehr fürs Leben gekleidet. Er war gezeichnet, verloren. Mußte dahin. War dahin. »Töte mich nicht. Nimm die Sachen.« Sammler antwortete nicht, stand außer Reichweite. »Ich habe Kinder.« Sammler drückte ab. Die Leiche lag dann im Schnee. Der zweite Schuß ging durch den Kopf und zerschmetterte ihn. Geborstener Knochen. Substanz flog heraus.

Sammler nahm so viel an sich, wie er konnte – Gewehr, Patronen, Nahrungsmittel, Stiefel, Handschuhe. Zwei Schüsse in der Winterluft, der Knall wurde meilenweit getragen. Er rannte, drehte sich einmal um. Das rote Haar und die Knollennase konnte er vom Gebüsch aus sehen. Bedauerlicherweise gab es keine Möglichkeit, das Hemd zu kriegen. Die stinkenden Wollsocken, ja. Die brauchte er dringend. Er war zu schwach, um die Beute weit zu tragen. Er setzte sich unter winterstarrende Bäume und aß das Brot des Deutschen. Zugleich stopfte er Schnee in den Mund, um das Schlucken zu erleichtern, das schwierig war. Er hatte keinen Speichel. Diese Sache wäre unzweifelhaft bei einem anderen Mann anders abgelaufen, einem Mann, der zu essen, trinken und rauchen hatte und dessen Blut von Fett, Nikotin, Alkohol und sexuellen Säften schäumte. Nichts davon in Sammlers Blut. Er war damals nicht ganz menschlich. Lumpen und Papier, ein schnurumwickeltes Bündel, und diese Sachen wären in alle Winde fortgeweht worden, wenn die Schnur gerissen wäre. Man hätte sich nicht viel darum gekümmert. Auf diesem Minimum waren wir angelangt. Nicht viel da für menschliches Flehen, für das Bitten eines verzerrten Gesichts und der bis zum Hals verzweigten Sehnenstränge.

Als sich Sammler später im Mausoleum versteckt hielt, verbarg er sich nicht vor den Deutschen, sondern vor den Polen. Im Samoschter Wald wandten sich die polnischen Partisanen gegen die jüdischen Kämpfer. Der Krieg ging dem Ende zu, die Russen rückten vor, und die Entscheidung schien getroffen, ein judenfreies Polen neu zu errichten. Daher gab es ein Gemetzel. Die Polen kamen schießend bei Morgengrauen. Sobald es hell genug war zum Mord. Man sah Nebel, Rauch. Die Sonne versuchte aufzugehen. Männer begannen zu fallen, und Sammler rannte. Es gab zwei andere Überlebende. Einer spielte tot. Der andere fand, wie Sammler, eine Lücke und brach durch. In einem Sumpf versteckt lag Sammler unter einem Baumstamm, im Schlamm, unter Schaum. Bei Nacht verließ er den Wald. Er versuchte sein Glück am nächsten Tag bei Cieslakiewicz. (War es nur ein Tag? Vielleicht war es länger.) Er verbrachte diese Sommerwochen auf dem Friedhof. Dann erschien er in Samoscht, in der Stadt selber, wild, hager, verrottet, das tote Auge hervorquellend – wie ein Geschwür. Einer der Todgeweihten, die alles überdauert hatten.

Vielleicht kaum so vieler Mühe wert. Es gibt Zeiten, wo es vernünftiger und anständiger ist aufzugeben, das Klammern ans Leben ist eine Schande. Nicht über einen gewissen Punkt hinaus am Leben klammern. Nicht das menschliche Material zu sehr strapazieren. Die edlere Wahl. So dachte Aristoteles.

Mr. Sammler konnte der elementaren Weisheit hinzufügen, daß das Töten des Mannes, den er im Schnee überfallen hatte, ihm Lust bereitet hatte. War es nur Lust? Es war mehr. Es war Freude. Man würde das eine lichtscheue

Tat nennen? Im Gegenteil, es war auch eine helle. Es war hauptsächlich hell. Als er sein Gewehr abfeuerte, sprang Sammler, der selbst beinahe eine Leiche war, ins Leben. Wenn er im Samoschter Wald fror, hatte er oft geträumt, nahe bei einem Feuer zu sein. Nun, dies war schwelgerischer als Feuer. Sein Herz war wie mit funkelnder, wonniger Seide ausgeschlagen. Den Mann zu töten und ohne Erbarmen zu töten, denn er war vom Erbarmen losgesprochen. Da war ein Blitz, ein Fleck von feurigem Weiß. Als er zum zweitenmal schoß, war es weniger, um sich des Mannes zu vergewissern, als diese Wonne noch einmal zu beschwören. Mehr Flammen zu trinken. Er hätte Gott für diese Gelegenheit gedankt. Wenn er einen Gott gehabt hätte. Zu jener Zeit hatte er keinen. Viele Jahre lang war in seinen eigenen Gedanken kein Richter außer ihm.

In der Abgeschiedenheit seines Bettes dachte er sehr kurz an diesen Taumel (tat es zur Bestandsaufnahme). Wohligkeit. Als er selbst fast totgeschlagen war. Leichen von sich fortwälzen mußte. Verzweifelt! Hinauskriechen. Oh, herzzerreißend! Oh, ekelhaft! Und dann wußte er selbst, wie es tat, ein Leben zu nehmen. Fand, es konnte Ekstase sein.

Er stand auf. Es war hier angenehm – das Lampenlicht, sein eigenes Zimmer. Er hatte eine sehr erfreuliche Art von Traulichkeit um sich gesammelt. Aber er stand auf. Er ruhte nicht und konnte ebensogut zum Krankenhaus fahren. Sein Neffe Gruner brauchte ihn. Dies Ding zischte in seinem Hirn. Sand war über sein Gesicht gesprenkelt. Schau nur genau hin. Man muß einige Körner erkennen können. So strich Sammler beim Aufstehen das Bettzeug, das Deckbett wieder glatt. Er hinterließ nie ein ungemachtes Bett. Er zog reine Socken an. Bis zum Knie.

Schade. Jammerschade, daß man so regellos auf den Plätzen hin- und hergeschlagen wird wie ein Ball zwischen kraftvollen Spielern. Oder ein Gegenstand wilder Zufälle. O, erbarmungslos! Danke, nein, nein! Ich wollte nicht in den Grand Canyon fallen. Schön, nicht gestorben zu sein? Schöner, nicht erst hineinzufallen. Zu vieles im Innern wurde zerrissen. Für manche Leute, zugegeben, war Erfahrung gleich Reichtum. Elend ein großer Gewinn. Grauen ein Vermögen. Ja. Aber ich habe solche Güter nie gewollt.

Nach den Socken die zehnjährigen Schuhe. Er ließ sie immer wieder besohlen. Gut genug, um in Manhattan zurechtzukommen. Er behandelte seine Sachen mit größter Sorgfalt, stopfte Seidenpapier in seinen guten Anzug, steckte nachts Leisten in seine Schuhe, obwohl das Leder vor Alter und Gebrauch Buckel aufwies und von Runzeln durchzogen war. Diese selben Schuhe hatte Sammler im Sommer 1967 in Israel getragen. Nicht nur in Israel, sondern auch Jordanien, der Sinaiwüste und bis auf syrisches Gebiet, während des Sechstagekrieges. Sein zweiter Besuch. Wenn es ein Besuch war. Es war eine Expedition. Bei Beginn der Aqabakrise war er plötzlich in Wallung geraten. Er konnte nicht stillsitzen. Er hatte an einen alten Journalistenfreund in England geschrieben und erklärt, er fühle sich verpflichtet hinzufahren, er müsse unbedingt hinfahren als Journalist und über die Ereignisse berichten. Es gab eine Vereinigung osteuropäischer Publikationen. Alles was sich Sammler wirklich wünschte, war ein Ausweis, eine Karte, die ihn dazu befähigte, Kabel zu schicken, einen Pressepaß, um die Israelis zufriedenzustellen. Das Geld wurde von Gruner zur Verfügung gestellt. So war Sammler bei den Truppen der drei Fronten gewesen. Es war seltsam, dies. Im Alter von zweiundsiebzig Jahren auf Schlachtfeldern, mit diesen Schuhen, einer Leinenjacke und einer schmutzigen weißen Mütze. Panzersoldaten erkannten ihn wegen der Jacke als Amerikaner und schrien:

»Yank!« Wenn er zu ihnen trat, sprach er mit einigen polnisch, mit anderen französisch und englisch. Er kam sich momentweise vor wie ein Kamel zwischen den Panzerfahrzeugen. Kein Zionist, Mr. Sammler, und viele Jahre lang ohne Interesse für jüdische Belange. Und doch konnte er seit Ausbruch der Krise nicht mehr in New York sitzen und die Weltpresse lesen. Wenn auch nur deshalb, weil zum zweitenmal in fünfundzwanzig Jahren dasselbe Volk von der Ausrottung bedroht war: die sogenannten Mächte ließen die Sache der Katastrophe entgegentreiben; Männer zum Massaker bewaffnet. Und er weigerte sich, in Manhattan zu bleiben und ins Fernsehgerät zu gucken.

Vielleicht war es der Wahnsinn des Geschehens, der Sammler am tiefsten erschütterte. Die Beharrlichkeit, die manische Stoßkraft gewisser Ideen, die in sich ursprünglich dumm waren, dumme Ideen, die Jahrhunderte überdauert hatten, das löste bei ihm die merkwürdigsten Reaktionen aus. Der dumme Sultanismus eines Ludwigs XIV. wieder aufgelebt in General de Gaulle – ein Neo-Karl-der-Große hatte jemand gesagt. Oder der imperiale Ehrgeiz der Zaren im Mittelmeer. Sie wollten die führende Seemacht im Mittelmeer sein, ein dummes Begehren zweier Jahrhunderte, und unter den »revolutionären« Auspizien des Kreml wurde das noch immer weiter getrieben – getrieben! Machte es keinen Unterschied, daß demnächst die schwimmende Herrschaft bewaffneter Mächte so überlebt sein würde wie Assurbanipal, so absurd wie die hundsköpfigen Götter der Ägypter? Aber nein, es machte keinen Unterschied. Nicht mehr als das Verschwinden der Juden aus Polen für die polnischen Antisemiten einen Unterschied machte. Das war das Wesen historischer Dummheit. Und auch die Russen, mit ihrer nationalen Verbohrtheit. Man gebe ihnen ein System, lasse sie eine Idee begreifen, und sie loteten sie bis zum Letzten aus, wandten sie bis zum Ende an, pflasterten das ganze All mit hartem Idiotenmaterial. Auf alle Fälle hatte Sammler gefunden, er müsse zum Schauplatz gelangen. Dann wäre er wenigstens da, schickte Nachrichten, täte etwas, stürbe vielleicht im Gemetzel. Er konnte nicht so etwas geschehen lassen und dabei ruhig in New York sitzen. Das bebende, strudelnde, düstere New York – Feffers Luststadt. Und Sammler gelangte selbst zum Äußersten, wurde vielleicht zu verzweifelt, mitgerissen, begann an Schlaftabletten zu denken, an Gift. Es lag tatsächlich am verknoteten Nervensystem, den »Nervenspaghetti«. Das waren seine alten polnischen Nerven, die tobten. Es war seine alte Panik, die ihm eigene Heimsuchung. Er las nicht die Nachricht des zweiten Tages über die Araber Shukairys, die in Tel Aviv Tausende töteten. Er erzählte es Gruner. Gruner sagte: »Wenn dich das so mitnimmt, dann mußt du eben fahren.« Jetzt glaubte Sammler, er habe sich der Übertreibung schuldig gemacht. Er hatte den Kopf verloren. Immerhin war es richtig gewesen, daß er fuhr.

Sammler, der seine Meinung so lange für sich behalten hatte und sieben Jahrzehnte mit sich zu Rate gegangen war, hatte über die meisten Dinge seine eigenen Ansichten. Aber selbst die größte Unabhängigkeit war ungenügend, reichte noch nicht aus. Auch gab es geistige »Trockenläufe« in seinem Kopf, vielleicht nicht von Interesse für irgendeinen anderen – Wadis wurden derartige Phänomene wohl genannt, kleine Schluchten, die durch die ständige Verwitterung der Grübelei geschaffen wurden. Das Leben-Nehmen war ein solcher Wadi. Eben das. Sein Leben war ihm beinahe genommen worden. Er hatte gesehen, wie das Leben genommen wurde. Er hatte es selbst genommen. Er wußte, es war ein großer Genuß. Kein Wunder, daß sich die Fürsten so lange das Recht vorbehalten hatten, ungestraft zu morden. Auf dem Grunde der Gesellschaft gab es auch eine Art Straffreiheit, weil sich niemand darum kümmerte, was geschah. Unter dieser dunklen, brutalen Masse blieben Bluttaten oft unbeachtet. Und ganz oben an der Spitze die alten Immunitäten der Könige und Adligen. Sammler glaubte, das sei der wahre Anlaß der Revolutionen. In einer Revolution nahm man der Aristokratie die Privilegien und teilte sie anderen zu. Was bedeutete Gleichheit? Bedeutete es, daß alle Freunde und Brüder waren? Nein, es bedeutete, daß alle zur Elite zählten. Das Töten war ein altes Privileg. Deshalb wateten Revolutionen im Blut. Guillotinen? Terror? Bloß ein Anfang – nichts. Dann kam Napoléon, ein Gangster, der Europa bestens im Blute wusch. Dann kam Stalin, für den der wahrhaft große Preis der Macht der ungehemmte Genuß des Mordens war. Diese mächtige Lust, den Atem menschlicher Nasen zu verbrauchen und ihr Antlitz zu schlucken wie ein Saturn. Das war's, was die Eroberung der Macht wirklich zu beinhalten schien. Sammler band seine Schnürsenkel – fuhr fort, sich anzuziehen. Er bürstete sein Haar. Wie in Trance. Mehrere Längen entfernt von seinem Ich im Spiegel, gegenüber. Und in der Mittelschicht der Gesellschaft herrschte Neid und Verehrung für diese Macht zu töten. Wie diese mittelständischen Sorels und Maurrasses sie vergötterten – die Hand, die mit Autorität das Messer packte. Wie sie den Mann liebten, der stark genug war, Blutschuld auf sich zu laden. Für sie mußte sich eine Elite mit dieser Fähigkeit zum Mord bewähren. Für solche Leute mußte ein Heiliger als Mensch verstanden werden, der geistig der brennenden Sehnsucht nach dem Verbrechen in den innersten Seelenfibern gewachsen war. Der Übermensch, der sich mit einer Axt erprobt, indem er alten Frauen den Schädel spaltet.

Der Ritter des Glaubens, der imstande ist, die Kehle seines Isaak auf Gottes Altar durchzuschneiden. Und jetzt die Idee, daß man seine Identität dadurch wiedererlangt oder begründet, daß man tötet, und so allen anderen, ja selbst den Größten, gleich wird. Ein Mann unter Männern versteht zu morden. Ein Patrizier. Die Mittelklasse hatte keinen unabhängigen Ehrenkodex entwickelt. Daher konnte sie der Herrlichkeit der Totschläger nicht widerstehen. Der Mittelstand, dem es nicht gelungen war, ein eigenes geistiges Leben zu schaffen und der alles in die materielle Expansion investierte, war vom Untergang bedroht. Da außerdem die Welt sich ernüchterte, wurden die aus der Luft vertriebenen Geister und Dämonen ins Innere aufgenommen. Die Vernunft hat das Haus gefegt und geschmückt, aber der letzte Stand könnte schlimmer sein als der erste. Was würde man wohl zum Mond mit sich heraustragen?

Er bürstete den Filzhut mit dem Ellbogen, ging rücklings hinaus in Vestibül, verschloß und probierte die Tür, klingelte nach dem Fahrstuhl und fuhr hinab. Mr. Sammler, wieder als Fußgänger auf den Straßen, die jetzt dunkelblau waren, ein bläuliches Glühen von den Straßenlaternen. Gebückt, mit schnellem Schritt. Er hatte nur zwei Stunden, und wenn er nicht den Bus erwischte, der durch die 86. Street zur Second Avenue fuhr, mußte er ein Taxi nehmen. Die West End Avenue war sehr düster. Er zog sogar den qualmenden, schütternden, narrenwimmelnden, vibrierenden stinkenden Broadway vor. Die Büschel über der Brille seidig, ergrauend, zottig, sich hebend, als er das »Phänomen« in sich aufnahm. Zwecklos, der empfindsame Betrachter zu sein, der Tourist (gab es noch ein Land, das stabil genug war, um es zu »touren«?), der philosophische Bummler draußen auf dem Broadway, der das »Phänomen« inspizierte. Das Phänomen hatte in gewisser Weise ein Eigeninteresse und eine eigene Beachtlichkeit gewonnen. Es war sich bewußt, eine Szene der Perversion zu sein, kannte seine eigene Hoffnungslosigkeit. Und Angst. Den darin beschlossenen Terror. Hier konnte man die Seele Amerikas im Ringen mit historischen Problemen erleben, im Kampf mit gewissen Unmöglichkeiten, im brutalen Erleben von Zuständen, die wesentlich statisch sind. Die verwirklicht wird, aber selbst nach Verwirklichung, nach Handlung strebt. Versucht, Interesse zu schaffen. Dieser Versuch, Interesse zu schaffen, war für Sammler ein Grund für die Jagd nach dem Wahnsinn. Wahnsinn schafft Interesse. Wahnsinn ist der Befreiungsversuch von Leuten, die sich von der Riesenmacht organisierter Kontrolle überwältigt fühlen. Die die Magie der Extreme suchen. Wahnsinn ist eine niedrige Form des religiösen Lebens.

Aber halt mal – Sammler sich selbst ermahnend. Auch dieser Wahnsinn ist in beträchtlichem Ausmaß eine Sache der Darstellung, der Inszenierung. Darunter bewahrt sich, und recht kräftig, ein solides Gefühl für das, was im menschlichen Leben normal ist. Pflichten werden beachtet. Bindungen werden gewahrt. Da gibt es die Arbeit. Die Menschen stellen sich dazu ein. Es ist erstaunlich. Sie kommen im Bus zur Fabrik. Sie machen den Laden auf, sie fegen, sie packen, sie waschen, sie reparieren, sie bedienen, sie zählen, sie richten sich nach dem Computer, jeden Tag, jede Nacht. So rebellisch sie auch im Herzen sind, so verzweifelt, verängstigt oder ausgelaugt, sie kommen zu ihrem Job. Rauf und runter im Fahrstuhl, setzen sich an den Schreibtisch, hinter das Rad, bedienen Maschinen. Bei einem so lebhaften, ruhelosen Tier, einem so hochgezüchteten absonderlichen Tier, einem Affen, der für so viele Seuchen anfällig ist, für Angst, Langeweile, ist eine solche Disziplin, ein solcher Drill, solche Kraft zur Regelmäßigkeit, solche

Übernahme von Verantwortung, solcher Sinn für Ordnung (selbst in der Unordnung) auch ein großes Mysterium. O, es ist ein Mysterium. Man kann das daher nicht fälschlich für totalen Wahnsinn halten. Eins allerdings: die Disziplinierten hassen die Undisziplinierten bis zum Mord. Daher ist die arbeitende Klasse, diszipliniert, ein großes Sammelbecken des Hasses. Daher fällt es dem Angestellten hinter dem Schalter schwer, denen, die kommen und gehen, ihre offenbare Freiheit zu verzeihen. Und der Bürokrat: froh, wenn ordnungslose Menschen getötet werden. Alle, umgelegt.

Was man am Broadway sieht, wenn man zum Bus geht. Alle menschlichen Typen sind reproduziert: der Barbar, die Rothaut oder der Fidschi, der Dandy, der Büffeljäger, der Desperado, der Schwule, der Sexualphantast, die Squaw; Blaustrumpf, Prinzessin, Dichter, Maler, Schürfer, Troubadour, Guerilla, Che Guevara, der neue Thomas à Becket. Nicht nachgeahmt sind der Geschäftsmann, der Soldat, der Priester und der Spießer. Der Standard ist ästhetisch. Mr. Sammler sah die Sache so, daß Menschen, die Raum und Freiheit haben und noch dazu über Einfälle verfügen, sich mythologisieren. Sie machen sich zur Legende. Sie wachsen durch ihre Einbildungskraft und versuchen, sich über die Schranken gewöhnlicher Formen des gemeinen Lebens zu erheben. Und was ist »gemein« am »gemeinen« Leben? Was wäre, wenn ein Genie mit dem »gemeinen Leben« anstellte, was Einstein mit der »Materie« angestellt hat? Seine Energie fände, seine Strahlung entdeckte. Aber auf der gegenwärtigen Stufe grober Sicht flohen aufgescheuchte Geister vor dem lastenden Druck des »gemeinen Lebens«, sonderten sich von den übrigen Vertretern ihrer Gattung ab, vom Leben ihrer Gattung, und hofften vielleicht (in einem ganz eigenen Sinn), dem

Tod ihrer Gattung zu entrinnen. Um höhere Taten zu vollbringen, der Phantasie mit besonderer Auszeichnung zu dienen, scheint es wesentlich, zu schauspielern. Auch dies ist ein Zeichen des Wahnsinns. Der Wahnsinn ist von jeher die bevorzugte Wahl des zivilisierten Menschen gewesen, der sich auf eine noble Errungenschaft vorbereitet. Es ist oft der einfachste Zustand, um für Ideale verfügbar zu sein. Die meisten von uns sind damit zufrieden, daß man durch eine Art Wahnsinn die Ergebenheit sowie die Verfügbarkeit für höhere Zwecke anzeigt. Höhere Zwecke stellen sich nicht notwendigerweise ein.

Wenn wir im Begriff stehen, unser Erdengeschäft abzuschließen – oder zumindest die erste große Phase davon –, dann sollten wir lieber die Dinge zusammenfassen. Aber kurz. So kurz wie möglich.

Kurze Meinungen, um Gotteswillen!

Dann: ein tolles Geschlecht? Ja, vielleicht. Obwohl der Wahnsinn auch eine Maskerade ist, das Projekt eines tieferen Grundes, eine Folge der Verzweiflung, die wir vor Unendlichkeiten und Ewigkeiten empfinden. Wahnsinn ist eine Diagnose oder ein Urteilsspruch einiger unserer größten Ärzte und Genies und ihres menschheitsenttäuschten Geistes. O, der Mensch, der vom Rückprall der menschlichen Kräfte benommen ist. Und was ist zu tun? In der Frage der Schauspielerei betrachte man zum Beispiel, was dieser rasende Welteinheizer Marx getan hatte, der sich darauf versteifte, daß Revolutionen in historischen Kostümen gemacht wurden, die der Cromwellianer im Prophetenrock des Alten Testaments, die der Franzosen von 1789 in römischen Gewändern. Aber das Proletariat, sagte, erklärte, beschwor er, würde die erste Revolution machen, die nichts imitierte. Es würde die Droge historischer Erinnerung nicht brauchen. Aus reiner Unwissenheit, da es die Vorbilder nicht kannte, würde es die Sache pur bewerkstelligen. Er war hinsichtlich der Originalität so benebelt wie der Rest. Und nur die Arbeiterklasse war original. So würde die Geschichte sich von der bloßen Poesie entfernen. Dann würde sich das Leben der Menschheit von der Nachahmung freimachen. Es wäre frei von der Kunst. O nein. Nein, nein, nicht so, dachte Sammler. Statt dessen nahm die Kunst zu, und zugleich eine Art Chaos. Mehr Möglichkeit, mehr Schauspieler, Affen, Nachbeter, mehr Erfindung, mehr Fiktion, Illusion, mehr Phantasie, mehr Verzweiflung. Das Leben beraubte die Kunst ihres Reichtums und zerstörte dazu noch die Kunst durch seinen Wunschtraum, das Ding selbst zu werden. Drängte sich in Bilder. Die Realität, die sich in alle diese Formen zwängt. Sieh doch nur (Sammler sah) diese imitative Anarchie der Straßen – diese chinesischen Revolutionstuniken, diese Kinder im Unisex-Spielimmerland, diese surrealistischen Kriegshäuptlinge, Western-Postillone – Doktoren der Philosophie, einige von ihnen (Sammler war solchen begegnet, hatte mit ihnen diskutiert). Sie suchten Originalität. Sie waren offensichtlich Ableger. Und wovon – von den Paiuten, von Fidel Castro? Nein, von Hollywood-Statisten. Schauspielerten mythisch. Stürzten sich in das Chaos, hofften, dem höheren Bewußtsein verhaftet zu sein, an die Ufer der Wahrheit gespült zu werden. Besser, dachte Sammler, die Unvermeidlichkeit der Situation akzeptieren und dann Gutes imitieren. Die Alten hatten das richtig erfaßt. Größe ohne Vorbilder? Unvorstellbar. Man konnte nicht das Ding selber sein – Realität. Man mußte sich mit den Symbolen begnügen. Mache es zum Gegenstand der Nachahmung, die hohen Qualitäten zu erreichen und freizusetzen. Mache daher deinen Frieden mit der Mittlerschaft und Repräsentation. Aber wähle höhere Repräsentationen. Sonst muß das Individuum der Versager sein, als den es sich jetzt sieht und erkennt. Mr. Sammler voller Trauer für sie alle und voller Herzeleid.

Vor unserem Aufbruch, vor dem Sprung zum Mond und in den Weltraum sollten wir uns lieber noch einmal darein vertiefen. Was den Bus quer durch die Stadt und zu dieser Nachtzeit betraf, so war es ein absolut sicherer Bus.

4

Dr. Gruner hatte private Krankenschwestern Tag und Nacht. Sammler trat ein und fand die Frau in Tracht am Bett sitzen. Der Patient schlief. Sammler stellte sich in behutsamem Flüstern vor. »Sein Onkel – o ja, er hat gesagt, Sie würden wahrscheinlich kommen«, sagte die Schwester. Das klang bei ihr nicht wie eine erfreute Voraussage. Unter dem gestärkten Häubchen hervor bauschte sich das gefärbte Haar. Das Gesicht selbst, mittleren Alters, war fleischig, gesund, gebieterisch. Die Augen hatten den Ausdruck der Souveränität. Patienten wurden auf dem Weg geleitet, den sie gehen mußten: Genesung oder Tod.

»Schläft er für die Nacht, oder macht er nur ein Nickerchen?« fragte Sammler.

»Er könnte bald aufwachen, aber das ist reine Vermutung. Miß Gruner ist im Besuchszimmer.«

»Ich stehe ein bißchen«, sagte Sammler, da er zum Sitzen nicht aufgefordert wurde.

Viele Blumen waren da, Körbe mit Obst, Konfektschachteln, Bestseller. Das Fernsehgerät war angestellt, ohne Ton. Die Schwester hörte mit einem Kopfhörer. Gespiegeltes Licht flackerte an der Wand hinter dem Bett. Elyas Hände lagen nach unten gerichtet an den Seiten, als hätte er sich symmetrisch angeordnet, bevor er hinüberdämmerte. Die haarigen Hände waren sauber, kräftig, von Adern durchzogen, mit polierten Fingernägeln. Die Nägel hatten den gleichen Glanz wie das changierende Glas, aus dem Gruner sein Mineralöl getrunken hatte. Die Nujolflasche war auch

da, und daneben das *Wall Street Journal*. Kahlköpfige
Würde. Die Schnur des elektrischen Rasierapparats war
oben eingestöpselt. Er war immer gut rasiert. Die Priester
des Apisstiers, wie Herodot sie beschreibt, mit rasiertem
Kopf und Körper. Dabei war der schlafende Mund an
einer Seite vorgestülpt, als hätte Elya, der zu sagen liebte,
er sei in Greenpoint unter Strolchen aufgewachsen, von
Gangstern und Schießereien geträumt. Der Verband unter
seinem Kinn war wie ein Militärkragen. Sammler betrachtete ihn als einen Mann, der dringend, ja sogar verzweifelt,
Bestätigung, Unterstützung, Berührung brauchte. Gruner
war ein Anfasser. Er hatte die Gewohnheit, selbst wenn
er ein Zimmer durchschritt, zu berühren, Leute beim Arm
zu ergreifen, sich dabei vielleicht sogar medizinische Information über Muskeln, Drüsen, Gewicht oder Haarwuchs
der Betreffenden zu verschaffen. Er pflanzte auch seine
Ansichten, seine Hoffnungen in ihre Herzen, und wenn er
dann sagte: »Nun, ist es nicht so?« dann war es so, in der
Tat. Wie ein moderner General in der Armee, ein Eisen-
hower, traf er seine logistischen Vorbereitungen. Diese
Schlauheit war jedoch sehr kindisch. Aber leicht zu verzeihen. Besonders in solcher Zeit, wie konnte er schlafen?
Sammler ging leise wieder zur Tür hinaus und zum Besuchszimmer. Dort saß Angela rauchend, aber nicht in
ihrer üblichen, sinnlichen und eleganten Aufmachung. Sie
hatte geweint, und ihr Gesicht war weiß und erhitzt. Die
Figur war schwer, die Brüste eine Last, die Knie buchteten
sich blaß gegen die enge Seide der Strümpfe. Weinte sie nur
ihres Vaters wegen? Sammler ahnte einen mehrfachen
Grund für diese Tränen. Er saß ihr gegenüber und legte
den maulwurfgrauen Filzhut auf den Schoß.

»Schläft er noch?«

»Ja«, sagte Sammler.

Angelas große Lippen waren geöffnet, als wolle sie sich abkühlen; sie atmete durch den Mund. Das abfallende, heiße Gesicht mit feinporiger Haut schien sehr gespannt. Die Hitze stieg ihr auch ins Weiße der Augen. »Begreift er *wirklich* die Lage?«

»Das ist fraglich. Aber er ist Arzt, und ich glaube schon.« Angela weinte von neuem, und Sammler war noch überzeugter, daß es einen zweiten Grund für ihre Tränen gab.

»Und sonst fehlt ihm gar nichts«, sagte Angela. »Er ist völlig gesund, bis auf das Ding – das eine winzige verfluchte Ding. Und du glaubst, daß er es weiß, Onkel?«

»Ja, wahrscheinlich.«

»Aber er gibt sich so normal. Spricht über die Familie. Er hat sich über deinen Besuch so gefreut und gehofft, daß du heute abend wiederkommst. Und er macht sich noch Sorgen um Wallace.«

»Das kann man verstehen.«

»Wallace hat uns so viele Kopfschmerzen gemacht. Mit sechs, sieben Jahren war er ein so hübscher, begabter Junge. Er hat mathematische Probleme gelöst. Wir dachten, wir hätten einen zweiten Einstein. Vater hat ihn auf die Technische Universität von Massachusetts geschickt. Aber dann erfuhren wir, er war Barmixer in Cambridge und hat einen Betrunkenen beinahe totgeschlagen.«

»Ich hab's gehört.«

»Und jetzt belatschert er Vater, er solle ihm ein Flugzeug verschaffen. So zur Unzeit! Eine fliegende Untertasse würde besser passen. Gewiß, ich habe auch Schuld an Wallace.« Sammler wußte, daß das Gespräch eine langweilige psychologisch-pädiatrische Wendung nehmen würde und daß er sich auf ein gewisses Maß an Erklärungen gefaßt machen mußte.

»Natürlich hab ich's übelgenommen, als man das Kind von

der Klinik nach Haus brachte. Ich bat Mutter, seine Wiege in die Garage zu stellen. Ich bin sicher, er hat diese Ablehnung von Anfang an gespürt. Ich habe ihn niemals gemocht. Er war zu verschlossen. Er war einfach nicht wie ein Kind. Er hatte fürchterliche Wutanfälle.«

»Nun, jeder hat seine Geschichte«, sagte Sammler.

»Ich glaube, ich habe in meiner Pubertät entschieden, daß mein Bruder schwul werden würde. Ich glaubte, es sei meine Schuld, denn ich war so mannstoll, daß er vor den Mädchen Angst bekam.«

»Wirklich? Ich erinnere mich an deine Konfirmation«, sagte Sammler. »Du warst sehr lerneifrig. Ich war beeindruckt, weil du Hebräisch lerntest.«

»Bloße Fassade, Onkel. Ich war in Wirklichkeit ein dreckiges kleines Aas.«

»Das bezweifle ich. Rückblickend übertreibt man sehr.«

»Weder Vater noch ich konnten Wallace leiden. Wir schoben ihn Mutter zu, und das war fast ein lebenslängliches Urteil. Dann kam eins zum andern, seine Fettleibigkeit, sein Alkoholismus. Und jetzt, hast du gehört? Er glaubt, daß im Haus Geld versteckt ist.«

»Glaubst du das auch?«

»Ich bin nicht sicher. Vater hat solche Andeutungen gemacht. Mutter auch, bevor sie starb. Sie schien zu glauben, daß Vater hin und wieder – daß er krumme Touren machte, wie sie zu sagen pflegte.«

»Um berühmten Familien von Dutchess County auszuhelfen, wie Wallace mir erzählt hat?«

»Hat er das gesagt? Nein, Onkel, was ich gehört habe, war, daß Vater den Mafiatypen, mit denen er aufgewachsen ist, gefällig gewesen ist. Spitzenfunktionären im Syndikat. Er kannte Lucky Luciano sehr gut. Du hast vermutlich nie von Luciano gehört.«

»Nur verschwommen.«

»Luciano kam ab und zu nach New Rochelle. Und wenn Vater diese Dinge getan hat und sie ihn bar bezahlten, muß das peinlich gewesen sein. Er wußte wahrscheinlich nicht, was er mit dem Geld anfangen sollte. Aber das bedrückt mich nicht.«

»Nein. A propos New Rochelle, du hast wohl nicht Shula gesehen, oder?«

»Nein, was führt sie im Schilde?«

»Sie hat mir ein sehr interessantes Buch gebracht. Nur durfte sie's nicht bringen, weil's ihr nicht gehörte.«

»Ich nehme an, sie hält sich vor Eisen versteckt. Sie glaubt, er sei gekommen, um sie zurückzufordern.«

»Eine schmeichelhafte Angst. Wenn er nur imstande wäre, mit einer solchen Absicht zu kommen. Wenn er sie nicht schlagen würde, käme das vielen Bedürfnissen entgegen. Es wäre eine Barmherzigkeit. Nein, ich glaube nicht, daß er sie überhaupt will. Er mag nicht, daß sie als Katholikin posiert. Das war sein Vorwand. Er hat zwar behauptet, er sei mit Papst Pius in Castel Gandolfo gut zurechtgekommen. Aber jetzt ist Eisen kein Freund der Päpste, er ist ein Künstler. Ich glaube nicht, daß er viel Genie besitzt, wenn er auch verrückt genug ist, nach großem Ruhm zu streben.« Aber Angela wollte das jetzt nicht hören. Offenbar glaubte sie, Sammler suche das Thema auf ein theoretisches Gleis zu schieben – den schöpferischen Psychopathen zu erörtern.

»Er ist jedenfalls hier gewesen.«

»Du hast Eisen gesehen? Hat er Elya belästigt? Ist er reingegangen?«

»Er wollte Zeichnungen machen – ihn skizzieren, verstehst du?«

»Das gefällt mir nicht. Ich wünschte, er würde Elya in

Ruhe lassen. Was zum Teufel will er denn? Halte ihn fern.«

»Ja, vielleicht hätte ich ihn nicht reinlassen sollen. Ich dachte, es würde Vater amüsieren.«

Sammler wollte schon antworten, aber mehrere Verständnisschläge fuhren ihm durch den Sinn und ließen ihm die Dinge in anderem Licht erscheinen. Natürlich. Ach ja. Angela hatte ihre eigenen Probleme mit Dr. Gruner. Angela war nicht eins der großen Klageweiber, nicht wie Margot mit ihrem hohen jährlichen Tränenfall. Wenn Angela so matt aussah, daß sogar das weiß bestäubte Haar, gewöhnlich so schimmernd und lebendig, sich trocken zu sträuben schien, und Sammler meinte, die dunklen follikularen Flekken auf ihrer Kopfhaut zu sehen, dann deshalb, weil sie sich mit ihrem Vater gezankt hatte. Unter Druck, meinte Sammler, geriet das Ganze ins Schwanken, und Teile (die Follikeln zum Beispiel) traten auffällig hervor. Das war zumindest seine Erfahrung. Elya mußte wütend mit ihr sein, und sie versuchte, seine Aufmerksamkeit abzulenken. Besucher. Deshalb hatte sie offenbar Eisen gleich hineingelassen. Aber Eisen war nicht erheiternd. Er war einer jener lächelnden finsteren Maniker. Wirklich sehr finster. Ein deprimierender Bursche. Sein fescher Seidenanzug, den er vor zehn Jahren in Haifa trug, als er und sein Schwiegervater auf die Straße gingen, um über Shula zu reden, hätte ein prächtiges Sargfutter abgegeben. Eisen verdiente sicher, daß man sich um ihn kümmerte, und es war einer der Vorzüge Israels, daß es diese Krüppel aufnahm. Aber jetzt war Eisen ausgebrochen, hatte die hübsche frenetische Musik Amerikas vernommen und wollte in die Szene einsteigen. Der reiche Vetter lag in der Klinik mit einer Art Geigenzapfen im Hals. Komisch, was für einen Instinkt sie alle entwickelten, einen sterbenden Mann zu belästigen.

»Hat Elya Eisen unterhaltend gefunden? Ich bezweifle es.«
Angela trug eine lustige Mütze, die zu den schwarz-weißen
Schuhen paßte. Da jetzt ihr Kopf gesenkt war, sah Sammler den großen Knopf aus Ziegenleder inmitten der stern-
förmigen Falten.

»Eine Zeitlang glaube ich schon«, sagte sie. »Eisen machte
Skizzen von Vater. Aber dann versuchte er, sie ihm zu
verkaufen. Vater wollte sie kaum anschauen.«

»Nicht verwunderlich. Ich möchte wissen, woher Eisen das
Geld für eine Amerikareise bekommen hat.«

»Ich weiß nicht, vielleicht hat er's gespart. Er ist auf dich
nicht gut zu sprechen, Onkel.«

»Dessen bin ich sicher.«

»Weil du ihn in Israel nicht besucht hast. Du warst da wegen des Krieges. Er sagt, du hättest ihn geschnitten.«

»Das ist mir ziemlich egal. Ich war nicht da, um dem
Schwiegersohn meine Aufwartung oder Höflichkeitsbesu-
che zu machen.«

»Er hat sich bei Vater über dich beschwert.«

»Grauenhaft«, sagte Sammler. »Jeder schlägt um sich mit
diesen Torheiten. Zu dieser Zeit!«

»Aber Vater interessiert sich für alle möglichen Dinge.
Wenn alles plötzlich aufhörte, wäre es abnorm. Natürlich
ist es schlimm, ihn zu erzürnen. Mit mir ist er zum Beispiel böse.«

»Anscheinend gibt es für Elya wirklich keine gute Art,
dies hinter sich zu bringen.«

»Ich würde ihn aufhören lassen, mit Widick zu sprechen.
Du kennst seinen feisten Anwalt Widick?«

»Gewiß, ich habe den Mann kennengelernt.«

»Vier oder fünfmal täglich am Telefon. Und Vater bittet
mich, aus dem Zimmer zu gehen. Sie kaufen und verkaufen
immer noch, handeln an der Börse. Außerdem vermute ich,

daß sie auch über das Testament sprechen, sonst würde er mich nicht rausschicken.«

»Trotz der Vorwürfe, die du gegen Mr. Widick erhebst, Angela, hast du offenbar deinen Vater selbst irgendwie verärgert. Und du scheinst zu wollen, daß ich dich danach frage.«

»Vielleicht erzähle ich es dir lieber.«

»Das klingt nicht gut.«

»Ist es auch nicht. Es ist passiert, als Horricker und ich in Mexiko waren.«

»Ich glaube, Elya schätzt Horricker. Er hätte dagegen nichts einzuwenden gehabt.«

»Nein, er hoffte, Wharton und ich würden heiraten!«

»Tut ihr's nicht?«

Angela hielt zwischen den Fingern eine brennende Zigarette vor ihr Gesicht. Normalerweise graziöse Bewegungen, jetzt betrüblich schwerfällig. Sie schüttelte den Kopf, die Augen füllten, röteten sich. Aha, Verdruß mit Horricker. Sammler hatte so etwas geahnt. Es war für ihn ein bißchen schwierig zu begreifen, warum sie immer so viel Verdruß haben mußte. Vielleicht, überlegte er sich, da sie so viele Vorrechte genoß – was wollte sie noch mehr? Sie hatte das Einkommen von einer halben Million als Lebensgrundlage: steuerfreie Stadtanleihen, wie Elya wiederholt gesagt hatte. Sie hatte dieses Fleisch, diese sexuellen Reize und Talente – sie hatte *volupté*. Sie rief ihm das französische Sex-Vokabularium in Erinnerung, das Sammler bei der Lektüre von Emile Zola in Krakau gelernt hatte. Dies Buch über den Obstmarkt. *Le ventre de Paris*. Les Halles. Und jene appetitliche Frau da, die auch ein guter Happen war, ein regelrechter Obstgarten. *Volupté, seins, épaules, hanches. Sur un lit de feuilles. Cette tiédeur satinée de femme.* Großartig, Emile. Und – nun denn! – wenn die Erde bebte, konnten in Leidenschaft gezogene Obstgärten alle Birnen verlieren, auch das mochte Sammler verstehen. Aber Angela war immer unverhältnismäßig in Probleme und Kümmernisse verstrickt, stolperte über unsichtbare Hemmnisse, beschwor durch peinliche Streiche Komplikationen herauf, so daß er sich fragte, ob diese *volupté* nicht die traurigste, unbegreiflichste Bürde sei, die der weiblichen Seele auferlegt werden konnte. Er sah die Frau (auf Grund ihrer eigenen erotischen Schilderung), als sei er in ihrem eigenen Schlafzimmer. War dort als Eingeladener, als verdutzter Zuschauer. Anscheinend hielt sie es für nötig, ihn wissen zu lassen, was sich in Amerika tat. Er brauchte gar nicht so viel Information. Aber besser ein Zuviel als Unwissenheit. Sowohl die USA als auch die UdSSR waren für Sammler utopische Projekte. Dort im Osten lag die Betonung auf Waren der niederen Kategorien, auf Schuhen, Mützen, Wasserspülung und Blechwannen für Bauern und Arbeiter. Hier fiel sie auf gewisse Privilegien und Vergnügungen. Hier nackt in die Wasser des Paradieses waten, und so weiter. Aber immer eine Verzweiflung unter dem Vergnügen, der Tod in der Gesundheitskapsel verborgen, und sie steuernd, und die Dunkelheit winkte einem zu aus der goldenen utopischen Sonne.

»Du hast dich also mit Wharton Horricker verzankt?«

»Er ist böse auf mich.«

»Bist du mit ihm böse?«

»Eigentlich nicht. Ich scheine die Schuld zu haben.«

»Wo ist er jetzt?«

»Er müßte in Washington sein. Er macht etwas Statistisches über antiballistische Geschosse. Für den Senatsblock gegen die *ABM*. Ich verstehe das Ganze nicht.«

»Es ist ein Jammer, daß du gerade jetzt solchen Kummer hast, eine doppelte Bürde.«

»Ich fürchte, Vater hat davon gehört.«

In Angelas Zügen, wie auch in Wallaces, war etwas Weiches, eine Spur von Kindlichkeit oder Babyträumen. Die Eltern müssen sich übermäßig Babys gewünscht und damit etwas im Entwicklungszyklus ihrer Kinder gestört haben. Angelas letzter Blick, bevor sie zu schluchzen begann, erstaunte Sammler. Offene Lippen, gefurchte Stirn, die Haut verkündete völlige Kapitulation, Zeichen der ursprünglichen Person. Ein kleines Kind! Aber die Augen verloren nicht den Blick erotischer Erfahrung.

»Hat was gehört?«

»Etwas, was in Acapulco passiert ist. Ich dachte nicht, daß es so sehr schlimm war. Auch Wharton nicht. Damals war's nur ein Scherz. Ich meine, es war komisch. Wir hatten eine Party mit einem anderen Paar.«

»Was für eine Party war das?«

»Nun, es war so eine Sex-Geschichte für uns vier.«

»Mit anderen Leuten? Wer waren sie?«

»Die waren durchaus in Ordnung. Wir haben sie am Strand kennengelernt. Die Frau hat's vorgeschlagen.«

»Einen Austausch?«

»Na ja. Oh, das tut man jetzt, Onkel.«

»Das höre ich.«

»Du bist über mich empört, Onkel.«

»Ich? Nicht eigentlich. Ich wußte das seit langem. Ich bedaure es, wenn die Sache so dumm wird, das stimmt. Was früher Professionelle für ihren Lebensunterhalt tun mußten, bei Junggesellenparties auftreten oder einen Sexzirkus am Place Pigalle für Touristen aufziehen, das scheinen heutzutage ganz gewöhnliche Leute, Hausfrauen, Registratoren, Studenten zu tun, nur um der Geselligkeit willen. Ich kann wirklich nicht sagen, was das soll. Ist es vielleicht ein vereintes Bemühen, den Ekel zu besiegen? Oder zu zeigen, daß die abstoßenden Dinge an der Geschichte gar nicht so abstoßend sind? Ich weiß nicht. Ist es ein Versuch, die menschliche Existenz zu ›liberalisieren‹ und zu beweisen, daß nichts, was zwischen den Menschen vorgeht, wirklich widerwärtig ist? Eine Bekräftigung der menschlichen Brüderlichkeit? Ach ja –« Sammler faßte und zügelte sich. Er wollte die Einzelheiten dieses Zwischenfalls in Acapulco nicht wissen, wollte nicht hören, daß der Mann in dieser Angelegenheit ein Amtsrichter aus Chicago war oder ein Chiropraktiker oder vereidigter Buchprüfer oder Rauschgifthändler, daß er Parfüm oder Formaldehyd fabrizierte.

»Wharton machte mit, er hatte seinen Teil, aber hinterher wurde er mißgelaunt. Dann auf dem Rückflug erzählte er mir im Flugzeug, wie wütend er darüber war.«

»Nun ja, er ist ein korrekter junger Mann. Das sieht man an seinen Hemden. Ich nehme an, er hat eine gute Erziehung genossen.«

»Er hat sich nicht besser aufgeführt als wir anderen.«

»Wenn du vorhattest, Wharton zu heiraten, dann war es jedenfalls ein dummer Streich.«

Sammler wollte dringend dieses Gespräch beenden. Elya hatte ihm gesagt, er solle sich nicht um die Zukunft sorgen, eine Andeutung, daß er bedacht war, aber es gab auch praktische Überlegungen, die angestellt werden mußten. Was war, wenn er und Shula von Angela abhängig wurden? Angela war immer großzügig gewesen – sie gab leicht Geld aus. Wenn sie in eine Galerie oder zum Lunch gingen, zahlte sie selbstverständlich für die Taxis, zahlte die Rechnung, das Trinkgeld, alles. Aber es wäre nicht ratsam, sich zu sehr in diese Seite von Angelas Leben zu vertiefen. Die Fakten waren zu schlimm, zu kraß, schauderhaft, erbärmlich. Bis zu einem gewissen Grade beruhte ein solches Verhalten auf Theorie, auf einer Generationsideologie, war Teil einer liberalen Erziehung und daher in Grenzen unpersönlich. Aber Angela würde später diese Bekenntnisse bereuen – bereuen und ihm sein Mißfallen verübeln. Im großen und ganzen nahm er ihre Vertraulichkeiten teilnahmslos entgegen. Er war nicht ohne Sympathie oder Gefühl: er war (sie hatte es selbst gesagt) objektiv und urteilsfrei. Da sie nun mit Elyas Tod rechnen mußten, beschloß er, unter keinen Umständen und um keinen Preis sich auf eine derartig verlogene Beziehung mit Angela einzulassen, daß er um seines Abendbrotes willen zuhören müßte. Seine Sachlichkeit sollte ihr niemals zum Trost werden, Teil ihres Lebensinventars. Nicht einmal seine Angst um Shulas Zukunft konnte ihn in eine solche Lage zwingen. Ein Empfänger anrüchiger Waren? Sein ganzes Herz lehnte sich dagegen auf.

»Vater stellt sehr gezielte Fragen über Wharton.«

»Hat er von dem Vorfall gehört?«

»Das ist es, Onkel.«

»Wer erzählt ihm sowas? Das kommt mir ungewöhnlich grausam vor.«

»Ich weiß nicht, ob du das mit dem fetten Widick, dem Anwalt, richtig verstehst. Er und Wharton sind irgendwo rauf oder runter verwandt. Er ist ein Schwein.«

»Das ist ganz und gar nicht mein Eindruck. Normal betrügerisch vielleicht, aber das ist lediglich Geschäft.«

»Er ist ein Scheißkerl. Vater hält große Stücke auf Widick. Er hat den wichtigen Prozeß gegen die Versicherung für ihn gewonnen. Ich habe dir ja gesagt, sie telefonieren vier- oder fünfmal täglich miteinander. Und Widick haßt mich.«

»Woher weißt du das?«

»Ich fühle es. Ich kriege von ihm den Verwöhnte-Tochter-Blick. Es waren immer Leute da, die meinten, Vater hätte mich falsch behandelt und mich finanziell zu unabhängig gemacht. Du weißt schon, mich verzogen und an zu langer Leine geführt.«

»Ist er nicht außergewöhnlich nachsichtig gewesen?«

»Nicht nur um meinetwillen, Onkel Sammler. Man handelt nicht nur für sich, und er hat auch durch mich gelebt. Das kannst du mir glauben.«

Männer, dachte Sammler, sündigen oft allein; Frauen sind selten ohne Genossen in der Sünde. Obwohl Angela versuchen mochte, diese Interpretation der Güte ihres Vaters zu unterlegen, war es durchaus möglich, daß auch Elya seine lüsternen Neigungen hatte. Wer war Sammler, um dazu nein zu sagen? Die Lage war im allgemeinen hoffnungslos. Die Arteriengeschwulst in Elyas Hirn muß schon einen Schatten vorausgeworfen haben – Tröpfeln vor dem Wolkenbruch. Sammler glaubte an Vorahnungen, und der Tod war ein mächtiger Aufwiegler von erotischen Ideen. Sammlers eigene sexuelle Impulse (vielleicht selbst jetzt nicht vollkommen geschwunden) waren ganz anders gewesen. Aber er verstand es, Unterschiede zu respektieren. Er maß andere nicht an sich. Nun hatte Shula keine *volupté*. Sie hatte etwas anderes. Natürlich war sie nicht eines reichen Mannes Tochter, und Geld, der Dollar, war gewiß ein ungeheures sexuelles Additiv. Aber selbst Shula, obzwar Fledderer oder Elster, hatte bisher nie richtig gestohlen. Und dann war plötzlich auch sie wie dieser schwarze Taschendieb. Von der schwarzen Seite her rollten starke Strömungen über alle hin. Kind, Neger, Rothaut – der unverdorbene Seminole-Indianer gegen den schrecklichen weißen Mann. Millionen zivilisierter Menschen wünschten sich ozeanischen, grenzenlosen, primitiven, halboffenen Edelmut, erlebten eine seltsame Freisetzung galoppierender Triebe und steckten sich das besondere Ziel sexueller Niggerschaft für alle. Die Menschheit hatte die alte Geduld verloren. Sie verlangte beschleunigte Verzückung, ließ sich keinen Augenblick ohne trächtige Bedeutung, wie in Epik, Tragödie, Komödie oder Film gefallen. Er hatte sogar die Vorstellung, daß die sehr charakteristische Entwicklung der Bedeutung der Gefängnisse seit dem achtzehnten Jahrhundert zu diesem schwindenden Vermögen, Beschränkung zu ertragen, in Beziehung stand. Die Strafe mußte dem Geisteszustand angepaßt, auf ihn zugeschnitten sein und dem Bedarf der Seele entsprechen. Wo die Freiheit am kräftigsten versprochen wurde, hatte man die größten, schlimmsten Gefängnisse. Dann eine andere Frage: Hatte Elya Abtreibungen vorgenommen, um seinen alten Mafia-Freunden gefällig zu sein? Dazu hatte Sammler keine Meinung. Er konnte es einfach nicht sagen. Elya hatte nie Arzt werden wollen. Er konnte die medizinische Praxis nicht leiden. Aber er hatte seine Pflicht getan. Und selbst Ärzte machten heutzutage ihren Patienten gegenüber sexuelle Gesten. Legten die Hände der Frauen auf ihre Geschlechtsteile. Sammler hatte davon gehört. Ärzte, die den Eid verweigerten und sich der Zeit anschlossen. Auch Shula, die stehlende Shula war zeitgemäß – gesetzlos. Sie erfuhr das Zeitalter. Und zog dabei ihren Vater mit sich. Vielleicht hatte auch Elya mit der Schraube im Hals nicht hintanstehen wollen und Angela delegiert, die Zeit für ihn zu erleben.

Sei dem allen, wie ihm wolle – das Leben war einmal beinahe zu Ende gewesen. Jemand vor ihm, der das Licht trug, stolperte, stockte, und Sammler hatte gemeint, es sei vorbei. Er war jedoch noch am Leben. Er hatte sich nicht durchgeschlagen, denn das Durchschlagen deutete auf eine Errungenschaft, und wenig war errungen worden. Er war von Krakau nach London, von London in den Samoschter Wald geschleust worden und schließlich dann auch nach New York. Diese Geschichte hatte das eine Erlebnis gezeitigt, daß er sich daran gewöhnt hatte zu verdichten. Er war ein Spezialist der kurzen Sentenzen. Und in der kurzen Sentenz hatte Angela ihren sterbenden Vater gekränkt. Er war böse, und sie wollte, daß Sammler für sie vermittelte. Vielleicht würde Elya sie von der Erbschaft ausschließen und das Geld der Wohlfahrt geben. Er hatte große Spenden für das Weizmann-Institut gegeben. Dem Denktank, wie man es nannte, in Rehovoth. Oder vielleicht hatte sie Angst, daß er selbst, Sammler, der Elya nahestand, sein Erbe werden würde.

»Willst du mit Vater sprechen, Onkel?«

»Über diese ... Angelegenheit von dir? Das käme auf ihn an. Ich würde das Thema nicht anschneiden. Ich glaube nicht, daß er deinen Lebenswandel gerade erst bemerkt hat. Ich kann nicht sagen, was er davon profitiert hat – ersatzweise, wie du andeutest. Aber er ist nicht dumm, und wenn er einer jungen Frau wie dir ein Kapital von einer halben Million Dollar zum Leben in New York gibt, dann müßte er schon sehr dumm sein, wenn er meinte, du würdest dich nicht amüsieren.«

Große Städte sind Huren. Weiß das nicht jeder? Babylon war eine Hure. *O la Reine aux fesses cascadantes.* Penicillin läßt New York sauberer erscheinen. Keine von Syphilis angefressenen Gesichter mit klaffenden Nasenlöchern wie in alten Zeiten.

»Vater hat so viel Respekt vor dir.«

»Welchen Gebrauch sollte ich von seinem Respekt machen?«

»Alle ältesten, tiefsten, schlimmsten sexuellen Vorurteile sind gegen mich mobilisiert.«

»Gott allein weiß, was in seinem Kopf vorgeht«, sagte Sammler. »Vielleicht ist es bloß ein Schmerz unter vielen.«

»Er hat mir grausame Dinge gesagt.«

»Diese mexikanische Episode ist nicht die erste«, sagte Sammler. »Unzweifelhaft hat dein Vater immer Bescheid gewußt. Er hat gehofft, du würdest Horricker heiraten und mit diesem sexuellen Quatsch aufhören.«

»Ich sehe nach, ob er wach ist«, sagte Angela und stand auf. Ihre weiche und schwere Figur war in eins ihrer Kostüme gekleidet. Ihre Beine, bis zum letzten Viertel des Oberschenkels enthüllt, waren tatsächlich sehr kräftig, fast plump. Ihr Gesicht war in diesem Augenblick babyblaß und weich unter der kleinen Lederkappe. Als sie sich von dem Kunststoffsitz erhob – und der Abend war recht warm – machte sich ein Geruch bemerkbar. Sowohl niedere Komödie wie hoher Ernst, Göttin und Trommelmädchen. Die große Sünderin! Welch ein Ärger für den armen Elya. Welche Überbewertung. Was für ein scheußliches Durcheinander von Gefühlen. Angela war mit Sammler unzufrieden. Sie ging davon.

Als sie ging, fiel ihm ein, wo er zum letztenmal eine Kappe wie die ihre gesehen hatte. Es war in Israel – im Sechstagekrieg, den er miterlebt hatte.

Er hatte ihn miterlebt.

Es war beinahe, als hätte er daran teilgenommen – unter anderen Zuschauern. In schnellen Wagen gelangten sie zu einer Stelle vor dem Berg Hermon, wo eine Panzerschlacht stattfand; er gehörte zu einer Journalistengruppe, die einer im Gang befindlichen Schlacht zusah. Drunten im flachen Tal, wie in Vista-Vision. Wo sie standen, waren Sammler und die anderen – israelische Presseoffiziere und Journalisten – durchaus sicher. Die Schlacht wurde zwei Meilen oder mehr von ihnen entfernt geschlagen. Die Panzerkolonnen manövrierten im Staub. Bomben tropften aus Flugzeugen, so fern wie Insekten. Man sah die Flügel, wenn sie sich im Licht drehten, hörte dann Detonationen, und

Rauchbüsche stiegen kurz hoch. Von weit weg hörte man Maschinen – ferne Panzerraupen. Man vernahm winzige Kriegsgeräusche. Dann kamen zwei weitere Wagen angebraust, gesellten sich zur Gruppe. Kameraleute sprangen heraus. Es waren Italiener, *paparazzi*, erklärte jemand, und sie hatten drei Mädchen in Modkluft mitgebracht. Die Mädchen hätten von der Carnaby Street oder der King's Road stammen können mit ihren Schnürstiefeln, Miniröcken und falschen Wimpern. Sie waren tatsächlich Engländerinnen, denn Mr. Sammler hörte sie reden, und eine von ihnen hatte genau die kleine Kappe, die Angela trug, Fischblasenmuster. Die jungen Damen hatten keine Ahnung, wo sie waren, worum sich das alles drehte, hatten sich mit ihren Liebhabern gezankt, die jetzt bäuchlings auf der Straße lagen. Schlacht photographierten, die Hemden flatterten auf dem Rücken. Die Mädchen waren böse. Waren vermutlich von der Via Veneto weggeholt worden, ohne recht zu wissen, wo die Düsenmaschine hinflog. Dann begann, nackt bis zum Gürtel, ein untersetzter, aber muskulöser Schweizer Korrespondent mit einem gedrehten krausblonden Bärtchen und einer mit Kameras behangenen Brust sich beim israelischen Hauptmann zu beschweren, es sei unstatthaft, daß diese Mädchen sich an der Front befänden. Sammler hörte ihn diesen Protest durch die Zähne sprechen, die schlecht und klein waren. Die Stelle, auf der sie standen, war früher gebombt worden. Man konnte nicht sehen warum. Es schien dafür keinen militärischen Grund zu geben. Aber der Boden war voller großer Trichter, noch voll vom frischen Ruß der Bomben.

»Stecken Sie sie wenigstens in diese Löcher da.«

»Was?«

»Deckungslöcher, Deckungslöcher. Es kann wieder eine Granate kommen. Man kann sie nicht so auf der Straße rumlaufen lassen, verstehen Sie nicht?« Er war ein unleidlicher kleiner Mann. Sein Krieg wurde durch diese dummen kostümierten Mädchen ruiniert. Der israelische Offizier gab nach. Er ließ die Mädchen in die verbrannten Löcher steigen. Man konnte von ihnen nur noch Kopf und Schultern sehen. Sie vergaßen vor Angst nicht völlig ihren Zorn, aber sie waren nahe dran. Etwas benommen jetzt, in der Kriegsbemalung der großen Liebeslust, begann die eine ein bißchen zu schluchzen und eine andere anzuschwellen und rot zu werden. War plötzlich mittleren Alters – eine Scheuerfrau. Spitzen in schimmerndem Schwarz standen rings um die Mädchen, das korditglänzende Gras.

Andere ebenso merkwürdige Dinge ereigneten sich. Pater Newell, der jesuitische Korrespondent, war da. Er trug den kompletten Kampfanzug des vietnamesischen Dschungels – gelbe, schwarze und grüne Flecken und Tarnungsstreifen. Er vertrat eine Zeitung in Tulsa, Oklahoma, oder war es Lincoln, Nebraska? Sammler schuldete ihm noch zehn Dollar, seinen Anteil am Taxi, das sie in Tel Aviv gemietet hatten, um an die syrische Front zu fahren. Aber er kannte Pater Newells Adresse nicht. Er hätte sich mehr bemühen können, sie zu erfahren. Auf der Heimfahrt von Südostasien befand sich der Priester als Tourist in Athen und besah sich die Akropolis, als er von den Kämpfen hörte und sich sofort aufmachte. Die großen Dschungelstiefel waren so umfänglich wie Galoschen. Pater Newell schwitzte in seinem grünen Kampfanzug. Das Haar im Marinestil geschoren, die Augen ebenfalls grün und die Wangen ein prächtiges Fleischrot. Unten rasten die Panzer, und der Rauch puffte gelb vom Boden hoch. Wenige Geräusche stiegen zu ihnen auf.

Im Wartezimmer rührte sich Mr. Sammler nun und stand auf. Wallace, der aus der gleichbleibenden Helligkeit des

Korridors in das Lampenlicht des Besuchszimmers trat, sprach schon zu ihm: »Vater schläft, sagt Angela. Du bist wohl noch nicht dazu gekommen, mit ihm über das Bodengeschoß zu sprechen.«

»Nein.«

Wallace war nicht allein. Eisen trat hinter ihm ein.

Wallace und Eisen kannten einander. Wie gut? Eine komische Frage. Aber jedenfalls schon recht lange. Sie hatten sich kennengelernt, als Wallace nach seinem versuchten Ritt durch Zentralasien und seiner Verhaftung durch die Russen Israel besuchte und bei Eisen wohnte. Wallace hatte damals eine ganze Notizensammlung für einen Essay angelegt (zur sofortigen Bearbeitung), der darlegen sollte, daß die Modernisierung, die die Israelis in den Nahen Osten brachten, für die Araber viel zu schnell ging. Zerstörerisch. Wallace war natürlich geneigt, Elyas Zionismus zu bekämpfen. Aber Eisen, der das nicht begriff und Wallaces plötzliche Leidenschaft für die arabische Kultur nicht bemerkte (die auch bald wieder verschwand), brachte ihm Kaffee ans Bett, während er arbeitete. Weil Wallace gerade aus einem sowjetischen Gefängnis entlassen war, dank Gruner und Senator Javits, und Eisen wußte, was es hieß, in den Händen der Russen zu sein. Er hatte Wallace Ruhe befohlen, er wartete ihm auf. Er hatte gelernt, sich auf seinen verküppelten Füßen hurtig zu bewegen. Geschickte Anpassung. Das Schlurfen seiner zehenlosen Füße hatte Sammler in Haifa fast zur Raserei gebracht. Er hätte zwei Stunden, allein mit dem hübschen krausköpfigen lächelnden Eisen nicht aushalten können. Aber Wallace mit seinen großen, runden Augen und langen Wimpern streckte einen mageren, haarigen Arm aus dem Bett und nahm, ohne hinzusehen, den Kaffee mit zitternden Fingern entgegen, verwöhnte sich zehn Tage lang nach den Gefängnissen Sowjet-Armeniens in Eisens Bett. Die Russen hatten ihn in die Türkei geschickt. Von der Türkei fuhr er nach Athen. Von Athen flog er, wie später der Jesuit Newell, nach Israel. Zartfühlend, hingebungsvoll hatte Eisen ihn betreut.

»Ah, hier ist mein Schwiegervater.«

Strahlte Eisen vor Wiedersehensfreude oder deshalb, weil das Ereignis (Eisen zum erstenmal im Leben in New York) so wunderbar war? Er war fröhlich, aber steif, weil ihn die neuen amerikanischen Kleidungsstücke unter den Armen und zwischen den Beinen kniffen. Wallace hatte ihn augenscheinlich in einen dieser gräßlichen Modläden für Männer genommen. Vielleicht zu einem jener Unisex-Häuser. Der Tollhäusler trug ein magentarotes Hemd mit einem dattelpflaumenfarbenen Schlips, der dick war wie eine Ochsenzunge. Die Trübnis seines nie endenden Gelächters, der Glanz seiner Zähne, die durch die Belagerung Stalingrads keinen Schaden gelitten hatten und von der Hungerszeit unbeeinträchtigt geblieben waren, als er über die Karpathen und die Alpen humpelte. Derartige Zähne verdienten einen gesünderen Kopf.

»Wie nett, dich hier zu finden«, sagte Eisen zu Sammler auf russisch.

Sammler antwortete auf polnisch: »Wie geht es dir, Eisen?«

»Du hast mich in meinem Land nicht besucht, also bin ich gekommen, dich in deinem zu besuchen.«

In diesem Vorwurf, einer vertrauten und traditionellen jüdischen Eröffnung, lag zumindest eine Spur der Normalität. Nicht so im nächsten Satz: »Ich bin nach Amerika gekommen, um mir eine neue Karriere zu schaffen.« *Karyera* war das Wort, das er gebrauchte. In die kneifenden engen grauen Jeans gekleidet, offenbar alte Ware aus der studentischen Snobperiode, die man ihm angedreht hatte, in Magenta, Pflaumen- und Tomatenfarben (die roten Chelseastiefel, die bis zu den Knöcheln reichten), die ungestutzten Locken Kopf und Schultern verbindend und brutal den Hals ausschaltend, erwarb er sich anscheinend ein neues Image und revidierte seine Selbsteinschätzung. Nicht mehr ein Opfer von Hitler und Stalin, bis auf die Knochen ausgehungert auf Israels Sand geworfen, Läuse, Irrsinn und Fieber sein einziger Besitz, von der Internierung auf Zypern weggeholt, in einer neuen Sprache und Arbeit unterwiesen. Aber man konnte der Wiederherstellung keinen Einhalt gebieten. Er war darüber hinausgegangen, um Künstler zu werden. Er hatte sich aus der Nichtigkeit, Ersetzbarkeit, aus etwas, das wartete, mit einem Gerät zum Graben niedergemacht zu werden (Eisen sagte, er hätte das beobachtet, vom nazibesetzten Gebiet bis in die russische Zone – Menschen, die den Aufwand einer Kugel nicht lohnten, schlug man den Schädel mit Spaten ein), emporgerappelt, aber rappelte und rappelte sich bis zu den Höhen der Weltbeherrschung. Durch die Göttlichkeit der Kunst. Beflügeltes Ansprechen der Menschheit. Zeichensetzung durch die universale Sprache befrachteter Pigmente. Hurra, Eisen fliegend von Gipfel zu Gipfel. Obwohl seine Farben grauer waren als Schiefer, schwärzer als Kohle, röter als Seuche und seine Studien nach dem Leben doppelt tot waren, war der Bus, der ihn vom Flughafen brachte, eine Limousine, die Autostraße grüßte ihn wie einen ruhmreichen Astronauten, und er begegnete seiner *Karyera* mit feucht lachenden Zähnen, in höchst verzweifelter Ekstase. (Zur Paarung mit der russischen *Karyera* brauchte man die russische *Extass!*)

Er und Wallace machten schon zusammen Geschäfte. Eisen entwarf Schilder für die Bäume und Sträucher. Sie

zeigten Sammler die Musterkarten: QUERCUS und UL-
MUS in dicken klecksigen Buchstaben von gotischem
Schwarz. Andere Schilder im ausländischen Kursivstil, den
Eisen im Gymnasium gelernt hatte, waren sauberer. Der
arme Eisen war ein Schuljunge gewesen, als der Krieg
ausbrach, und hatte keine höhere Bildung. Sammler tat
sein Bestes, etwas Passendes und Harmloses zu sagen, obwohl er sich von allem abgestoßen fühlte, was Eisen auf
Papier setzte.

»Sie müssen hier und da noch abgeändert werden«, sagte
Wallace. »Aber die Grundidee ist erstaunlich richtig. Für
einen blutigen Anfänger, verstehst du?«

»Du willst also tatsächlich in dieses Geschäft einsteigen?«
Wallace sagte fest, sogar mit leisem Hohn (der sich um ein
Grübchen bildete) über die Zweifel des alten Mannes:
»Endgültig, tatsächlich, lieber Onkel. Ich will sogar morgen
in Westchester ein paar Maschinen probefliegen. Ich fahre
heute abend zurück und verbringe die Nacht in unserem
Haus.«

»Gilt dein Flugschein noch?«

»Ja, natürlich gilt er.«

»Nun, das muß ein angenehmes Gefühl der Erregung sein –
ein neues Unternehmen mit Freunden und Verwandten.
Was hast du da, Eisen.«

Ein schwerer grüner Flanellbeutel hing an Schnüren, die
um Eisens Handgelenk geschlungen waren. »Hier? Habe
ich in einem anderen Medium aufgefertigte Sachen mitgebracht«, sagte Eisen. Er ließ das Gewicht klirrend auf die
gläserne Tischplatte nieder, der Beutel öffnete sich.

»Du hast Briefbeschwerer gemacht?«

»Keine Briefbeschwerer. Man könnte sie dafür benutzen,
Schwiegervater, aber es sind Medaillons.« Man konnte Eisen nicht beleidigen, weil er auf seine Schöpfungen so stolz

war. Als atme er ein seltenes Aroma ein, begann er die Augen zu schließen und jenes unvergleichliche Bein seiner Zähne zu zeigen, während er mit beiden Händen die Locken hinter den Ohren zurückstrich. »Ich habe in der Gießerei einen neuen Prozeß entwickelt«, sagte er. In technischem Russisch begann er zu erklären, aber Sammler sagte: »Ich kann nicht mehr mithalten, Eisen. Ich verstehe die Wörter nicht.«

Das Metall sah roh aus, teilweise bronzen, aber auch hellgelb, mit Sulfiden getönt wie Schwefelkies. Und Eisen hatte die üblichen Davidsterne gemacht, verzweigte Leuchter, Schriftrollen und Widderhörner oder Inschriften, die auf Hebräisch verloderten: *Nahamu* »Sei getrost.« Oder Gottes Befehl an Josua: *Hazak!* Mit einem gewissen Interesse betrachtete Sammler die großen, blöden ausgelegten Stücke. Nach jedem eine Pause, in der das Gesicht des Kenners eingehend auf die schöne, unzweifelhaft fällige Reaktion beobachtet wurde. Diese eisernen Pyrite, die auf den Grund des Toten Meeres gehörten.

»Und was ist das, Eisen, ein Panzer, nehme ich an, ein Sherman Panzer?«

»Metapher für einen Panzer. Nichts ist buchstäblich in meinem Werk.«

»Niemand stellt mehr bloße Halluzinationen dar«, sagte Sammler auf polnisch. Die Bemerkung blieb ungehört.

»Sollte man sie nicht glatter polieren?« fragte Wallace. »Und was ist das Wort?«

»*Hazak, hazak*«, sagte Sammler. »Der Befehl, den Gott vor Jericho an Josua gab. ›Sei unverzagt.‹«

»*Hazak, v'ematz*«, sagte Eisen.

»Ja, gut ... Warum spricht Gott so eine komische Sprache?« fragte Wallace.

»Ich wollte diese Medaillons Vetter Elya zeigen.«

»Unsinn!« entgegnete Sammler. »Elya ist krank. Er kann dieses rauhe, schwere Metall nicht handhaben.«

»Nein, nein, ich halte sie ihm Stück um Stück hin. Ich will ihm zeigen, was ich geleistet habe. Vor fünfundzwanzig Jahren kam ich als gebrochener Mann nach Eretz. Aber ich wollte nicht sterben. Ich konnte nicht die Augen schließen – nicht bevor ich etwas wie ein Mensch vollbracht hatte, etwas Wichtiges, Schönes.«

Sammler versagte sich eine Antwort. Schließlich war sein Herz nicht so schwer zu bewegen. Zudem war er in der alten Schule der Höflichkeit erzogen. Fast so, wie früher die Frauen zur Keuschheit erzogen wurden. Gut geübt in den Murmellauten über den Trödel, den Shula in Mülltonnen fand, machte er die erforderlichen Laute und Handbewegungen, sagte dann aber wieder, daß Elya sehr krank sei. Diese Medaillons könnten ihn ermüden.

»Ich bin anderer Meinung«, sagte Eisen. »Im Gegenteil. Wie kann Kunst schaden?« Er begann, die klirrenden Stücke in den Beutel zurückzuverstauen.

Dann sagte Wallace zu jemand hinter Sammler: »Ja, er ist da.« Die Privatschwester war eingetreten.

»Wer ist da?«

»Du, Onkel. Das hier ist Mr. Sammler.«

»Verlangt Elya nach mir?«

»Sie werden am Telefon gewünscht. Sie sind Onkel Sammler?«

»Miß? Ich bin Arthur Sammler.«

»Eine Mrs. Arkin. Sie möchten bitte zu Hause anrufen.«

»Oh, Margot. Hat sie in Elyas Zimmer angerufen? Ich hoffe, sie hat ihn nicht aufgeweckt.«

»Der Anruf kam zur Etage, nicht ins Zimmer.«

»Danke. Ach ja, wo ist der Telefonautomat?«

»Brauchst du Münzen?« Sammler nahm zwei warme Münzen aus Wallaces Hand. Wallace hatte sein Geld in der Faust gehalten.

Margot bemühte sich redlich, mit fester Stimme zu sprechen.

»Onkel? Hör zu. Wo hast du Lals Manuskript gelassen?«

»Ich hab's auf dem Schreibtisch gelassen.«

»Bist du sicher?«

»Natürlich bin ich sicher. Auf meinem Schreibtisch.«

»Gibt's keinen anderen Platz, wo du's hingetan haben könntest? Ich weiß, du bist nicht zerstreut, aber die Anspannung ist übergroß.«

»Es ist nicht auf dem Tisch? Ist Dr. Lal bei dir?«

»Ich habe ihn ins Wohnzimmer gesetzt.«

Zwischen die Töpfe mit Erde. Was mußte dieser Lal denken?

»Und weiß er, daß es fort ist?«

»Ich konnte ihn nicht gut anlügen. Ich mußte's ihm sagen. Er wollte hier warten. Wir sind natürlich von der Butler Hall hergerast. Er war so ungeduldig.«

»Nun, Margot, wir müssen einen kühlen Kopf bewahren.«

»Er ist in solcher Verzweiflung. Wirklich, Onkel, niemand hat das Recht, einen anderen einer solchen Lage auszusetzen.«

»Entschuldige mich bei Dr. Lal. Ich bedaure es mehr, als ich ausdrücken kann ... Ich kann mir vorstellen, wie enttäuscht er ist. Aber, Margot, nur eine Person in der Welt kann das Heft fortgenommen haben. Du mußt den Fahrstuhlmann danach fragen. Ist Shula dagewesen?«

»Rodriguez läßt sie ein als Familienangehörige. Sie gehört zur Familie.«

Rodriguez hatte einen riesigen Schlüsselring, praktisch einen Reifen. Er holte ihn im Bedarfsfall von einem Nagel in der Steinmauer des Kellers.

»Wirklich, Shula ist zu dumm. Genug ist genug. Ich bin zu

nachsichtig mit ihr gewesen. Das ist gräßlich peinlich. Da ich der Vater der Irren bin, die diesen unseligen Inder in den Hinterhalt lockt. Hast du mit Rodriguez gesprochen?«

»Es war Shula.«

»Aha.«

»Dr. Lal hatte einen Bericht vom Detektiv, der sie heute mittag besucht hat. Ich glaube, der Mann hat sie bedroht.«

»Wie ich befürchtete.«

»Er sagte, das Manuskript müsse bis zehn Uhr morgen früh zurück sein, sonst käme er mit einem Gerichtsbefehl.«

»Zur Haussuchung? Verhaftung?«

»Ich weiß nicht. Dr. Lal auch nicht. Aber sie hat sich sehr aufgeregt. Sie sagte, sie würde zu ihrem Priester gehen. Sie würde zu Pater Robles gehen und sich bei der Kirche beschweren.«

»Margot, frag lieber mal bei dem Priester nach. Ein Haussuchungsbefehl in jener Wohnung? Sie hat sie seit zwölf Jahren mit Trödel angefüllt. Wenn die Polizisten die Mützen absetzen, finden sie sie nie wieder. Aber ich würde sagen, sie ist nach New Rochelle gefahren.«

»Glaubst du?«

»Wenn sie nicht bei Pater Robles ist, dann ist sie da.« Sammler kannte ihre Wege, kannte sie, wie der Eskimo die Wege des Seehunds kennt. Seine Atemlöcher. »Sie schützt mich jetzt, weil das gestohlene Gut in meinen Händen ist. Sie muß vom Detektiv furchtbar eingeschüchtert worden sein, armes Ding, und wartete dann, bis wir beide ausgegangen waren.« Spionierte an meiner Tür wie der schwarze Mann. Fühlte, daß sie von ihrem Vater nicht in seine ernstesten Sorgen einbezogen wurde. Entschlossen die höchste Priorität zurückzugewinnen. »Ich habe sie mit diesem H. G. Wells-Unsinn zu weit gehen lassen. Und jetzt ist jemand geschädigt.«

Dieser unglückliche Lal, der der Erde schon überdrüssig gewesen sein mußte, wenn er derartige Erwartungen an den Mond knüpfte.

Und teilweise hatte er recht, denn die Menschheit machte immer wieder dieselben Kapriolen. Der alte komische, betränte Kram. Emotionelle Beziehungen. Wünsche, die sich nicht sinnvoll erfüllen lassen. Immer und immer Versuche, die Brust von gewissen Schreien zu entlasten und entleeren, von gewissen Gluten. Welche positive Bilanz war möglich? War dieser leidenschaftliche Kampf vollkommen zwecklos? Er war auch der Energiehort edler Absichten. Bellen, Zischen, Affengeschnatter und Spucken. Aber es gab Zeiten, da die Liebe des Lebens großer Architekt zu sein schien. Oder nicht? Selbst die Dummheit konnte hin und wieder als goldener Hintergrund großer Taten ausgehämmert werden. Oder nicht? Aber gab es für diese Schwächen und diese hartnäckigen Krankheiten denn keine wirkliche Heilung? Manchmal kam Sammler die Idee der Heilung selbst schon zerstörerisch vor. Was wurde geheilt? Man konnte dies Durcheinander neu ordnen, man konnte es orchestrieren. Aber heilen? Unsinn. Man wandle Sünde in Krankheit um, ein Wechsel der Wörter (Feffer hatte recht), dann würden erleuchtete Ärzte die Krankheit ausmerzen. O ja! Also sind Philosophen, Männer der Wissenschaft, der hohen Intelligenz, die dies immer klarer begreifen, gezwungen, sich um die Scheidung von all diesen menschlichen Zuständen zu bemühen. Dann katapultieren sie nach auswärts, mondwärts, ihre fliegende gliederfüßige Metallware.

»Ich werde mit Wallace nach New Rochelle fahren«, sagte Sammler. »Sie ist bestimmt da. Um sicher zu gehen, wollen wir bei Pater Robles nachfragen. Wenn er weiß, wo sie ist ... Ich rufe wieder an.«

Weil Margot keine Amerikanerin war, fühlte er eine gewisse Solidarität mit ihr. Vor ihr brauchte er sein (ausländisches) Gefühl der Demütigung nicht zu verbergen. Und sie hatte Zartgefühl bewiesen, als sie daran dachte, nicht in Elyas Zimmer anzurufen.

»Was soll ich mit Dr. Lal anfangen?«

»Bitte ihn um Entschuldigung«, sagte er. »Beruhige ihn. Tröste ihn, Margot. Sag ihm, ich bin überzeugt, das Manuskript ist sicher. Erkläre ihm Shulas Respekt vor dem geschriebenen Wort. Und bitte ihn darum, die Detektive aus der Sache rauszuhalten.«

»Einen Augenblick. Er ist hier. Er möchte ein paar Worte sagen.«

Eine orientalische Stimme bereicherte den Draht.

»*Ist* das Mr. Sammler?«

»Ja.«

»Dr. Lal hier. Dies ist der zweite Raub. Ich kann nicht sehr viel mehr ertragen. Da Mrs. Arkin mich um Geduld ersucht hat, kann ich ein kleines bißchen länger an mich halten. Aber sehr wenig. Dann muß ich Ihre Tochter durch die Polizei festnehmen lassen.«

»Wenn es nur helfen würde, sie hinter Gitter zu bringen! Glauben Sie mir, ich bedaure das mehr, als ich es aussprechen kann. Aber ich bin fest davon überzeugt, daß das Manuskript sicher ist. Ich höre, Sie haben kein anderes Exemplar.«

»Drei Jahre Schaffenszeit.«

»Das ist schmerzlich. Ich hatte gehofft, es läge näher bei sechs Monaten. Aber ich kann erkennen, wieviel sorgfältige Vorbereitung es brauchen würde.« Normalerweise verschmähte Sammler die Schmeichelei, aber jetzt hatte er keine Wahl. Feuchtigkeit bildete sich an dem schwarzen Gerät an seinem Ohr, und auf der Wange war eine rote

Druckstelle. Er sagte: »Die Arbeit ist überaus geistreich.«
»Es freut mich, daß Sie das finden. Urteilen Sie, wie mich
das trifft.«
Ich kann es beurteilen. Jeder kann jeden packen und ihn
in den Wirbel reißen. Die Niedrigen können die Hohen
zum Tanzen zwingen. Die Weisen müssen sich mit den
springenden Narren drehen. »Versuchen Sie, Ihre Angst
zu bezähmen. Ich kann Ihr Manuskript wiederbeschaffen
und will es noch heute nacht tun. Ich gebrauche meine
Autorität nicht oft genug. Glauben Sie mir, ich kann meine
Tochter zügeln, und werde es tun.«
»Ich hatte gehofft, die Arbeit zur ersten Mondlandung zu
veröffentlichen«, sagte Lal. »Sie können sich ja denken,
wie viele schlechte Paperbacks erscheinen werden. Die die
Öffentlichkeit verwirren. Trügerisch.«
»Gewiß.« Sammler spürte, daß der wahrscheinlich tempe-
ramentvolle Inder gegen einen starken inneren Druck an-
kämpfte, sich jedoch immerhin anständig verhielt, indem
er der Gebrechlichkeit eines alten Mannes und der schwierigen Lage Rechnung trug. Er dachte: Der Bursche ist ein
Gentleman. Er neigte den Kopf innerhalb des schalldichten
Metallgehäuses, des gepünktelten und isolierenden Schlei-
erstoffs, und verstieg sich zu orientalischer Redewendung:
»Möge die Sonne Ihr Gesicht erleuchten. Sie noch viele Jahre aus der Menge (man stellte sich Hindus immer in Mengen vor, wie das makrelenwimmelnde Meer) herausheben.«
Sammler war entschlossen, daß Shula niemand schaden
sollte als ihm selber. Er mußte sich damit auseinanderset-
zen, aber sonst niemand.
»Ihre Anmerkungen zu meinem Essay werden mich interessieren.«
»Gewiß«, sagte Sammler. »Wir werden darüber ein langes
Gespräch führen. Bitte halten Sie sich weiter bereit. Ich

telefoniere, sobald ich etwas Neues weiß. Vielen Dank für Ihre Nachsicht mit mir.«

Beide Parteien legten auf.

»Wallace«, sagte Sammler, »ich glaube, ich fahre mit dir nach New Rochelle.«

»Wirklich? Hat Vater dann doch was über den Boden gesagt?«

»Es hat mit dem Boden nichts zu tun.«

»Warum dann? Ist es etwas mit Shula? Das muß es sein.«

»Ja, tatsächlich, Shula. Können wir bald fahren?«

»Emil steht draußen mit dem Rolls. Wir sollten ihn benutzen, solange wir noch können. Was führt Shula im Schilde? Sie hat mich angerufen.«

»Wann?«

»Vor nicht langer Zeit. Sie wollte etwas in Vaters Wandsafe tun. Ob ich die Zahlenkombination kenne? Natürlich durfte ich nicht ja sagen. Ich dürfte sie nicht kennen.«

»Von wo hat sie angerufen?«

»Ich habe nicht gefragt. Du hast sicher gesehen, wie Shula mit den Blumen im Garten flüstert«, sagte Wallace. Wallace hatte keine gute Beobachtungsgabe und interessierte sich wenig für das Verhalten anderer. Aber gerade deswegen bewertete er Dinge, die er bemerkte, sehr hoch. Was er wahrnahm, kostete er aus. Er war zu Shula stets gütig und warmherzig gewesen. »Welche Sprache spricht sie mit ihnen? Polnisch?«

Die Sprache der Schizophrenie, höchstwahrscheinlich.

»Ich habe ihr früher *Alice im Wunderland* vorgelesen. Von den sprechenden Blumen. Dem Garten lebendiger Blumen.«

Sammler öffnete die Tür zum Patienten und sah ihn im Bett sitzend, allein. Dr. Gruner mit seiner großen Brille studierte, oder versuchte es, einen Vertrag oder ein juristisches Schriftstück. Er sagte zuweilen, er hätte Anwalt werden sollen, nicht Arzt. Das Medizinstudium sei nicht seine Wahl gewesen, sondern die seiner Mutter. Aus freien Stücken hatte er wahrscheinlich wenig angefangen. Man denke nur an seine Frau.

»Komm herein, Onkel, und schließe die Tür. Sprechen wir unter Vätern. Ich möchte heute abend keine Kinder sehen.«

»Ich verstehe dieses Gefühl«, sagte Sammler. »Ich hab's oft gehabt.«

»Es ist jammerschade um Shula, armes Weib. Aber sie ist nur bekloppt. Meine ist eine schmierige Möse.«

»Eine andere Generation, eine andere Generation.«

»Und mein Sohn ist ein hochintelligenter Idiot.«

»Er fängt sich vielleicht noch, Elya.«

»Das glaubst du doch keinen Augenblick, Onkel. Was, ein Aufholen in der letzten Runde? Ich frage mich, woran ich so viele Jahre meines Lebens gewandt habe. Ich muß geglaubt haben, was mir Amerika erzählt hat. Ich habe fürs Beste bezahlt. Ich habe nie geahnt, daß ich nicht das Beste bekam.«

Hätte Elya in Erregung gesprochen, dann hätte Sammler versucht, ihn zu beruhigen. Er sprach jedoch sachlich und es klang durchaus ruhig. Mit der Brille sah er besonders weise aus. Wie der Vorsitzende eines Senatsausschusses, der ohne die Beherrschung zu verlieren, eine skandalöse Aussage mitanhört.

»Wo ist Angela?«

»Zur Damentoilette gegangen, um sich auszuweinen, nehme ich an. Wenn sie nicht einen Pfleger ablutscht oder Gruppensex treibt. Sobald sie außer Sicht ist, weiß man nie.«

»Ach, grauenhaft. Ihr solltet euch nicht zanken.«

»Nicht zanken. Einfach die Dinge klarer machen, sie aussprechen. Ich hatte geglaubt, Horricker würde sie heiraten, aber jetzt tut er's nicht mehr.«

»Ist das sicher?«

»Hat sie dir erzählt, was in Mexiko passiert ist?«

»Nicht im einzelnen.«

»Das ist auch ganz gut, daß du die Einzelheiten nicht kennst. Dein Witz hat den Nagel auf den Kopf getroffen, der über den Billardtisch in der Hölle, über was Grünes, wo's heiß ist.«

»Er war nicht auf Angela gemünzt.«

»Ich wußte natürlich, daß meine Tochter mit fünfundzwanzigtausend steuerfreien Dollar sich amüsierte. Das habe ich erwartet, und solange sie sich wie ein reifer und vernünftiger Mensch benahm, hatte ich nichts dagegen. Das ist alles theoretisch sehr schön. Man gebraucht die Wörter ›reif‹ und ›vernünftig‹, und sie befriedigen einen. Aber dann sieht man genauer hin und erblickt etwas anderes. Man sieht eine Frau, die es auf zu viele Arten mit zu vielen Männern getrieben hat. Inzwischen kennt sie vermutlich nicht mal den Namen des Mannes zwischen ihren Beinen. Und sie sieht aus ... ihre Augen ... sie hat gevögelte Augen.«

»Das tut mir leid.«

Etwas sehr Merkwürdiges in Elyas Gesicht. Die Tränen saßen irgendwo, aber die Würde ließ sie nicht zu. Vielleicht war es Strenge gegen sich selbst, nicht Würde. Aber sie kamen nicht heraus. Sie wurden umgeleitet, im System absorbiert. Sie wurden unterdrückt, in Töne verwandelt. Sie waren noch vorhanden in der Stimme, in der Farbe der Haut, in den Lichtern des Auges.

»Ich muß fort, Elya. Ich nehme Wallace mit. Ich bin morgen wieder da.«

5

Emil im Rolls-Royce mochte ein beneidenswertes Leben geführt haben. Die Silberlimousine war sein Ventil. Er hatte diese ganze Kraft zum Aufdrehen. Zudem stand er außerhalb der jämmerlichen krampfhaften Rivalität, Mißgunst, Feindschaft und Zankerei gewöhnlicher Fahrer minderer Wagen. Wenn er doppelparkte, wurde er nicht von der Polizei belästigt. Wenn er neben der großartigen Maschine stand, waren seine Hinterbacken, fällte man das Lot von den Livreebreeches, dem Boden näher als die der meisten Leute. Er schien auch einen ruhigen, ernsten Verstand zu haben, schwere Falten im Gesicht, einwärtsgekehrte Lippen, die niemals die Zähne sehen ließen, in der Mitte gescheiteltes Haar wie eine auf die Ohren herabfallende Kapuze, eine starke Savonarolanase. Der Rolls trug immer noch das Arztzeichen auf dem Nummernschild.

»Emil hat für Costello und Lucky Luciano gefahren«, sagte Wallace lächelnd.

Im Licht des gepolsterten grauen Wageninnern hatte Wallace Bartstoppeln. Die großen dunklen Augen in den weiten Höhlen wünschten höfliche Unterhaltung zu bieten. Wenn man bedachte, wie intensiv Wallace von Geschäftlichem, von Charakterproblemen, vom Tod ergriffen und gefesselt war, dann erkannte man, wie großzügig und schwierig das war – wieviel Überwindung, Aufschütteln und -rütteln, welche Anstrengung vonnöten war, ein freundliches Lächeln für den alten Onkel zu zaubern.

»Luciano? Elyas Freund? Ja. Prominenter Mafia. Angela hat ihn erwähnt.«

»Verbindungen aus langer Vergangenheit.«

Sie fuhren auf der Autobahn der Westseite, am Hudson entlang. Dort das Wasser – wie schön, unsauber, heimtückisch! und dort die Büsche und Bäume, Deckung für sexuelle Vergewaltigung, messerdrohende Räubereien, Überfälle und Mord. Auf dem Wasser lagen Brückenlicht und Mondlicht glatt, herrlich schimmernd. Und wenn wir von all dem aufbrächen und das menschliche Leben nach draußen trügen? Mr. Sammler war bereit zu glauben, daß es eine mäßigende Wirkung auf die Gattung haben konnte, die im Augenblick außergewöhnlich aufgestört war. Die Gewalttätigkeit könnte nachlassen, erhabene Ideen wieder Bedeutung gewinnen. Wenn wir einmal von tellurischen Bedingungen emanzipiert waren.

Im Rolls war eine hübsche Bar; sie hatte ein kleines Licht im spiegelbesetzten Schrank. Wallace bot dem alten Mann Alkohol oder ein Sodagetränk an, aber er wollte nichts. Den Regenschirm zwischen die hohen Knie gezwängt überlegte er einige Tatsachen. Reisen in den Weltraum wurden durch Zusammenarbeit von Spezialisten ermöglicht. Während auf Erden gefühlsselige Unwissenheit noch davon träumte, vereinzelt und »ganz« zu sein. »Ganz?« Was »ganz«? Eine kindische Vorstellung. Sie führte zu all dem Irrsinn, irren Religionen, LSD, Selbstmord, zum Verbrechen.

Er schloß die Augen. Atmete etwas Schlechtes aus seiner Seele und etwas Gutes ein. Nein, danke Wallace, keinen Whisky. Wallace goß sich selbst ein.

Wie konnten die unwissenden Nichtspezialisten von einer so großen Kraft beseelt sein, daß sie diesen technischen Wundern standhielten, die aus ihnen eine Art verständnisloser Kongowilder machten? Durch Visionen, durch archaische voralphabetische innere Reinheit, durch natürliche Kraft, edle Ganzheit? Die Kinder steckten Bibliotheken an. Zogen sich persische Hosen an und ließen die Bartkoteletten sprießen. Das war ihre symbolische Ganzheit. Eine Oligarchie von Technikern, Ingenieuren, den Männern, die die großen Maschinen betrieben, unendlich viel ausgeklügelter als dieses Automobil, würde kommen, um riesige mit zigeunerhaften, narkotisierten, blumengeschmückten »ganzen« Halbwüchsigen gefüllte Slums zu regieren. Er selbst war ein Fragment, sah Mr. Sammler ein. Und glücklich, das zu sein. Totalität überstieg seine Möglichkeiten so sehr wie die Konstruktion eines Rolls-Royce mit eigenen Händen, Teil um Teil. Also vielleicht, *vielleicht!* würden Kolonien auf dem Mond das hiesige Fiebern und Wuchern lindern, und die Leidenschaft fürs Grenzenlose *und* Ganze mehr materielle Beschwichtigung erfahren. Die von Terror trunkene Menschheit sich beruhigen, ernüchtern.

Von Terror trunken? Ja, und Fragmente (ein Fragment wie Mr. Sammler) wurden verstanden: Diese Erde war ein Grab: unser Leben wurde ihr von ihren Elementen ausgeliehen und mußte rückerstattet werden: es kam eine Zeit, da die Elemente sich nach der Erlösung von den komplizierten Lebensformen zu sehnen schienen, da jedes Element einer jeden Zelle sagte: »Genug!« Der Planet war unsere Mutter und unsere Begräbnisstätte. Kein Wunder, daß der menschliche Geist davon wegstrebte. Weg von diesem fortzeugenden Leib. Fort auch von dem großen Grab. Leidenschaft für das Unendliche, durch den Schrecken, den *timor mortis* verursacht, brauchte materielle Beschwichtigung. *Timor mortis conturbat me. Quid sum miser tunc dicturus?* Der Mond war heute nacht so groß, daß er das Auge von Wallace auf sich zog, der auf dem Rücksitz trank, in dem grenzenlosen Luxus von Polster und Teppich. Beine übergeschlagen, zurückgelehnt, deutete er an Emil vorbei mondwärts über die glatte Autobahn, nördlich der George Washington Bridge.

»Ist der Mond nicht großartig? Die schnurren um ihn herum«, sagte er.

»Wer?«

»Raumfahrzeuge. Module (Bauelemente).«

»O ja. Es steht in der Zeitung. Würdest du hinfahren?«

»Und ob ich würde! Augenblicklich!« sagte Wallace. »Raus – raus? Darauf kannst du wetten. Ich würde fliegen. Ich stehe sogar schon auf der Liste der PanAm.«

»Wessen?«

»Der Fluggesellschaft. Ich glaube, ich war der fünfhundertzwölfte, der sich für einen Platz hat vormerken lassen.«

»Buchen die schon für Mondausflüge?«

»O ja, gewiß. Hunderttausende von Menschen wollen mit. Auch zum Mars und zur Venus, mit Start vom Mond.«

»Wie höchst merkwürdig.«

»Was ist daran merkwürdig? Daß sie hinwollen? Das ist überhaupt nicht merkwürdig. Ich sage dir, die Fluggesellschaften kriegen bündelweise Bestellungen. Wie stehst du dazu, würdest du die Reise machen, Onkel?«

»Nein.«

»Vielleicht wegen deines Alters?«

»Kann sein Alter. Meine Reisetage sind vorüber.«

»Aber der Mond, Onkel! Natürlich könntest du's körperlich nicht leisten, aber ein Mann wie du? Ich kann nicht glauben, daß ein solcher Mann nicht wild darauf wäre.«

»Zum Mond? Ich will nicht mal nach Europa«, sagte Sammler. »Übrigens, wenn ich die Wahl hätte, würde ich den Meeresboden vorziehen. In Dr. Piccards Bathysphäre.

Ich scheine eher ein Tiefen- als ein Höhenmensch zu sein. Ich reiße mich persönlich nicht ums Unbegrenzbare. Der Ozean, so tief er auch ist, hat sein Oben und Unten, während es keine Himmelsdecke gibt. Ich glaube, ich bin ein Orientale, Wallace. Die Juden sind schließlich Orientalen. Mir genügt es, hier auf der Westseite zu sitzen und die prachtvollen faustischen Abflüge nach anderen Welten zu bewundern. Ich selbst brauche eine Decke, wenn auch eine hohe. Ja, ich liebe Decken, und die hohen mehr als die niedrigen. In der Literatur, glaube ich, gibt es Meisterwerke mit niedrigen Decken – zum Beispiel *Schuld und Sühne* – und Meisterwerke mit hohen Decken *Auf der Suche nach der verlorenen Zeit.*«

Klaustrophobie? Tod ist Haft.

Wallace, der zu lächeln fortfuhr, war leise, aber entschieden anderer Meinung; dennoch zeigte er ein kluges Interesse für Onkel Sammlers Ansichten. »Gewiß«, sagte er, »die Welt sieht für dich anders aus. Buchstäblich. Wegen der Augen. Wie gut kannst du sehen?«

»Nur teilweise. Du hast recht.«

»Und doch hast du diesen Neger und sein Ding beschrieben.«

»Ah, Feffer hat dir davon erzählt. Dein Partner. Ich hätte wissen sollen, daß er's eiligst weitererzählt. Ich hoffe, er will nicht im Ernst Fotos im Bus aufnehmen.«

»Er glaubt, es mit der Minox zu schaffen. Er ist ein bißchen verdreht. Wenn einer jung ist und voller Begeisterung, dann sagt man wohl: ›All diese Jugend und Begeisterung‹, aber wenn er älter wird, sagt man nur über das gleiche Verhalten: ›Welch ein Irrer.‹ Er war über dein Erlebnis sehr erregt. Was hat der Mann wirklich getan, Onkel? Er hat sich entblößt. Hat er die Hose runtergelassen?«

»Nein.«

»Er hat sie geöffnet. Und dann seinen Pimmel rausgenommen. Wie war er? Ich frage mich ... Ist es ihm eingefallen, daß dein Augenlicht zum Sehen nicht gut genug war?«

»Ich weiß nicht, was ihm eingefallen ist. Er hat's nicht gesagt.«

»Ja, dann erzähle mir von seinem Ding. Es war nicht richtig schwarz, oder? Es muß eine violette Schokoladenart sein oder vielleicht die Farbe seiner Handflächen?«

Wallaces wissenschaftliche Objektivität!

»Ich möchte wirklich nicht darüber reden.«

»Ach Onkel, nimm an, ich wäre ein Zoologe, der nie einen lebendigen Leviathan gesehen hat, aber du kenntest Moby Dick vom Walfänger her. War es sechzehn, achtzehn Zoll?«

»Ich könnte es nicht sagen.«

»Würdest du meinen, er wog zwei Pfund, drei Pfund, vier?«

»Ich habe keine Möglichkeit zu schätzen. Und du bist kein Zoologe. Du bist erst in dieser Minute einer geworden.«

»Unbeschnitten?«

»Das war mein Eindruck.«

»Ob Frauen diese Art wirklich vorziehen?«

»Ich vermute, sie haben andere, zusätzliche Interessen.«

»Das behaupten sie. Aber weißt du, du kannst ihnen nicht trauen. Sie sind Tiere, findest du nicht?«

»Zeitweise gibt es tierische Akzente.«

»Ich lasse mich von der sanft-zierlichen Damenmasche nicht täuschen. Frauen sind lüstern. Sie sind schmieriger als Männer, meiner Meinung nach. Bei aller Achtung vor deiner Erfahrung und Lebenskenntnis, Onkel Sammler, dies ist ein Gebiet, wo ich nicht geneigt wäre, deinem Wort zu trauen. Angela hat immer gesagt, wenn ein Mann einen dicken Schwanz – entschuldige, Onkel.«

»Angela ist vielleicht ein besonderer Fall.«

»Du glaubst eher, sie fällt aus dem Rahmen. Wenn Sie's aber nicht tut?«

»Ich möchte das Thema lieber fallenlassen, Wallace.«

»Nein, es ist wahrhaftig zu interessant. Und dies ist reine Sachlichkeit, kein schweinisches Gespräch. Nun gibt Angela eine gute Zensur für Wharton Horricker. Er ist scheint's ein langer kräftiger Kerl. Sie sagt jedoch, daß er zu viel trainiert, er ist zu muskulös. Es ist schwer, zarte Gefühle von einem Mann zu erlangen, der solche Stahltrossenarme hat und eine schwere gewichthebende Brustmuskulatur. Ein eiserner Mann. Sie sagt, das steht dem Fluß zarter Gefühle im Wege.«

»Ich hatte darüber nicht nachgedacht.«

»Was weiß sie von zarten Gefühlen? Bloß ein Mann zwischen ihren Beinen – Jedermann ist ihr Liebhaber. Nein, Irgendwer. Man sagt, daß Burschen, die sich hochwuchten – ›ich war ein Schwächling von neunzig Pfund‹ –, daß solche Burschen narzißtische Schwule sind. Ich verurteile niemand. Wenn sie schon Homosexuelle sind? Das bedeutet gar nichts mehr. Ich glaube nicht, daß Homosexualität einfach eine andere Art des Menschseins ist, ich halte es tatsächlich für eine Krankheit. Ich weiß nicht, warum Homosexuelle so viel Aufhebens machen und sich für so normal ausgeben. So sehr als Gentlemen. Natürlich können sie auf *uns* weisen – und wir sind auch nicht so großartig. Ich glaube, diese Hochkonjunktur an Schwulen ist durch die moderne Kriegsführung geschaffen worden. Ein Resultat von 1914, der Schlächterei in den Schützengräben. Die Männer wurden vernichtet. Es war sichtlich gesünder, eine Frau zu sein als ein Mann. Es war besser, ein Kind zu sein. Am besten ist es, Künstler zu sein und Kind, Frau oder Derwisch in sich zu vereinen. Meine ich Derwisch? Einen Schamanen? Ein Nekromant ist wahrscheinlich, was ich sagen will. Plus Millionär. So mancher Millionär will Künstler sein oder Kind, Frau oder Nekromant. Wovon habe ich gesprochen? Ah ja, Horricker. Ich wollte sagen, daß er trotz dieser Körperkultur und dieser Gewichtheberei nicht pervers war. Aber daß er ein phantastisches Image von männlicher Kraft besaß. Ein Mensch, der ein entschlossenes Selbsttraining durchführte. Angelas Aufgabe schien gewesen zu sein, ihn ein paar Sprossen runterzuholen. Sie ist heute seinetwegen weinerlich, aber sie ist eine Sau, und morgen ist er vergessen. Ich finde meine Schwester schweinisch. Wenn er zu viel Muskeln hat, hat sie zu viel Fett. Wenn nun die feisten Brüste dem Fluß zärtlicher Gefühle im Wege sind? Was hast du gerade gesagt?«

»Kein Wort.«

»Manchmal nachts, als letztes vorm Einschlafen, durchlaufe ich eine ganze Liste von Leuten und nenne sie alle Schwein. Ich finde das eine wunderbare Therapie. Ich kläre mir den Geist für die Nacht. Wenn du im Zimmer wärest, hörtest du mich nur sagen ›Schwein, Schwein, Schwein‹. Nicht die Namen. Jeder Name ist im Kopf. Meinst du nicht auch, daß sie Horricker bis morgen vergißt?«

»Durchaus möglich. Aber ich bin überzeugt, daß sie nicht allzu verloren ist.«

»Sie ist ein Typ von Weibsenergie, die *femme fatale*. Jeder Mythos hat seine natürlichen Feinde. Der Feind des Mythos vom herrlichen Mann ist die *femme fatale*. Zwischen diesen Schenkel wird der Eigenbegriff des Mannes einfach gemordet. Wenn er sich für so besonders hält, dann wird sie's ihm schon zeigen. Niemand ist so besonders. Angela verkörpert den Realismus der Rasse, der immer darauf hinweist, daß Weisheit, Schönheit, Ruhm, Mut bei den Männern leerer Schein sind, und ihr Geschäft ist es, die Legende der Männer über sich selbst kaputtzuschlagen.

Deshalb ist es zwischen ihr und Horricker zu Ende, deshalb ließ sie sich von diesem Knilch in Mexiko vor Whartons Augen vorn und hinten stoßen, wobei wer weiß wer sonst noch von ihr gratis rangelassen wurde. Im Geist der Teilhabe.«

»Ich wußte nicht, daß Horricker so ein anspruchsvolles Bild von sich hatte.«

»Kommen wir zurück zu der anderen Sache. Was hat der Mann sonst noch getan? Hat er das Ding nach dir geschüttelt?«

»Nicht im geringsten. Aber das Thema wird unerfreulich. Er hat mich davor gewarnt, den armen alten Mann, den er bestohlen hat, zu verteidigen. Die Polizei zu benachrichtigen. Ich hatte schon versucht, sie zu benachrichtigen.«

»Du hast selbstverständlich Mitleid mit den Leuten, die er bestiehlt.«

»Es ist häßlich. Nicht daß ich so weichherzig wäre.«

»Du hast wahrscheinlich zu viel gesehen. Bist du nicht aufgefordert worden, beim Eichmann-Prozeß auszusagen?«

»Man hat bei mir angefragt. Ich habe mich dem nicht gewachsen gefühlt.«

»Du hast doch den Artikel über den verrückten Burschen in Lodz geschrieben – König Rumkowski.«

»Ja.«

»Ich finde oft, das Geschlechtsteil eines Mannes ist eindrucksvoll. Das einer Frau auch. Ich meine, sie sind immer im Begriff, etwas zu sagen, durch diesen Bart.«

Sammler antwortete nicht. Wallace schlürfte seinen Whisky, wie ein Junge Coca-Cola schlürfen würde.

»Natürlich«, sagte Wallace, »sprechen die Schwarzen eine andere Sprache. Ein Kind hat um sein Leben gefleht –«

»Was für ein Kind?«

»In der Zeitung. Ein Kind, das von einer schwarzen Bande Vierzehnjähriger umzingelt war. Es bat sie, nicht zu schießen, aber sie haben einfach seine Worte nicht verstanden. Buchstäblich nicht dieselbe Sprache. Nicht dieselben Empfindungen. Kein Verstehen. Keine gemeinsamen Begriffe. Außer Reichweite.«

Ich bin auch angefleht worden. Sammler sagte das jedoch nicht.

»Das Kind ist gestorben?«

»Das Kind? Nach ein paar Tagen ist es an der Verletzung gestorben. Aber die Jungen haben nicht einmal gewußt, was es sagte.«

»Es gibt eine Szene in *Krieg und Frieden*, an die ich manchmal denken muß«, sagte Sammler. »Der französische Marschall Davoust, der sehr grausam war, der soviel ich weiß, Männern den Bart mit der Wurzel ausgerissen haben soll, schickte Menschen in Moskau zum Hinrichtungskommando, aber als Pierre Besuchow vor ihn trat, sahen sie einander in die Augen. Ein menschlicher Blick wurde getauscht, und Pierre wurde verschont. Tolstoj sagt, man tötet keinen Menschen, mit dem man solch einen Blick gewechselt hat.«

»Oh, das ist großartig. Was meinst du dazu?«

»Ich sympathisiere mit einem solchen Trachten nach einem solchen Glauben.«

»Du sympathisierst bloß.«

»Nein, ich sympathisiere zutiefst. Ich sympathisiere traurig. Wenn geniale Menschen über die Menschheit nachdenken, dann sind sie fast gezwungen, an diese Form psychischer Einheit zu glauben. Ich wünschte, es wäre so.«

»Weil sie sich weigern, sich völlig für Ausnahmen zu halten. Ich verstehe das. Aber meinst du nicht, dieser Blickwechsel funktioniert? Kommt das nicht vor?«

»Oh, wahrscheinlich kommt es hin und wieder mal vor. Pierre Besuchow hatte regelrecht Glück. Natürlich war er eine Figur in einem Buch. Und natürlich ist das Leben eine Sache des Glücks für das Individuum. Ganz wie in Büchern. Aber Pierre war ausnahmsweise glücklich dran, daß er das Auge des Henkers traf. Ich hab's nie funktionieren sehen. Es ist etwas, das das Beten lohnt. Und es beruht auf etwas. Es ist keine beliebige Idee. Es beruht auf dem Glauben, daß dieselbe Wahrheit im Herzen jedes menschlichen Wesens existiert, oder ein Spritzer von Gottes eigenem Geist, und daß dies das köstlichste ist, was wir miteinander teilen. Und bis zu einem gewissen Punkt würde ich das gutheißen. Aber wenn's auch keine beliebige Idee ist, würde ich doch nicht darauf bauen.«

»Man sagt, du warst schon einmal im Grabe.«

»Sagt man das? Wie war es?«

»Wie das war? Wir sollten das Thema wechseln. Wir sind schon auf der Cross County Autobahn. Emil ist sehr schnell.«

»Kein Verkehr in dieser späten Stunde. Mir ist einmal das Leben gerettet worden. Das war vor New Rochelle. Ich habe die Schule geschwänzt und strich im Park umher. Die Lagune war zugefroren, aber ich bin durchs Eis gebrochen. Da war eine Art japanische Brücke, und ich bin an den Streben darunter geklettert und abgestürzt. Es war Dezember, und das Eis war grau. Der Schnee war weiß. Das Wasser war schwarz. Ich hielt mich am Eis fest, von Sinnen vor Angst, und meine Seele fühlte sich an wie eine kleine Murmel, die fortrollte, immer weiter fort. Ein größerer Junge kam und rettete mich. Er schwänzte auch, und er kroch mit einem Ast auf das Eis. Den ergriff ich, und er zog mich raus. Dann gingen wir auf die Männertoilette im Bootshaus, und ich zog mich aus. Er rieb mich mit seinem Schafpelzmantel. Ich legte meine Kleider auf den Heizkörper, aber sie wollten nicht trocknen. Er sagte: ›Mensch,

Junge, du wirst vielleicht was kriegen.‹ Meine liebe Mutter hat furchtbaren Lärm geschlagen. Sie hat mir die Ohren langgezogen, weil meine Sachen naß waren.«

»Sehr gut. Sie hätte es öfter tun sollen.«

»Weißt du was? Ich glaube auch. Du hast recht. Die Erinnerung ist kostbar. Sie ist viel lebhafter als Schokoladentorte und viel gehaltvoller. Aber, Onkel Sammler, als ich am nächsten Tag in der Schule den Jungen sah, entschloß ich mich, ihm mein Taschengeld zu geben, das zehn Cents betrug.«

»Er hat's genommen?«

»Na, und wie.«

»Ich mag solche Geschichten. Was hat er gesagt?«

»Kein Wort. Er hat nur mit dem Kopf genickt und das Geld genommen. Er steckte es in die Tasche und ging zurück zu seinen größeren Kameraden. Er hat vermutlich gefühlt, daß er's auf dem Eis verdient hat. Es war die ihm zukommende Belohnung.«

»Ich sehe, du hast diese Erinnerungen.«

»Ich brauche sie. Jeder braucht seine Erinnerungen. Sie vertreiben das Gespenst der Bedeutungslosigkeit.«

Und all dies wird fortdauern. Es wird einfach fortdauern. Weitere sechs Milliarden Jahre, bis die Sonne birst. Sechs Milliarden Jahre menschlichen Lebens! Es lähmt einem das Herz, eine solche Zahl zu bedenken. Sechs Milliarden Jahre. Was wird aus uns werden? Aus den anderen Lebewesen, ja, und aus uns? Wie sollen wir's je schaffen? Und wenn wir die Erde zurücklassen müssen und dieses Sonnensystem mit einem anderen vertauschen, was wird das für ein Umzugstag sein. Aber bis dahin wird sich das Menschengeschlecht schon sehr verändert haben. Die Evolution geht weiter. Olaf Stapledon hat berechnet, daß in künftigen Zeitaltern jeder Mensch Tausende von Jahren leben wird. Der künftige Mensch, eine riesige Gestalt, eine schöne grüne Farbe, mit einer Hand, die sich zu einem Satz erstaunlicher Instrumente entwickelt hat, Werkzeuge stark und fein, Daumen und Zeigefinger imstande, einen Druck von Tausenden von Pfund auszuüben. Jeder Geist gehörte dann zu einem wunderbaren analytischen Kollektiv und schüfe sich seine Mathematik, seine Physik als Teil eines erhabenen Ganzen. Eine Rasse halb unsterblicher Riesen, unsere grünen Nachkommen, liebe Sippschaft und Brüder, die unumgänglich noch einige unserer bitteren Eigenarten sowie die Macht des Geistes besäßen. Die wissenschaftliche Revolution war erst dreihundert Jahre alt. Gib ihr noch eine Million, gib ihr noch eine Milliarde mehr. Und Gott? Immer noch verborgen, selbst vor dieser machtvollen geistigen Bruderschaft, immer noch außer Reichweite?

Inzwischen war der Rolls auf den Seitenstraßen. Man konnte die neuen Frühlingsblätter entlangstreichen und rascheln hören, wenn das Silberauto vorbeifuhr. Nach vielen Jahren kannte Sammler immer noch nicht den Weg zu Elyas Haus im Vorstadtgehölz, die kleinen Straßen waren so gewunden. Aber hier war das Gebäude, Fachwerk im Tudorstil, wo der achtbare Chirurg und seine häusliche Frau zwei Kinder aufgezogen und Badminton auf diesem schönen Gras gespielt hatten. Im Jahre 1947 als Flüchtling war Sammler erstaunt gewesen über ihre Verspieltheit – Erwachsene mit Schlägern und Federball. Der Rasen war jetzt vom Mond beschienen, der Sammler glattrasiert vorkam; der Kies, fein, weiß und klein gab einen angenehm knirschenden Laut unter den Reifen. Die Ulmen waren dick, alt – älter als die addierten Jahre der Gruners. Tieraugen erschienen im Scheinwerferlicht, oder geschliffene Reflektoren an den Wegrändern blinkten: Maus, Maulwurf, Murmeltier, Katze oder Glasstückchen, die aus

Gras oder Gebüsch lugten. Kein Fenster war erleuchtet. Emil blendete vor der Tür auf. Als Wallace hinaushastete, verschüttete er den Whisky auf den Teppich. Sammler tastete nach dem Glas und gab es dem Chauffeur mit der Erklärung: »Das ist runtergefallen.« Dann folgte er Wallace über den knirschenden Kies.

Sobald Sammler das Haus betrat, fuhr Emil rückwärts zur Garage. Danach war nur noch Mondlicht in den Zimmern. Ein Haus falsch verstandener Zwecke, wie es Sammler immer geschienen hatte, wo nichts funktionierte außer den technischen Installationen. Aber Gruner hatte es immer gewissenhaft instand gehalten, vor allem seit dem Tod seiner Frau, im Geist des Gedenkens. Wie Margot für Ussher Arkin. Das war frischer Kies in der Auffahrt. Sobald der Winter endete, ließ Gruner ihn aufschütten. Der Mond spülte die Vorhänge und schäumte wie Superoxyd auf der Oberfläche der weißen schweren Teppiche.

»Wallace?« Sammler glaubte, ihn unten im Keller zu hören. Wenn er die Lichter nicht anmachte, dann wollte er nicht, daß Sammler wußte, wo er hinging. Der arme Bursche war gestört. Mr. Sammler, der vom Leben, vom Geschick, von was man will, gezwungen war, unbeteiligt zu bleiben und, so gut er konnte, im Großen zu denken, wollte sich nicht dazu herablassen, Wallace in seines Vaters Haus zu kontrollieren, ihn zu hindern, Geld auszugraben – echte oder eingebildete kriminelle Abtreibungsdollar.

Als Sammler die Küche inspizierte, fand er kein Zeichen, daß jemand in letzter Zeit da gewesen war. Die Schränke waren geschlossen, das Edelstahlbecken und die Tische trocken. Wie beim perfekten Alibi. Tassen an den Haken, keine fehlte. Aber auf dem Boden des Mülleimers, der mit einer braunen Papiertüte ausgeschlagen war, lag eine leere Thunfischbüchse, wassergepackt, Marke Geisha, mit frischem Fischgeruch. Sammler hielt sie an die Nase. Aha! Hatte jemand geluncht? Vielleicht Emil der Chauffeur? Oder Wallace selbst, direkt aus der Büchse ohne Essig oder Majonnaise? Wallace hätte Krümel auf dem Tisch hinterlassen, und die schmutzige Gabel, unordentliche Anzeichen des Essens. Sammler tat den aufgeschnittenen Blechkreis zurück, ließ den Fußhebel des Eimers fahren und ging ins Wohnzimmer. Dort befühlte er den Kettenpanzer des Kamingitters, denn Shula liebte ein Feuer. Er war kühl. Aber der Abend war warm. Das bewies gar nichts.

Darauf ging er weiter zum oberen Stockwerk und erinnerte sich, wie er und sie in London Versteck gespielt hatten, vor fünfunddreißig Jahren. Er hatte es gut gemacht, da er laut mit sich selbst sprach: »Ist Shula in diesem Besenschrank? Ich will doch mal sehen. Wo kann sie nur sein? Sie ist nicht im Besenschrank. Wie verwunderlich! Ist sie unter dem Bett? Nein. Himmel, was für ein kluges Mädchen. Wie gut sie sich versteckt. Sie ist einfach verschwunden.« Während das Kind, fünfjährig, vom Spielfieber geschüttelt, kreideweiß hinter dem Kohlenkasten aus Messing hockte, wo er vorgab, sie nicht zu sehen, das Gesäß dicht am Boden, der große krause Kopf mit der kleinen roten Schleife – ein ganzes Leben da. Melancholie. Auch wenn kein Krieg gekommen wäre.

Jedoch Diebstahl! Das war ernst. Und Diebstahl geistigen Eigentums – noch schlimmer. Und im Dunkel gab er ein wenig der Altersschwäche nach. Zu alt dafür. Er mühte sich am Geländer hoch, in dem ermüdenden Luxus des Teppichs. Er gehörte ins Krankenhaus. Ein alter Verwandter im Warteraum. Viel richtiger. Im oberen Stock die Schlafzimmer. Er bewegte sich vorsichtig im Dunkeln. In der abgestandenen Luft lag ein alter Geruch von Seife und Eau de Cologne. Niemand hatte in letzter Zeit gelüftet.

Das Geräusch von Wasser erreichte ihn, eine leise Bewegung in einer vollen Wanne. Ein Suhlen. Seine Hand faßte hinein, Handgelenk gebeugt, und glitt über die Fliesenwand, bis sie den elektrischen Schalter fand. Im Licht sah er Shula, die versuchte, ihre Brüste mit einem Waschlappen zu bedecken. Die Riesenwanne war von ihrem Körper nur halb eingenommen. Er sah die Sohlen ihrer weißen Füße, das schwarze weibliche Dreieck und die weißen Schwellungen mit großen Ringen von violettem Braun. Die Adern. Ja, ja, sie gehörte zum Verein. Dem Geschlechterverein. Dies war eine Frau. Das war ein Mann. Welchen Unterschied machte das schon?

»Vater, mach bitte das Licht aus.«

»Unsinn. Ich warte im Schlafzimmer. Wirf dir was über. Beeile dich.«

Er saß in Angelas altem Zimmer. Als sie noch jung war. Oder gerade Dirne lernte. Nun ja, die Menschen zogen in den Krieg. Sie nahmen die Waffen, die sie hatten, und begaben sich an die Front.

Sammler saß in einem pfirsichfarbenen kretonnebezogenen Boudoirstuhl. Da er im Badezimmer keine Regung hörte, rief er: »Ich warte«, und sie erhob sich aus dem Wasser. Er hörte ihre Füße, stämmig, eilig. Beim Gehen berührte sie immer Sachen mit dem Körper. Es war niemals bloßes Gehen. Sie berührte Dinge und beanspruchte sie. Als Eigentum. Dann trat sie schnellfüßig herein, in einen wollenen Männerschlafrock gehüllt, ein Handtuch auf dem Kopf, und sie schien außer Atem, entsetzt, von ihrem Vater in der Wanne gefunden zu werden.

»Nun, wo ist es?«

»Vati!«

»Nein. Ich bin's, der schockiert ist, nicht du. Wo ist das Dokument, das du zweimal gestohlen hast.«

»Das war kein Stehlen.«

»Andere Leute mögen neue Regeln aufstellen, wie es ihnen paßt, aber ich nicht, und du wirst mich nicht in diese Lage bringen. Ich war im Begriff, das Manuskript an Dr. Lal zurückzugeben, und es ist von meinem Schreibtisch genommen worden. Genau wie es aus seinen Händen genommen wurde. Die gleiche Methode.«

»So darf man das nicht betrachten. Aber reg dich nicht zu sehr auf.«

»Nach all dem, schütze nicht mein Herz vor oder deute an, daß ich ein alter Mann bin, der von Schlag gerührt tot umfallen könnte. Das wird dir überhaupt nichts helfen. Nun, wo ist der Gegenstand?«

»Er ist absolut in Sicherheit.« Sie begann, polnisch zu sprechen. Streng versagte er ihr die Erlaubnis, diese Sprache zu gebrauchen. Sie versuchte, die schreckliche Zeit ihres Untertauchens heraufzubeschwören – das Kloster, das Krankenhaus, die Quarantänestation, als das deutsche Suchkommando kam.

»Laß das. Antworte auf englisch. Hast du's hergebracht?«

»Ich habe eine Kopie anfertigen lassen. Vati, ich bin in Mr. Widicks Büro gegangen . . .«

Sammler hielt an sich. Da er ihr nicht erlauben wollte, polnisch zu sprechen, flüchtete sie sich in etwas anderes, in die Kindlichkeit. Mit der weichen Bewegung des kleinen Mädchens senkte sie das reife, durchaus schon angejahrte Gesicht. Sie begegnete jetzt seinem Blick von der Seite, mit nur einem aufgerissenen kindlichen Auge, wobei ihr Kinn schüchtern, schlau auf den wollenen Schlafrock sank.

»Ja. Und was hast du in Mr. Widicks Büro gemacht?«

»Er hat eine von diesen Vervielfältigungsmaschinen. Ich habe sie für Elya benutzt. Und Mr. Widick kommt nie nach Hause. Er muß sein Zuhause hassen. Er ist immer im Büro, also habe ich angerufen und gebeten, die Maschine benutzen zu dürfen, und er hat gesagt: ›Gewiß!‹ Ich habe das Ganze gexeroxt.«

»Für mich?«

»Oder für Dr. Lal.«

»Du dachtest, ich wollte vielleicht das Original?«

»Wenn es dir angenehmer ist.«

»Und was hast du mit diesen Manuskripten angefangen?«

»Ich habe sie in zwei Schließfächern der Grand Central Station eingeschlossen.«

»In der Grand Central? Mein Gott. Du hast die Schlüssel, oder hast du die Schlüssel verloren?«

»Ich habe sie, Vater.«

»Wo sind sie?«

Shula war auf ihn vorbereitet. Sie brachte zwei frankierte und verschlossene Umschläge zum Vorschein. Einer war an ihn adressiert, der andere an Dr. Govinda Lal in Butler Hall.

»Du wolltest sie mit der Post schicken? Das Schließfach gilt nur für vierundzwanzig Stunden. Es kann eine Woche dauern, bis die ankommen. Dann was? Und hast du dir die Nummern der Fächer aufgeschrieben? Nein. Wie weiß man dann, wo sie waren, wenn die Briefe verlorengehen? Du müßtest einen Antrag stellen und Eigentum, Urheberrecht nachweisen. Genug, um einen Menschen um den Verstand zu bringen.«

»Schimpf nicht so sehr. Ich habe alles für dich getan. Du hattest gestohlenes Gut in deinem Haus. Der Detektiv hat gesagt, es sei gestohlenes Gut und jeder, der es hätte, sei ein Hehler.«

»Tu mir von nun an keine solchen Gefallen mehr. Man kann darüber nicht einmal mit dir reden. Du scheinst keinen Begriff von der Lage zu haben.«

»Ich habe es dir gebracht, um dir meinen Glauben an das Erinnerungsbuch zu beweisen. Ich wollte dich daran erinnern, wie wichtig es ist. Manchmal vergißt du das selber. Als wäre H. G. Wells nichts Besonderes. Nun, vielleicht nicht für dich, aber für eine große Anzahl von Menschen ist H. G. Wells noch wichtig und sehr, sehr besonders. Ich habe gewartet, daß du's beendest und in den Zeitungen besprochen wirst. Ich wollte das Bild meines Vaters in den Buchläden sehen statt all der törichten Gesichter und unwichtigen dummen Bücher.«

Die schmutzigen Mietschlüssel in den Umschlägen. Mr. Sammler betrachtete sie. Shula war nicht nur irritierend und belästigend, sondern auch von trauriger Komik. Wenn die Schließfächer die Manuskripte enthielten und nicht Papierbündel in Aktendeckeln. Nein, das glaubte er nicht. Sie war nur ein bißchen verrückt. Sein armes Kind. Ein von ihm erzeugtes Wesen und in eine form- und grenzenlose Welt verschlagen. Wie war sie so geworden? Vielleicht wird das innere, das intime, das liebe Leben – das, was man von den frühesten Tagen selbst ist – oft sinnverrückt, wenn es zuerst vom Tod erfährt. Hier müssen magische Kräfte helfen, mildern, trösten, und für eine Frau sind diese wundersamen Kräfte oft die eines Mannes. Wie beim Tod des Antonius Kleopatra rief, sie werde nicht in einer »schalen Welt« aushalten, »die ohne dich / Nicht mehr ist als ein Viehstall«. Er erinnerte sich jetzt an das Ende, das auf diese Nacht paßte. »Nichts Achtungswertes bietet mehr sich dar / Unter dem spähenden Mond.«

Und er sollte das Achtungswerte sein, er, der auf diesem glänzenden Überzug saß und unter sich die Öde seiner Pfirsichfarbe und seiner fetten roten Blumen fühlte. Ein solcher Gegenstand, der bestimmt war, die Seele zu bedrücken und zu betrüben, war eben jetzt darin erfolgreich.

Er war angreifbar geblieben, Kleinigkeiten gegenüber verletzlich. Aber Mr. Sammler empfing zugleich auch noch Ureinsichten. Und die unmittelbare Grundeinsicht war, daß sie, diese Frau, die sexuellen weiblichen Formen deutlich in der engen Hülle des wollnen Rocks (besonders unter der Taille, wo ein Ding saß, das den Liebhaber stöhnen machte) – daß diese reife Frau jetzt ihren Vati nicht auffordern sollte, sublunare Themen als groß hinzustellen. Zunächst einmal hat *er* nie die Welt wie ein Koloß beschritten und Armeen, Flotten und Kronen aus seinen Taschen fallen lassen. Er war nur ein alter Jude, auf den sie losgehackt, geschossen, den sie aber irgendwie nicht zu Fall gebracht hatten, während sie alle anderen mit ihren Schüssen töteten. In ihrer charakteristischen Umwandlung: ein Volk in Uniform verkleidet, mit Militärstoff und Helmen maskiert und mit einer Maschinerie kommend, die dazu diente, Jungen, Mädchen, Männer, Frauen zu morden, Blut fließen zu lassen, zu begraben und schließlich verweste Leichen wieder auszugraben und zu verbrennen. Der Mensch ist ein Totschläger. Der Mensch hat eine moralische Natur. Die Anomalität kann nur durch Irrsinn aufgehoben werden, durch irrsinnige Träume, in denen Delusionen des Bewußtseins durch Organisation aufrechterhalten werden; im Zustand wahnsinniger Verlorenheit klammern sie sich an Formen der Geschäftsverwaltung. Machen es zur »Regierungsaufgabe«. All das! Aber in dieser Welt mußte er, ausgerechnet *er*, du lieber Gott! seiner geistig verwirrten und schwankenden Tochter hohe Ziele beibringen. Dabei war er natürlich in Shulas Augen zu gebrechlich für das irdische Leben geworden, zu sehr befangen in nicht-gemeinsamen Universalprojekten, die sie ausschlossen. Und durch Extravaganz, durch animalische Schauspielerstückchen, durch das Klauen von Dokumenten, durch bekloppetes Hantieren

mit Einkaufstaschen, Mülltonnenneurosen, exotische Sod-
brennkochkünste wünschte sie ihn zu umgarnen und zu-
rückzubringen, ihn zu binden und in der Welt neben sich zu
halten. Was für eine Welt! Was für ein »sich«! Ihr Aufstieg
wäre ein gemeinsamer Aufstieg. Sie würde ihm den Rücken
stärken, und er würde große Dinge in der kulturellen Welt
erreichen. Denn sie war *kulturnaja*. Shula war so *kultur-*
naja. Nichts war angebrachter als dieses philiströse russische
Wort. *Kulturnij*. Sie mochte auf den Knien rutschen und
wie ein Christus beten, sie mochte ihrem Vater diesen
Streich spielen, sie mochte in dunkle Beichtstühle kriechen,
sie mochte zu Pater Robles laufen und christlichen Schutz
gegen seinen jüdischen Zorn anrufen, aber in ihrer bestrampelten Hingabe an die Kultur war sie so jüdisch wie
sie nur sein konnte.

»Sehr schön, mein Bild in Buchläden. Eine hübsche Idee.
Hervorragend. Aber stehlen . . .?«

»Es war nicht direkt stehlen.«

»Nun welches Wort schlägst du vor, und was ist der Unterschied? Wie der alte Witz: Was weiß ich zusätzlich von
einem Pferd, wenn ich weiß, daß es auf lateinisch *equus*
heißt?«

»Aber ich bin kein Dieb.«

»Meinetwegen, in deinem Kopf bist du kein Dieb. Nur in
Wirklichkeit.«

»Ich dachte, wenn es dir wirklich, wirklich ernst mit H. G.
Wells wäre, dann würdest du wissen müssen, ob er richtig
über den Mond geweissagt hat oder über den Mars, und
daß du jeden Preis bezahlen würdest, um die letzte, aktu-
ellste wissenschaftliche Information zu haben. Eine schöpferische Person würde vor nichts haltmachen. Für den
schöpferischen Menschen gibt es kein Verbrechen. Und bist
du kein schöpferischer Mensch?«

Es kam Sammler so vor, als ob in seinem Innern (*faute de mieux* in seinem Hirn) ein Feld wäre, auf dem viele Jäger, die sich unabsichtlich entgegenarbeiten, mit Vogelflinten auf ein Federwesen schössen, das man für einen Vogel hielt. Shula hatte beabsichtigt, ihn auf die Probe zu stellen. War er echt oder nicht? War er schöpferisch, eine Naturkraft, ein echtes Orginal oder nicht? Ja, es war ein Tauglichkeitstest, und das war von Shula sehr amerikanisch. Gab es einen Amerikaner, der im Moralischen nicht didaktisch war? Wurde ein Verbrechen begangen, das das Opfer nicht für »das größere Gute« büßen ließ? Gab es einen Sünder, der nicht *pro bono publico* sündigte? So groß war das Übel der Hilfsbereitschaft und so unendlich der liberale Geist der Erklärung. Die Psychopathologie des Lehrens in den Vereinigten Staaten. So war er denn als Papa ein wahrer schöpferischer Radikaler – des frechen Diebstahls fähig um eines Erinnerungsbuches willen? Konnte er alles für H. G. riskieren?

»Hand aufs Herz, mein Kind, hast du jemals ein Buch von H. G. Wells gelesen?«

»Ja, das habe ich.«

»Sag's mir – aber die Wahrheit, nur unter uns beiden.«

»Ich habe ein Buch gelesen, Vater.«

»Eins? Ein Buch von Wells ist wie der Versuch, in einer einzigen Woge zu baden. Welches Buch war es?«

»Es war über Gott.«

»*Gott der unsichtbare König*?«

»Das ist es.«

»Hast du's zu Ende gelesen?«

»Nein.«

»Ich auch nicht.«

»Oh, Vater – du?«

»Ich konnte's einfach nicht lesen. Menschliche Evolution

mit Gott als Intelligenz. Ich habe bald den Sinn erfaßt, dann war der Rest langweilig, geschwätzig.«

»Aber es war *so* klug. Ich habe ein paar Seiten gelesen und war so gepackt. Ich wußte, daß er ein großer Mann war, wenn ich auch das ganze Buch nicht lesen konnte. Du weißt ja, ich kann kein Buch zu Ende lesen. Ich bin zu ruhelos. Aber du hast all die anderen Bücher gelesen.«

»Niemand konnte sie alle lesen. Ich habe viele gelesen. Wahrscheinlich zu viele.«

Lächelnd leerte Sammler die Umschläge und warf den zerknüllten Ball in Angelas Papierkorb aus vergoldetem florentinischen Leder. Von ihrer Mutter auf einer Reise erworben. Die Schlüssel steckte er in eine Tasche, wobei er sich weit genug zur einen Seite des Boudoirstuhls beugte, um an die Lasche zu gelangen.

Shula, die ihn stumm betrachtete, lächelte auch, hielt die Handgelenke mit den Fingern, Arme über der Brust gekreuzt, um den Schlafrock am Klaffen zu hindern. Sammler hatte trotz des Waschlappens die braunen Spitzen gesehen, die von sichtbaren Adern durchzogen waren. Im Mundwinkel sah man, jetzt da sie ihr Unheil angerichtet hatte, einen keuschen Zug der Befriedigung. Das flache, schwarze, krause Haar war bedeckt, handtuchumhüllt, bis auf die koscheren Seitenlocken, die sich wie immer an den Ohren herunterringelten. Und lächelte, als hätte sie einen Teller göttlicher verbotener Suppe gegessen, und was war jetzt zu tun, da sie verschluckt war? Der weiße Nacken war kräftig. Biologische Kraft. Darunter war eine reife Rückenrundung. Eine erwachsene Frau. Aber die Arme und Beine waren nicht proportioniert. Sein einziges erzeugtes Kind. Er bezweifelte nicht, daß ihre Handlungen weit im Jenseits ihren Ursprung hatten, in der Vergangenheit, in unbewußten Sippengründen. Er wußte, wie sehr das auf ihn zutraf. Besonders in religiösen Dingen. Sie war eine betende Närrin, aber auch er war schließlich geneigt zu beten, wandte sich oft an Gott. Gerade jetzt bat er um Verständnis, warum er dieses verrückte Weib mit der dicken, nutzlos sinnlichen weißen Haut, dem gemalten Mund und jenem Handtuchturban so sehr liebte.

»Shula, ich weiß, du hast es für mich getan.«

»Du bist wichtiger als dieser Mann, Vater. Du hast es gebraucht.«

»Aber von nun an mißbrauche mich nicht als Entschuldigung. Für deine Heldentaten . . .«

»Wir haben dich beinahe in Israel verloren, in dem Krieg. Ich hatte Angst, du würdest dein Lebenswerk nicht abschließen.«

»Unsinn, Shula. Welches Lebenswerk! Und getötet? Der schönste Tod, den man sich vorstellen kann. Übrigens war keine Gefahr. Lächerlich!«

Shula stand auf. »Ich höre Räder«, sagte sie. »Jemand ist eben vorgefahren.«

Er hatte es nicht gehört. Sie hatte scharfe Sinne. Idiotisches, kluges Tier, sie hatte Ohren wie ein Fuchs. Sie sprang jäh auf, stand stumm, um zu lauschen, königlich, schwachköpfig, wachsam. Und die weißen Füße. Ihre Füße waren nicht durch modische Schuhe entstellt.

»Es ist wahrscheinlich Emil.«

»Nein, es ist nicht Emil. Ich muß mich anziehen.«

Sie rannte aus dem Zimmer.

Sammler ging nach unten und fragte sich, wohin Wallace geraten war. Die Türklingel begann zu läuten und läutete weiter. Margot wußte nicht, wie man klingelt und wann man den Knopf loslassen mußte. Er konnte sie durch die schmale Glasscheibe sehen mit ihrem Strohhut, und Professor Govinda Lal stand neben ihr.

»Wir haben uns bei Hertz einen Wagen gemietet«, sagte
sie. »Der Professor konnte nicht länger warten. Wir haben
telefonisch mit Pater Robles gesprochen. Er hatte Shula
seit Tagen nicht gesehen.«

»Professor Lal. Imperial College. Biophysik.«

»Ich bin Shulas Vater.«

Es folgten kleine Verbeugungen, Händeschütteln.

»Wir können uns ins Wohnzimmer setzen. Soll ich Kaffee
machen? Ist Shula hier?« sagte Margot.

»Ja.«

»Und mein Manuskript?« fragte Lal. »*Die Zukunft des
Mondes*?«

»Gesichert«, sagte Sammler. »Zwar nicht direkt im Haus,
aber sicher verwahrt. Ich habe die Schlüssel. Professor Lal,
bitte nehmen Sie meine Entschuldigung entgegen. Meine
Tochter hat sich sehr schlecht aufgeführt. Ihnen Schmerz
bereitet.«

Sammler sah im Dielenlicht das entsetzte und enttäuschte
Gesicht Lals: braune Wangen, schwarzes Haar, sauber,
glänzend und anmutig gescheitelt, und einen riesigen sprie-
ßenden Bart. Die Unzulänglichkeit von Worten – das Bedürfnis nach mehreren zugleich gesprochenen Sprachen, um
alle Teile des Geistes auf einmal anzusprechen, besonders
jene durch spärliche Ansprache nicht gebundenen Teile, die
heftig nach eigenem Gutdünken funktionierten. Statt dessen – als rauche man zehn Zigaretten zugleich, trinke
außerdem Whisky, sei zudem noch sexuell mit drei oder
vier anderen Personen befaßt, hörte Musikkapellen und
empfinge wissenschaftliche Daten – so bis zur Grenze des
Vermögens *engagé* ... die Grenzenlosigkeit, der Druck
moderner Anforderungen.

Lal schrie: »Mein Gott! Das ist untragbar! Untragbar!
Warum wird mir diese Strafe auferlegt?«

»Gieße Dr. Lal einen Brandy ein, Margot.«

»Ich trinke nicht. Ich trinke nicht!«

In der dunklen Fassung seines Bartes waren die Zähne zusammengebissen. Dann, seiner Lautstärke gewahr, sagte er mit schicklicherem Ton: »Normalerweise trinke ich nicht.«

»Aber Dr. Lal, Sie haben Bier auf dem Mond empfohlen. Jedoch – ich bin unlogisch. Margot, sieh nicht so besorgt aus. Hol den Brandy. Ich will welchen, wenn er keinen will. Du weißt, wo die Getränke stehen. Bringe zwei Gläser. Nun, Herr Professor, die Zeit der Angst ist bald vorüber.«

Das Wohnzimmer war, was man »eingelassen« nennt. Man mußte hinuntersteigen. Ein Brunnen, ein Teich, ein Teppichtank. Es war mit professioneller Vollständigkeit möbliert, vollgestellt. Das bereitete Pein, wenn man es zuließ. Sammler hatte den Innenarchitekten der verstorbenen Mrs. Gruner gekannt. Oder den Verdummer. Croze. Croze war klein und zierlich, hatte aber die Kraft einer Künstlernatur. Er stand wie eine Drossel. Sein kleiner Bauch stand weit vor und hob die Hosen ein Stück über die Knöchel. Sein Gesicht hatte hübsche Farbe, das Haar war nach dem wohlgeformten kleinen Kopf frisiert, er hatte einen Rosenknospenmund, und wenn man Croze die Hand gegeben hatte, war die eigene Hand den ganzen Tag parfümiert. Er war schöpferisch. Wahrscheinlich verbrecherischer Handlungen fähig. All dies war sein Werk. Hier waren viele langweilige Stunden vergangen, besonders nach Familienmahlzeiten. Es wäre keine schlechte Sitte, diese Ausstattungsgegenstände mit dem Verstorbenen ins Grab zu schicken, ägyptischer Stil. Hier waren sie jedoch alle, diese Stücke aus Seide, Leder, Glas und antikem Holz. Hierher führte Sammler den haarigen Dr. Lal, einen kleinen Mann, sehr dunkel. Nicht schwarz, mit scharfer Nase, der dravidische langschädelige Typ, sondern mit runden Linien. Wahrscheinlich vom Pandschab. Er hatte schmale und behaarte Handgelenke, Knöchel, Beine. Er war ein Dandy. Ein Macaroni (Sammler konnte von den alten Worten nicht lassen, die er in Krakau mit so großem Vernügen aus Büchern des achtzehnten Jahrhunderts entnommen hatte). Ja, Govinda war ein Beau. Er war auch empfindsam, intelligent, nervös, eifrig, ein hübscher, eleganter, vogelhafter Mann. Eine gewisse Ungereimtheit: das runde Gesicht von einem weichen, aber starken Bart vergrößert. Hinten: dünne Schulterblätter staken durch den Leinenblazer. Er hatte einen krummen Rücken.

»Wo ist Ihre Tochter, darf ich fragen?«

»Kommt gleich runter. Ich will Margot bitten, sie zu holen. Sie ist von Ihrem Detektiv geängstigt worden.«

»Es war geschickt von ihm, sie überhaupt zu finden. Kluge Arbeit. Er ist seiner Aufgabe nachgekommen.«

»Kein Zweifel, aber bei meiner Tochter waren Pinkerton-Methoden nicht angebracht. Wegen Polens, verstehen Sie, und des Krieges – Polizei. Sie hatte sich versteckt. Daher geriet sie in Panik. Es ist ein Jammer, daß Sie dafür leiden mußten. Aber was kann man tun, wenn sie ein bißchen . . .?«

»Psychotisch?«

»Das ist ein zu starker Ausdruck. Sie ist nicht vollkommen gestört. Sie hat eine Kopie von Ihrem Manuskript angefertigt und hat zwei Schließfächer in der Grand Central Station gemietet, für Kopie und Original. Hier sind die Schlüssel.«

Lals Hand, lang und schmal, nahm sie entgegen. »Wie kann ich sicher sein, daß es tatsächlich dort ist, mein Buch?« fragte er.

»Dr. Lal, ich kenne meine Tochter. Ich fühle mich ganz

beruhigt. Sicher in feuerfestem Stahl. Tatsächlich bin ich froh, daß sie das Buch nicht im Zug gebracht hat. Sie hätte es verlieren können – auf dem Sitz vergessen. Grand Central ist gut beleuchtet, patroulliert, und selbst wenn ein Fach von Dieben geleert würde, wäre noch das andere da. Haben Sie keine weiteren Befürchtungen. Ich sehe, Sie sitzen auf Kohlen. Sie können dieses unangenehme Erlebnis als beendet ansehen. Das Manuskript ist sicher.«

»Sir, ich hoffe es.«

»Nehmen wir einen Schluck Brandy. Wir haben ein paar strapaziöse Tage hinter uns.«

»Qualvoll. Irgendwie die Art von Schrecknis, die ich in Amerika vorausgeahnt habe. Mein erster Besuch. Ich hatte eine Intuition.«

»Ist Amerika insgesamt so gewesen?«

»Nicht durchweg. Aber beinahe.«

In der Küche lärmend, öffnete Margot Büchsen, nahm Geschirr herunter, knallte den Kühlschrank zu, klapperte mit Tellern. Margots Haushaltsarbeit war in fortwährender Tonübertragung begriffen.

»Ich könnte den Zug nach New York nehmen«, meinte Lal.

»Margot kann nicht fahren. Was fangen Sie mit dem Leihwagen an?«

»O verdammt! Das Auto! Verfluchte Maschinerie!«

»Ich bedaure, daß ich nicht fahren kann«, sagte Sammler. »Nicht zu fahren, sei der neuste Snobismus, hat man mir gesagt. Aber dessen bin ich nicht schuldig. Es ist meine Sehkraft.«

»Ich müßte dann für Mrs. Arkin zurückkommen.«

»Sie können Ihren Leihwagen in New Rochelle abgeben, aber ich zweifle, daß die nachts offen haben. Es muß irgendwo ein Fahrplan der Penn-Central-Eisenbahn sein.

Es ist jedoch schon nahe an Mitternacht. Wir könnten Wallace bitten, Sie zum Zug zu bringen, wenn er nicht durch die Hintertür entwischt ist – Wallace Gruner«, erläuterte er. »Wir sind im Gruner-Haus. Mein Verwandter, ein Neffe, Sohn einer Halbschwester. Aber essen wir erst einmal das Abendbrot, das Margot bereitet. Was Sie eben sagten, hat mich interessiert, Ihre Vorahnungen über die Vereinigten Staaten. Meine eigene Ankunft vor zweiundzwanzig Jahren war eine Erlösung.«

»Schließlich ist in gewissem Sinne die ganze Welt heute Vereinigte Staaten. Unentrinnbar«, sagte Govinda Lal. »Es ist wie eine riesige Krähe, die unsere Zukunft aus dem Nest geraubt hat, und wir, der Rest, sind wie kleine verfolgende Finken, die nach ihr zu hacken versuchen. Immerhin sind die Apolloflüge amerikanisch. Ich bin von der NASA angestellt worden. Für andere Forschungen. Aber da werden meine Ideen etwas zählen, wenn sie brauchbar sind . . . Wenn ich Ihnen unverständlich erscheine, verzeihen Sie bitte. Ich habe mich gequält.«

»Mit gutem Grund. Meine Tochter hat Ihnen wirklich Schlimmes angetan.«

»Ich beginne, mich ruhiger zu fühlen. Ich glaube nicht, daß Bitterkeit zurückbleibt.«

Durch das getönte Brillenglas und Brandydünste atmend, billigte Sammler fürs erste Govinda Lal, der ihn in gewisser Weise an Ussher Arkin erinnerte. Sehr oft, öfter als er sich bewußt war, und lebhaft dachte er an Ussher unter dem Erdboden, in dieser oder jener Stellung, von dieser oder jener Farbe und diesem oder jenem körperlichen Zustand. Wie er an Antonina dachte, seine Frau. Soviel er wußte, war das riesige Grab nie wieder angerührt worden. Aus dem er selbst, Erde scharrend und die Leichen schiebend bluterstickt herauskam und auf dem Bauch davonkroch. Dieser Erinnerungszwang war daher nur zu erwarten.

Jetzt zerkleinerte Margot Zwiebeln in einer Schüssel. Etwas zu essen. In seinen hellen tropfenförmigen Zellen setzte das Leben seine Inszenierungen fort. Der arme Ussher in dem Flugzeug am Flughafen von Cincinnati. Sammler vermißte ihn und gestand sich ein, daß er zu Margot in die Wohnung gezogen war, weil ihm das einen Kontakt zu Ussher vermittelte.

Aber er bemerkte einige gleiche Qualitäten, Usshers Qualitäten in diesem ganz verschiedenen dunkleren, kleineren, buschigeren Lal, dessen Handgelenke nicht breiter waren als ein Lineal.

Dann kam Shula-Slawa die Treppe herunter. Lal, der sie zuerst erblickte, machte ein Gesicht, das Sammler veranlaßte, sich schnell umzudrehen. Sie hatte sich in einen Sari oder etwas Ähnliches gehüllt, hatte ein Stück indischen Stoff in einem Schubfach gefunden. Es konnte nicht richtig gewickelt sein. Es bedeckte auch ihren Kopf. Besonders an der Büste war ein Fehler. (Sammler an diesem Abend mit erhöhter Sorge für die Empfindlichkeit dieser Zone; wenn die Gefahr der Entblößung oder Verletzung bestand, spürte er es in den eigenen Organen.) Er war auch nicht sicher, daß sie Unterkleidung trug. Nein, da war kein Büstenhalter. Sie war außerordentlich weiß – zitrusdicke Haut, cremefarbene Wangen – und die Lippen, die weicher und voller erschienen, waren mit einer besonderen orangenen Farbe bemalt. Wie die napolitanischen Zyklamen, die Sammler im botanischen Garten bewundert hatte. Außerdem trug sie falsche Wimpern. Auf der Stirn war ein mit Lippenstift gemalter Hindufleck. Genau wo der Fleck von Aschermittwoch gewesen war. Der große Plan war, den zornigen Lal zu bezaubern und zu beschwichtigen. Ihre

Augen, als sie blicklos in die Vertiefung des Zimmers eilte, waren erhitzt und wie es der alte Mann für sich formulierte, irre erweitert, sinnlichkeitssüchtig. Für ihr damenhaftes Auftreten hampelte sie zuviel, kam zu nahe heran, wild überhastet, hatte sie bei weitem zuviel zu sagen.

»Professor Lal!«

»Meine Tochter.«

»Ja, das dachte ich mir.«

»Es tut mir leid. So furchtbar leid, Dr. Lal. Es handelt sich um ein Mißverständnis. Sie waren von Menschen umringt. Sie müssen geglaubt haben, daß Sie mir das Manuskript nur zur Ansicht gaben. Aber ich dachte, ich dürfe es nach Hause zu meinem Vater nehmen. Wie ich auch sagte, erinnern Sie sich? Daß er ein Buch über H. G. Wells schrieb?«

»Wells? Nein. Aber ich habe den Eindruck, daß er sehr überlebt ist.«

»Immerhin, im Namen der Wissenschaft, der Wissenschaft und im Namen der Literatur und Geschichte, und sehen Sie, ich helfe ihm bei seiner geistigen und kulturellen Arbeit. Niemand sonst tut es. Ich hatte nie die Absicht, Unannehmlichkeiten zu bereiten.«

Nein, keine Unannehmlichkeiten. Nur eine Grube zu graben, sie mit Reisig zu überdecken, und wenn ein Mann hereinfiel, flach auf dem Boden zu liegen und amourös mit ihm zu reden. Denn Sammler hegte nun den Verdacht, daß sie mit der *Zukunft des Mondes* durchgegangen war, um eben diese Gelegenheit, dieses Treffen herbeizuführen. Waren er und Wells dann wirklich zweitrangig? War es eigentlich getan, um Interesse zu provozieren? War das kein vertrauter Schachzug? Ihm gegenüber, erinnerte sich Sammler, benahmen sich Frauen zuweilen unverschämt, um seine Aufmerksamkeit zu erregen, und machten beißende Bemerkungen, weil sie glaubten, das mache sie anziehend. Hatte Shula das Buch deswegen genommen? Als weibliches Verführungsmittel? Eine Gattung: aber die Geschlechter wie zwei verschiedene wilde Stämme. In voller Bemalung. Die einander im Busch überraschten und schockierten. Dieser Govinda, dieser leichte, gelenkige, bärtige, dunkle, zierliche, fliegende Typ eines Mannes – ein Intellektueller. Und auf Intellektuelle war sie versessen. Durch sie blieb die Welt bemerkenswert unter dem spähenden Mond. Sie setzten ihren Schoß in Flammen. Vielleicht hatte selbst Eisen, um ihre Wertschätzung wiederzuerlangen (nebst anderen Gründen), seine Gießerei verlassen und war Künstler geworden. Hatte wahrscheinlich die Spur seines ursprünglichen Beweggrundes verloren, zu zeigen, daß auch er, wie ihr Vater, ein Mann der Kultur war. Und jetzt war er Maler. Armer Eisen.

Aber Shula saß sehr nahe bei Lal auf dem Sofa und nahm ihn beinahe bei der Hand, beim Arm, als sei sie darauf aus, seine Glieder zu berühren. Sie versicherte ihm, daß sie das Manuskript mit großer Sorgfalt vervielfältigt habe. Sie machte sich Sorgen, daß das Xerox die Tinte auslöschen und die Seiten leerwischen könnte. Sie machte eine Seite und starb fast vor Angst. »Eine so besondere Tinte, wie Sie sie gebrauchen, und was wäre, wenn sie falsch reagierte? Ich wäre gestorben.« Aber es funktionierte großartig. Mr. Widick sagte, es sei sehr schöne Kopierarbeit. Und war nun in zwei Schließfächern. Die Kopie war in einem juristischen Aktenordner. Mr. Widick sagte, man könne sogar Lösegeld in der Grand Central Station hinterlegen. Absolut sicher. Shula wollte Govinda Lal darauf aufmerksam machen, daß der orangene Kreis zwischen den Augen eine lunare Bedeutung hatte. Sie neigte immerfort ihr Gesicht, bot ihre Stirn.

»Nun, Shula, meine Liebe«, sagte Sammler, »Margot braucht Hilfe in der Küche. Geh und hilf ihr.«

»Ach Vater.« Sie versuchte, leise sprechend, ihm klarzumachen, daß sie bleiben wollte.

»Shula! Geh! Nun mach schon – geh!«

Als sie gehorchte, sahen ihre Wangen heiß und verbittert aus. Vor Lal wollte sie töchterliche Unterwerfung demonstrieren, aber ihr Hintern war verprellt, als sie ging.

»Ich hätte sie niemals wiedererkannt, niemals identifiziert«, sagte Lal.

»Ja? Ohne die Perücke? Sie legt sich oft eine Perücke zu.«

Er hielt inne. Govinda dachte nach. Vermutlich, wie er seine Arbeit aus dem Schließfach holen könnte. Ja. Er befühlte seine Blazertaschen von unten her, um sich der Schlüssel zu versichern. »Sie sind polnisch?« fragte er.

»Ich war polnisch.«

»Arthur?«

»Ja. Wie Schopenhauer, den meine Mutter las. Arthur, zu jener Zeit nicht sehr jüdisch, war der internationalste, aufgeklärteste Namen, den man einem Jungen geben konnte. Derselbe in allen Sprachen. Aber Schopenhauer schätzte die Juden nicht. Er nannte sie vulgäre Optimisten. Optimisten? Wenn man nahe am Krater des Vesuvs lebt, ist es besser, Optimist zu sein. An meinem sechzehnten Geburtstag gab mir meine Mutter *Die Welt als Wille und Vorstellung*. Natürlich war es ein angenehmes Kompliment, daß ich so ernst und tiefgründig sein konnte. Wie der große Arthur. Also studierte ich das System, und ich habe es noch im Gedächtnis. Ich lernte, daß nur die Vorstellung nicht vom Willen übermächtigt wird – die kosmische Kraft, der Wille, der alles betreibt. Eine verblendende Kraft. Die innere schöpferische Raserei der Welt. Was wir sehen, sind nur ihre Äußerungen. Wie die Hindu-Philosophie – Maya, der Schleier der Erscheinungen, der über allen menschlichen Erfahrungen hängt. Ja, und da fällt mir ein, nach Schopenhauer ist der Sitz des Willens beim Menschen ...«

»Wo ist er?«

»Die Geschlechtsorgane sind der Sitz des Willens.«

Der Dieb im Hauseingang teilte diese Meinung. Er zog das Werkzeug des Willens hervor. Er zog nicht den Schleier der Maya beiseite, sondern einen seiner Vorhänge und zeigte Sammler seine metaphysische Vollmacht.

»Und Sie waren ein Freund des berühmten H. G. Wells – so weit stimmt es, nicht wahr?«

»Ich möchte mir nicht die Freundschaft eines Mannes zuerkennen, der nicht lebt, um sie zu bestätigen oder zu leugnen, aber zu einer Zeit, als er in den Siebzigern war, habe ich ihn oft gesehen.«

»Ah, dann müssen Sie in London gelebt haben.«

»Das taten wir, am Woburn Square, nahe dem British Museum. Ich bin mit dem alten Mann spazierengegangen. In jenen Tagen waren meine Gedanken nicht besonders bedeutend, also hörte ich seinen zu. Wissenschaftlicher Humanismus, Glaube an eine emanzipierte Zukunft, an tätiges Wohlwollen, an Vernunft, an Zivilisation. Im Augenblick keine volkstümlichen Ideen. Natürlich haben wir Zivilisation, aber sie ist so unbeliebt. Ich glaube, Sie verstehen, was ich meine, Professor Lal.«

»Ich glaube auch, ja.«

»Immerhin hätte Schopenhauer Wells nicht einen vulgären Optimisten genannt. Wells hatte viele düstere Gedanken. Nehmen Sie ein Buch wie *Der Krieg der Welten*. Da kommen die Marsbewohner, um sich der Menschheit zu entledigen. Sie behandeln unser Geschlecht wie die Amerikaner die Büffel und andere Tiere behandelt haben oder schließlich auch die Indianer. Ausrottung.«

»Oh, Ausrottung. Ich nehme an, Sie haben persönliche Bekanntschaft mit diesem Phänomen.«

»Ich habe einige Bekanntschaft, ja.«

»So?« sagte Lal. »Ich habe selbst manches davon erlebt. Als Bewohner des Pandschab.«

»Sie stammen von dort?«

»Ja, und habe 1947 an der Universität Calcutta studiert und die furchtbaren Aufstände miterlebt, die Kämpfe zwischen Hindus und Moslems. Seitdem bekannt als das große Massaker von Calcutta. Ich habe dabei mörderische Wahnsinnige gesehen.«

»Ah.«

»Ja, und den Mord mit Totschlägern und scharfen Eisenstangen. Und die Leichen. Notzucht, Brandstiftung, Plünderei.«

»Aha.« Sammler sah ihn an. Ein intelligenter und empfindsamer Mann war dies, mit einem ausdrucksvollen Gesicht. Gewiß war eine solche Ausdrucksfülle zuweilen das Zeichen der Subjektivität und nach innen gekehrter geistiger Gewohnheiten. Keine nach außen gehende Phantasie. Er begann jedoch zu finden, daß dieser Lal, wie zuvor Ussher Arkin, ein Mann war, mit dem man reden konnte. »Dann ist das für Sie keine Theorie. Für mich auch nicht. Aber hervorragende, gutherzige Menschen wie Arnold Bennet, H. G. Wells, die im Savoy lunchten ... Olympier aus den niederen Volksschichten. So nett. So ernsthaft. So englisch, Mr. Wells. Ich war geschmeichelt, daß ich ausersehen war, seinen Monologen zuzuhören. Ich mochte ihn auch gern. Allerdings sind seit Polen 1939 meine Urteile anders. Geändert. Wie mein Augenlicht. Ich sehe, Sie versuchen zu entdecken, was hinter diesen gefärbten Gläsern steckt. Nein, nein, das ist durchaus in Ordnung. Ein Auge funktioniert. Wie das alte Sprichwort von dem Einäugigen, der unter den Blinden König ist. Wells hat um dieses Wort eine Erzählung geschrieben. Keine gute Erzählung. Jedenfalls bin ich nicht im Land der Blinden, sondern nur einäugig. Was Wells anlangt ... der war ein Schriftsteller. Er schrieb und schrieb und schrieb.«

Sammler dachte, daß Govinda sprechen wollte. Als er innehielt, gingen einige Wellen des Schweigens hin und her, die stumme Fragen enthielten: Sie? Nein, Sie, mein Herr: Sie reden. Lal hörte zu. Die Feinfühligkeit einer haarigen Kreatur, das Tierbraun seiner Augen, die gute Kinderstube seiner aufmerksamen Haltung.

»Soll ich mehr von Wells erzählen, da Wells in gewisser Weise hinter diesem allen steckt?«

»Wären Sie bitte so freundlich?« sagte Lal. »Sie haben Zweifel am Wert von Wells' Schriften?«

»Ja, gewiß habe ich die. Schwere Zweifel. Durch umfassende Bildung und billigen Druck sind arme Jungen reich und mächtig geworden. Dickens reich. Shaw ebenfalls. Er brüstete sich, daß das Lesen von Karl Marx einen Mann aus ihm gemacht habe. Ich weiß das nicht so recht, aber der Marxismus für die große Öffentlichkeit hat einen Millionär aus ihm gemacht. Wenn man für eine Elite schrieb, wie Proust, wurde man nicht reich, aber wenn das Thema soziale Gerechtigkeit und die Ideen radikal waren, wurde man mit Reichtum, Ruhm und Einfluß belohnt.«

»Höchst interessant.«

»Finden Sie das? Entschuldigen Sie, aber mein Herz ist heute abend schwer. Sowohl schwer als auch schwatzhaft. Und wenn ich jemand begegne, der mir gefällt, bin ich zunächst geneigt, gesprächig zu sein.«

»Nein, bitte setzen Sie diese Erläuterung fort.«

»Erläuterung? Ich habe Einwände gegen längere Erläuterungen. Es gibt zu viele. Das macht das Geistesleben der

Menschheit unlenkbar. Aber ich habe über die Sache Wells – die Sache Shaw und über Menschen wie Marx, Jean Jacques Rousseau, Marat, Saint-Just nachgedacht, machtvolle Sprecher, Schreiber, die ohne Kapital – abgesehen vom geistigen Kapital – anfingen und einen ungeheuren Einfluß gewannen. Und all die übrigen, kleine Anwälte, Leser, Bluffer, Traktätchenschreiber, Amateurwissenschaftler, Bohemiens, Librettisten, Wahrsager, Scharlatane, Ausgestoßene, Spaßmacher. Ein verrückter Provinzanwalt, der den Kopf des Königs fordert und ihn auch bekommt. Im Namen des Volkes. Oder Marx, ein Studierter, ein Angehöriger der Universität, der Bücher schreibt, die die Welt überwältigen. Er war in der Tat ein hervorragender Journalist und Publizist. Da ich selber Journalist war, kann ich sein Können beurteilen. Wie viele Journalisten stellte er Sachen aus anderen Zeitungsartikeln zusammen, aus der europäischen Presse, aber er tat das außerordentlich geschickt, wenn er über Indien oder den amerikanischen Bürgerkrieg schrieb, Dinge, von denen er eigentlich nichts wußte. Aber er war wunderbar schlau, ein Genie des Ahnens, ein mächtiger Polemiker und Rhetoriker. Sein ideologisches Haschisch war sehr wirkungsvoll. Auf alle Fälle sehen Sie, was ich meine – die Menschen werden autoritativ, und geniale Plebejer erheben sich erst zum Adel, dann zum universalen Ruhm, und das alles, weil sie hatten, was alle armen Kinder vom Schreiben und Lesen lernten: das Abc, das Lexikon, die Grammatikbücher, die Klassiker. Bis sie aus den Slums oder ihren kleinbürgerlichen Wohnstuben sich erhoben und weltweit Millionen ansprachen. Das sind die Leute, die die Begriffe prägen, die das Gespräch gestalten, und dann folgt die Geschichte ihrem Wort. Denken Sie doch an die Kriege und Revolutionen, in die wir hineingekritzelt worden sind.«

»Die indische Presse hatte bestimmt viel Schuld an diesen Aufständen«, sagte Lal.

»Das eine spricht zu Gunsten von Wells, daß er nicht aus persönlicher Enttäuschung die Preisgabe der Zivilisation verlangte. Er wurde keine Kultfigur, keine königliche Figur, kein Kunstheld oder Aktivistenführer. Er fühlte sich von Worten nicht entwürdigt. Viele taten und tun das.«

»Und das bedeutet was, Sir?«

»Ja, sehen Sie«, sagte Sammler, »in der großen Periode der Bourgeoisie wurden die Schriftsteller zu Aristokraten. Und da sie durch ihre Wortgewandtheit Aristokraten geworden waren, fühlten sie sich verpflichtet, zu Taten zu schreiten. Offenbar ist es entwürdigend für den wahren Adel, Taten durch Worte zu ersetzen. Man sieht das an den Karrieren von M. Malraux oder M. Sartre. Man sieht es schon viel früher an Hamlet, wenn er diese Demütigung fühlt, Dr. Lal, und sagt: ›Daß ich ... mit Worten nur / Wie eine Hure muß mein Herz entladen‹.«

»Und mich aufs Fluchen legen wie ein Weibsbild.«

»Ja, das ist das ganze Zitat. Oder zu Polonius: ›Wörter, Wörter, Wörter.‹ Wörter sind für die Älteren oder für die Jungen, die im Herzen alt sind. Gewiß ist das der Zustand eines Prinzen, dem der Vater ermordet worden ist. Aber wenn Menschen aus Verachtung für die Machtlosigkeit und lahmes *Reden* sich in edle Taten stürzen, wissen sie dann eigentlich, was sie tun? Wenn sie beginnen, nach Blut zu schreien, und Terror befürworten oder ein allgemeines Eierzerschlagen proklamieren, um ein großes historisches Omelett zu machen, wissen sie, wonach sie rufen? Wenn sie einen Spiegel mit dem Hammer getroffen haben und nun beabsichtigen, ihn zu reparieren, können sie die Scherben zusammenfügen? Nun, Dr. Lal, ich weiß nicht, welchen Nutzen diese Untersuchung oder Ablehnung haben kann.

Es ist nicht so, daß ich mit Sicherheit behaupten könnte, menschliche Wesen können auf irgendeiner Stufe der Komplexität kontrolliert werden. Ich würde nicht schwören, daß die Menschheit regierbar ist. Aber Wells neigte zu diesem Glauben. Er glaubte den größten Teil der Zeit, daß die Minderheitszivilisation auf die großen Massen übertragen werden könne und daß diese Übertragung in geordneten Verhältnissen möglich sei. Schickliche, britische, viktorianisch-edwardische, nicht-verworfene, nicht-hirngespinstige, wohltuende Verhältnisse. Aber im zweiten Weltkrieg verzweifelte er. Er verglich die Menschheit mit Ratten in einem Sack, die verzweifelt kämpfen und beißen. In der Tat war es ratten- und sackmäßig. Ja, in der Tat. Aber jetzt habe ich mein Interesse für Wells erschöpft. Auch das Ihre, hoffe ich, Dr. Lal.«

»Ah, Sie haben den Mann gut gekannt«, sagte Lal. »Und wie klar Sie die Dinge darstellen. Sie sind ein erstrangiger Verdichter. Ich wünschte, ich hätte Ihre Talent. Ich vermißte es schmerzlich, als ich mein Buch schrieb.«

»Ihr Buch, soweit ich es in der gegebenen Zeit lesen konnte, ist sehr klar.«

»Ich hoffe, Sie werden es ganz lesen. Entschuldigen Sie, Mr. Sammler, ich bin verwirrt. Ich weiß nicht genau, wo Mrs. Arkin mich hingebracht hat oder wo wir sind. Sie haben es erklärt, aber ich habe es nicht begriffen.«

»Dies ist Westchester County, nicht weit von New Rochelle, und das Haus meines Neffen, Dr. Arnold Elya Gruner. Im Augenblick befindet er sich im Krankenhaus.«

»Ah so. Ist er sehr krank?«

»Er verliert Blut im Gehirn.«

»Ein Aneurysma. Es ist chirurgisch nicht zu erreichen?«

»Es ist nicht zu erreichen.«

»Wie schrecklich. Und Sie sind zutiefst betroffen.«

»Er wird in ein, zwei Tagen sterben. Er liegt im Sterben. Ein guter Mann. Er hat uns, Shula und mich, aus einem Vertriebenenlager geholt und seit zweiundzwanzig Jahren mit Güte für uns gesorgt. Zweiundzwanzig Jahre ohne einen Tag der Vernachlässigung, ohne ein einziges ärgerliches Wort.«

»Ein Gentleman.«

»Ja, ein Gentleman. Sie können sehen, daß meine Tochter und ich nicht sehr kompetent sind. Ich habe etwas Journalismus betrieben, bis vor etwa fünfzehn Jahren. Es war nie sehr viel. Vor kurzem habe ich einen polnischen Bericht über den Krieg in Israel geschrieben. Aber es war Dr. Gruner, der mir die Reise bezahlt hat.«

»Er hat Sie einfach eine Art Philosoph sein lassen?«

»Wenn es das ist, was ich bin. Ich bin mit vielen Erklärungen der Dinge vertraut. Ehrlich gesagt, ich habe die meisten satt.«

»Ah, dann haben Sie eine eschatologische Anschauung. Wie interessant.«

Sammler, dem das Wort »eschatologisch« nicht besonders zusagte, zuckte die Achseln. »Meinen Sie, wir sollten in den Weltraum gehen, Dr. Lal?«

»Sie sind sehr traurig über Ihren Neffen. Vielleicht würden Sie vorziehen, nicht zu sprechen.«

»Wenn man einmal zu sprechen beginnt, wenn einmal das Hirn sich in dieser Richtung zu drehen beginnt, dann dreht es weiter, und bewegt sich durch alle Geschehnisse. Und vielleicht macht es die Sache etwas erträglicher, wenn man ihm seinen Dreh läßt. Obwohl ich nicht einsehe, warum sie erträglich sein sollte. Es ist wirklich ein fürchterlicher Augenblick. Aber was kann man tun? Die Gedanken drehen sich weiter.«

»Wie ein Riesenrad«, sagte der zierliche, schwarzbärtige

Govinda Lal. »Ich sollte sagen, daß ich für Worldwide Technics in Connecticut gearbeitet habe. Meine Aufgaben sind sehr intellektuell und theoretisch, da sie mit der Ordnung in biologischen Systemen zu tun haben, wie sich komplexe Mechanismen vervielfältigen. Ich bin, was Ihnen nicht viel besagen wird, mit der bäng-bäng-Hypothese verknüpft, die sich mit dem Feuern simultaner Impulse befaßt, atomaren Theorien der Zellenkonduktivität. Da Sie Rousseau erwähnten: der Mensch mag frei geboren sein oder auch nicht. Aber ich kann mit Sicherheit sagen, daß er ohne seine atomaren Ketten nicht existieren würde. Ich hoffe, Sie goutieren meine Scherze. Ich schätze Ihren Witz. Wäre das nicht gegenseitig, dann wäre es traurig. Ich beziehe mich auf diese Kettenstrukturen der Zelle. Das sind Sachen der Ordnung, Mr. Sammler. Obwohl ich nicht den ganzen Plan liefern kann. Ich bin noch nicht jenes Universalgenie. Haha! Aber im Ernst, befindet sich die biologische Wissenschaft in einem unerhörten Aufschwung. Oh, sie ist so herrlich, sie ist so schön! Es ist eine Auszeichnung dazuzugehören. Diese chemische Ordnung, die ein Grundstein des Lebens ist, ist von großer Schönheit. O ja, sehr großer. Und welche hohe Auszeichnung! Es fiel mir ein, als Sie von einer anderen Materie sprachen, daß der Wunsch, ohne Ordnung zu leben, der Wunsch ist, sich vom grundlegenden biologischen Leitprinzip abzukehren. Welches nach weitverbreiteter Ansicht nur da ist, um uns zu befreien, eine Plattform für Impulse. Sind wir verrückt, oder was? Von der Ordnung, vom Leitprinzip kann sich der Mensch losreißen, um sein ungeheures Vorrecht geltend zu machen, daß seine Impulse absolut frei und keiner Verantwortung unterworfen sind. Die biologischen Grundsteine sind wie die Bauern, das ganze Individuum fühlt sich wie ein Prinz. Es ist die *cigale* und die *fourmi*.

Die Ameise war einst der Held, aber jetzt ist der Heu-schreck die große Zugnummer. Mein Vater hat mir Mathe und Französisch beigebracht. Die Hauptsorge in meines Vaters Leben war, daß die Studenten die *Encyclopedia Britannica* mit Rasiermessern zerschneiden und die Artikel als Hauslektüre mitnehmen würden. Er war ein schlichter Mensch. Seinetwegen habe ich die französische Literatur geliebt. Erst in Calcutta und dann in Manchester habe ich sie studiert, bis meine naturwissenschaftlichen Interessen heranreiften. Aber zu Ihrer Frage über den Weltraum. Es gibt natürlich viel Widerstand gegen diese Expeditionen. Selbstverständlich auch den Vorwurf, daß sie für Schule und Slums und so weiter benötigtes Geld verbrauchen. Genau wie der Wehretat den sozialen Verbesserungen vor-enthalten bleibt. Welcher Unsinn! Es ist Propaganda der sozialwissenschaftlichen Bürokratie. *Die* würde sich die Gelder unter den Nagel reißen. Übrigens macht das Geld allein noch nicht den Unterschied, oder? Ich glaube nicht. Die Amerikaner haben immer planlos ausgegeben. Schlimm, ohne Zweifel, aber es gibt so etwas wie fruchtbare *gaspill-lage*. Verschwendung läßt sich rechtfertigen, wenn sie Er-findungsgeist, Originalität, Abenteuer gestattet. Leider sind die Ergebnisse meistens und üblicherweise korrupt, da sie üble Profite, Playboy-Zerstreuungen schaffen und reaktio-näre Vermögen bilden. Für Washington ist eine Mond-expedition zweifellos glänzende *public relations*. Es ist Schaugeschäft. Mein Slang ist vielleicht nicht modern.« Die sonore orientalische Stimme war sehr gefällig.

»Ich bin keine gute Autorität.«

»Sie wissen jedoch, was ich meine. Zirkus. Blendwerk. Die US als der größte Verteiler von Science fiction-Unter-haltung. Für die Organisation und die Ingenieure ist es eine riesige Chance, aber das ist nicht von großem theoretischen Wert. Immerhin geschieht zugleich etwas Bedeutsames im Innern. Die Seele fühlt ganz sicher die Größe dieser Errungenschaft. Nicht dahin zu gehen, wo man hingehen kann, könnte verkümmernd wirken. Ich glaube, die Seele fühlt das, und daher ist es eine Notwendigkeit. Es könnte eine neue Nüchternheit erwecken. Natürlich wird die Technologie die Geister mehr beeindrucken als die Persönlichkeiten. Die Astronauten mögen nicht allzu heroisch erscheinen. Mehr wie Superschimpansen. Besonders wenn sie sich nicht schön ausdrücken. Aber das ist schließlich eine Funktion der Dichter. Falls die eine haben. Aber selbst die Techniker, wage ich zu vermuten, werden geadelt werden. Stimmen Sie denn zu, Sir, daß wir in den Raum vorstoßen sollten?«

»Nun, warum nicht. In Grenzen, ja. Obwohl ich nicht glaube, daß es rationell zu rechtfertigen ist.«

»Warum nicht? Ich kann an viele Rechtfertigungen denken. Ich sehe es als rationale Notwendigkeit. Sie hätten mein Buch zu Ende lesen sollen.«

»Dann hätte ich den unwiderleglichen Beweis gefunden?« Sammler lächelte durch die getönten Gläser, und das blinde Auge bemühte sich teilzuhaben. In dem alten schwarzen und sauberen Anzug, der steife und schlanke Körper aufrecht, und die Finger, die unter der Spannung heftig zitterten, hielten locker die Knie umspannt. Eine Zigarette (er rauchte nur drei oder vier am Tag) brannte zwischen seinen ungelenken behaarten Knöcheln.

»Ich meine nur, daß Ihnen dann mein Argument bekannt wäre, das ich teilweise auf die amerikanische Geschichte gründe. Nach 1776 gab es einen Kontinent, in den hinein man sich ausbreiten konnte, und dieser Raum absorbierte alle Fehler. Allerdings bin ich kein Historiker. Aber wenn man keine kühnen Vermutungen wagen kann, muß man alles den Fachleuten überlassen. Europa hatte nach 1789 nicht Raum für seine Fehler. Resultat: Krieg und Revolution, wobei die Revolutionen in den Händen von Irren endeten.«

»De Maistre hat das gesagt.«

»Wirklich? Ich weiß nicht viel von ihm.«

»Es mag genügen, daß er zustimmt. Revolutionen enden in den Händen von Irren. Selbstverständlich gibt es immer genügend Irre für jedes Unternehmen. Wenn übrigens die Macht groß genug ist, schafft sie durch den eigenen Druck ihre eigenen Irren. Die Macht verdirbt bestimmt, aber dieser Satz ist menschlich unvollständig. Ist er nicht zu abstrakt? Sicherlich sollte man die spezifische Wahrheit hinzufügen, daß der Besitz der Macht die geistige Gesundheit der Machthaber zerstört. Er erlaubt ihren Irrationalitäten, die Sphäre der Träume zu verlassen und in die reale Welt einzugehen. Aber da – verzeihen Sie mir. Ich bin kein Psychologe. Wie Sie jedoch sagen, muß es einem gestattet sein, Vermutungen anzustellen.«

»Vielleicht ist es naturgegeben, daß ein Inder auf die Überzahl von Menschen überempfindlich reagiert. Calcutta ist so wimmelnd, so vulkanisch. Ein Chinese wäre in gleicher Weise empfindlich. Jede Nation ungeheurer Massen. Wir sind jetzt zusammengestopft, gepfercht, und Menschen müssen fühlen, daß es einen Weg nach draußen gibt und daß die geistige Kraft und Geschicklichkeit der eigenen Gattung diesen Weg eröffnet. Die Einladung zur Reise, der Baudelaire'sche Wunsch herauszukommen – aus menschlichen Umständen herauszukommen – oder die Sehnsucht, ein *bateau ivre* zu sein, oder eine Seele, deren Begehr es ist, ein noch geschlossenes Universum aufzubrechen, sind noch real, nur braucht der Impuls nicht der Öde und Leere des Lebens zugeschrieben zu werden, und es braucht nicht notwendigerweise eine Todesreise zu sein. Das Mißliche daran ist, daß nur trainierte Spezialisten imstande sein werden, die Reise zu unternehmen. Die sehnende Seele kann nicht auf den direkten Impuls hin gehen, weil sie dafür das grenzenlose Bedürfnis oder den Wunsch oder die Leidensfähigkeit besitzt. Sie muß die Ingenieurskunst beherrschen und die sonderbaren Anzüge tragen und mit persönlichen organischen Ungelegenheiten zurechtkommen. Vielleicht werden sich die Probleme der Strahlung als unüberwindlich erweisen, oder fremde Seuchen befallen uns in den anderen Welten. Immerhin gibt es ein Universum, in das wir überfließen können. Offenbar kommen wir mit einem einzigen Planeten nicht aus. Und können uns der Herausforderung eines neuen Erfahrungstyps nicht entziehen. Wir müssen den Extremismus und Fanatismus der menschlichen Natur in Betracht ziehen. Die Gelegenheit nicht wahrzunehmen, hieße die Erde mehr und mehr als Gefängnis erscheinen zu lassen. Wenn wir ausfliegen könnten und es nicht täten, würden wir uns selbst verurteilen. Wir wären mehr als je mit dem Leben zerfallen. Wie die Dinge stehen, frißt sich die Gattung selber auf. Und jetzt ist das Kommende Reich unmittelbar über uns und wartet, die Überreste einer letzten Explosion aufzunehmen. Viel besser der Mond.« – Sammler glaubte nicht, daß dies unbedingt geschehen müsse. »Meinen Sie, die Gattung wünsche nicht zu leben?« fragte er.

»Viele wünschen, das Leben zu enden«, sagte Lal.

»Wenn wir denn, wie Sie sagen, die Art von Lebewesen sind, die unter dem Zwang stehen zu tun, was zu tun sie fähig sind, dann würde sich daraus ergeben, daß wir uns vernichten müssen. Aber steht das nicht im Belieben der Gattung? Könnten wir nicht an diesem Punkt sagen, daß Politik alles andere ist als reine Biologie? In Rußland, in

China und hier haben sehr mittelmäßige Menschen die Macht, das Leben insgesamt zu beenden. Diese Vertreter – nicht Vertreter der Besten, sondern Calibane, oder allgemeinverständlich, Mißgeburten – werden für uns alle entscheiden, ob wir leben oder sterben. Der Mensch spielt jetzt das Drama des universalen Todes. Sollten nicht alle auf einmal sterben, zusammen, wie in einem großen individuellen Tod und damit frei die ganze menschliche Leidenschaft zum eigenen Verhängnis ausdrücken? Viele *sagen*, sie wünschten es zu enden. Das mag allerdings bloß rhetorisch sein.«

»Mr. Sammler«, sagte Lal, »ich glaube, Sie deuten an, daß im Lebenswillen eine Ethik enthalten ist und daß diese Durchschnittstypen im Amt ihre Pflicht gegenüber der Gattung tun werden. Ich bin nicht sicher. Es gibt keine Pflicht in der Biologie. Es gibt keine beherrschende Verantwortlichkeit gegenüber der eigenen Gattung. Wenn die biologische Bestimmung mit der Fortpflanzung erfüllt ist, dann besteht oft das Verlangen nach dem Tod. Wir gefallen uns darin, daß wir Pflichtvorstellungen aus der Biologie ableiten. Aber Pflicht ist Schmerz. Pflicht ist hassenswert – Elend, Bedrückung.«

»Ja?« sagte Sammler zweifelnd. »Wenn man weiß, was Schmerz ist, dann meint man, es sei besser, nicht geboren zu sein. Da man jedoch geboren ist, respektiert man die Mächte der Schöpfung, gehorcht man dem Willen Gottes – mit allen inneren Vorbehalten, die einem die Wahrheit auferlegt. Was die Pflicht anlangt – da irren Sie. Der Schmerz der Pflicht macht das Geschöpf aufrecht, und dies Aufrechte ist keine Kleinigkeit. Nein, ich stehe zu dem, was ich zuerst sagte. Es gibt auch einen Instinkt gegen den Sprung ins Kommende Reich.«

Die Szene für eine derartige Unterhaltung war in sich

selbst merkwürdig – die grünen Teppiche, großen Töpfe, Seidenvorhänge der verstorbenen Hilda Gruner. Hier wirkte Govinda Lal, klein, geduckt, dunkel mit seiner rostgoldenen Haut, dem vollen Gesicht und Bart wie ein orientalisches Ornament oder Gemälde. Sammler selbst erlag diesem Einfluß, wie eine Figur in indischen Farben – die roten Wangen, das sprießende weiße Haar am Hinterkopf, die Kreise seiner Brille und der Zigarettenrauch um sein Haar. Wallace gegenüber hatte er behauptet, er sei Orientale, und jetzt fühlte er, daß er auch so aussah.

»Was den gegenwärtigen Zustand der Dinge betrifft«, sagte Govinda, »meine ich, daß eine so große persönliche Unzufriedenheit der größten Aufgabe, die das Geschick heimlich geschaffen hat – dem Aufbruch von der Erde – Energie zuführen kann. Sie mag die Kompression sein, die der neuen Expansion vorangeht. Um sich dem Mond entgegenzuschleudern, könnte man eine gleichgroße und gegenwirkende Trägheit brauchen. Eine Trägheit, die mindestens zweihundertfünfzigtausend Meilen tief geht. Oder tiefer. Zudem scheinen wir sie zu besitzen. Wer weiß, wie diese Dinge funktionieren? Kennen Sie den berühmten Oblomow? Er konnte nicht aus dem Bett aufstehen. Dieses Phantom der Trägheit oder Lähmung. Das Gegenteil war krampfhafter Aktivismus – Bombenwerfen, Bürgerkrieg, ein Kult der Gewalttat? Sie haben das erwähnt. Müssen wir immer, immer etwas tun bis an die Grenze des Jammers? Beharren bis zur Erschöpfung? Vielleicht. Nehmen Sie zum Beispiel mein eigenes Temperament. Ich verrate Ihnen, Mr. Sammler (und wie froh bin ich, daß die Eigenheiten Ihrer Tochter uns zusammengebracht haben – ich glaube wir werden Freunde sein) ... ich bekenne, daß ich ursprünglich – ursprünglich, verstehen Sie – von melancholischem depressivem Charakter bin. Als Kind konnte ich es nicht ertragen, von meiner Mutter getrennt zu sein. Übrigens auch vom Vater, der, wie ich sagte, Lehrer für Französisch und Mathematik war. Nicht vom Haus und den Spielgefährten. Wenn Besucher gehen mußten, machte ich leidenschaftliche Szenen. Ich war ein vielweinender Junge. Jedes Abschiednehmen war für mich eine solche Gefühlsqual, daß ich davon krank wurde. Ich muß die Trennung innerlich bis in meine bestimmenden Moleküle gespürt haben und zitterte in Milliarden Nuklei. Übertreibung? Vielleicht, mein lieber Mr. Sammler. Aber ich habe mich seit meiner frühen Arbeit in der Biophysik der Gefäßbetten (ich will Sie nicht mit Einzelheiten behelligen) davon überzeugt, daß die Natur mehr noch Künstler ist als Ingenieur. Verhalten ist Dichtung, ist metaphorische Ordnung, ist Metaphysik. Von den hochfrequenten zehntel-millisekundenschnellen Hirnreaktionen in korthikothalamischen Netzen bis zu den gröbsten ökologischen Phänomenen: es ist alles, nach einem geheimnisvollen Code, eine Kopie dieser sublimen Metapher. Ich spreche von meinen eigenen Kindheitsleidenschaften, und der Körper eines Menschen ist elektronisch dichter als der tropische Regenwald dicht ist von Organismen. Und alle diese Existenzen sind, wie es sich oft von selbst anbietet, Gedichte. Ich will nicht einmal versuchen, diesen Eindruck einer universalen Dichtung in mir zu unterdrücken. Um jedoch zur Frage meiner eigenen Persönlichkeit zurückzukehren, sehe ich nun, daß ich mir eine Aufgabe gestellt hatte, von Gegenständen engster Zugehörigkeit Distanz zu halten. Wobei, Mr. Sammler, der Weltraum ein Gegenteil darstellt – persönlich, einen emotionellen Pol. Man wird zwischen den Beinen der Mutter geboren und strebt hinfort nach auswärts. Die siderischen Inselschwärme zu sehen ist gut, aber hineinzustürzen, in ein tagloses, nachtloses Universum, ja das, sehen Sie, macht die Meerestiefe geringfügig, den Leviathan zur bloßen Kaulquappe –«

Margot kam herein – kurze, dicke, hurtige, tüchtige Beine, aber die Hände unbeholfen an Rock und Schürze trocknend – und sagte: »Wir werden uns alle besser fühlen, wenn wir was essen. Für dich, Onkel, haben wir Hummersalat und etwas Zwiebelsuppe und Bauernbrot und Butter und Kaffee. Dr. Lal, ich nehme an, Sie essen kein Fleisch. Mögen Sie weißen Käse?«

»Wenn's beliebt, keinen Fisch.«

»Aber wo ist Wallace?« fragte Sammler.

»Oh, er ist mit Werkzeugen zum Boden hinaufgegangen, um etwas zu reparieren.« Sie lächelte, als sie zur Küche zurückging, lächelte besonders Govinda Lal an.

Lal sagte: »Ich bin von Mrs. Arkin sehr beeindruckt.«

Sammler dachte: Sie hat blindlings beabsichtigt, daß Sie von ihr beeindruckt sein sollten. Ich kann Ihnen Tips geben, wie man mit ihr glücklich sein kann. Ich verliere vielleicht meinen Zufluchtsort, aber den kann ich aufgeben, wenn dies ernst ist. Bei einer Weltraumperspektive haben vielleicht momentane Dringlichkeiten und Egoismen weniger Bedeutung, und die Heirat wäre eine freundliche Vereinigung – *sub specie aeternitatis*. Übrigens war Govinda, so klein er war, in gewisser Hinsicht wie Ussher Arkin. Frauen schätzen nicht zu viel Veränderung.

»Margot ist eine großartige Frau«, sagte Sammler.

»Das ist mein Eindruck. Und außerordentlich, höchst reizvoll. Ist ihr Mann schon lange tot?«

»Drei Jahre, der arme Kerl.«

»In der Tat, armer Kerl, jung zu sterben und mit einer so begehrenswerten Frau.«

»Kommen Sie, ich bin hungrig«, sagte Sammler. Schon dachte er darüber nach, wie man Shula aus diesem herausholen konnte. Sie war von diesem Inder hingerissen. Hatte ihre Begierden. Bedürfnisse. War schließlich und endlich eine Frau. Was konnte man für eine Frau tun? Wenig, sehr wenig. Oder für Elya, in dessen Kopf es siedete und sprühte. Furchtbar. Elya tauchte seltsam und unablässig wieder auf, als kreise sein Gesicht – als sei er ein Satellit.

Dann jedoch setzten sie sich zu einem kleinen Abendessen in Elyas Küche nieder, und das Gespräch nahm seinen Fortgang.

Nun, da Sammler von Govinda angetan war und eine Ähnlichkeit mit Ussher gesehen oder sich eingebildet hatte und sich ihm freundschaftlich verbunden fühlte, entsprach es seiner geistigen Gewohnheit, ihn auch aus einem anderen Blickwinkel zu sehen, als eine östliche Kuriosität, einen buschigen kleinen planetenumflatternden Dämonen, der geistig von Grenzen zurückprallte wie ein Brummer vom Fensterglas. Er fragte sich dabei, ob der Mann nicht auch ein bißchen Scharlatan sein könnte. Nein, nein, das nicht. Man hatte keine Zeit, *komische* Betrachtungen anzustellen, oder niederträchtige: man mußte entschieden sein und seinen Instinkten vertrauen. Lal war echt. Seine Konversation war Konversation, sie war keine Masche. Dies war kein Scharlatan, nur eine Merkwürdigkeit. Er war großartig, solide. Die eine sofort erkennbare Schwäche war, daß er seine Beglaubigung an den Mann bringen wollte. Er ließ Namen und Titel fallen – das Imperial College, seinen intimen Freund Professor Waddington, seine Position als enger Ratgeber von Professor Hoyle, seine Verbindungen zu Dr. Felstein von der NASA und seine Teilnahme an der Konferenz über theoretische Biologie in Bellagio. Das war bei einem kleinwüchsigen Ausländer verzeihlich. Das übrige war vollkommen seriös. Natürlich amüsierte es Sammler, daß er und Lal so verschiedene Sorten von fremdländischem Englisch sprachen, und es war auch erheiternd, daß sie groß und klein waren. Für ihn bedeutete Größe Überproduktion der Hypophyse und vielleicht eine lebensschädigende Verschwendung. Die Großen schienen zuweilen im Verstand etwas zu kurz gekommen, als ob das In-die-Höhe-Schießen das Hirn etwas kostete. Am erstaunlichsten jedoch in der achten Dekade seines Lebens war ein spontanes Gefühl der Freundschaft. In seinem Alter? Das paßte zum jungen Menschen, der noch von Liebe träumte, jemanden vom anderen Geschlecht zu treffen, der einen von allen Sorgen heilte, Herz und Seele, und für den man genauso heilen und erfüllen würde. Daher kam die Bereitschaft zu plötzlicher Zuneigung, wie man sie jetzt bei Lal, Margot und Shula sah. Aber für ihn, in diesem Lebensalter, und weil er aus der anderen Welt zurückgekehrt war, gab es keine schnellen Bindungen. Sein erster Wuchs an Neigungen war aufgezehrt. Sein einst menschliches, einst kostbares Leben war weggebrannt. Neue grüne Triebe, die aus dem verbrannten Schwarz hochschossen, wären nichts als natürliche Beharrlichkeit, die Kraft des Lebens, die arbeitete und versuchte, einen neuen Anfang zu machen.

Während jedoch das kleine Abendbrot in der Küche (aufgetischt mit Margots ungeschickter Reinlichkeit) dauerte, empfand der traurige alte Mann auch die höchste Freude. Es schien ihm so, als fühlten die anderen wie er: Shula-Slawa in ihrem falsch gewickelten Sari folgte dem Gespräch mit hingebungsvollen Augen und murmelte jedes Wort mit weichen orangegemalten Lippen, den Kopf auf die Hand gestützt; Margot natürlich entzückt, sie war in den kleinen Hindu verknallt, die Szene war intellektuell und versorgte außerdem jeden mit Nahrung. Könnte irgendein Augenblick des Lebens schöner sein? Für Sammler waren diese weiblichen Eigentümlichkeiten liebenswert.

Dr. Lal sagte, wenn man bedächte, was das Hirn elektronisch darstelle mit Milliarden augenblicklichen Verbindungen, dann hätten wir nicht viel von unserem Hirn. »Was im Kopf des Menschen vor sich geht«, sagte er, »übersteigt bei weitem dessen Verständnis. Fast ebenso wie eine Eidechse oder Ratte oder ein Vogel nicht verstehen können, daß sie Organismen sind. Aber ein Mensch kann auf Grund eines dämmernden Begreifens durchaus fühlen, daß er eine Ratte ist, die in einem Tempel lebt. Zu seiner äußeren Entwicklung, als Ding, als Kreatur, in zerebraler Elektronik genießt er eine Angleichung, eine Zulänglichkeit, die ihn die Unzulänglichkeit seiner persönlichen menschlichen Bemühungen spüren läßt. Daher, auf niedrigster Stufe, eine Ratte im Tempel. Auf höchster ein schwerfälliges Ding mit dämmernder Erkenntnis von der Feinheit innerer Organisation, die für grobe Zwecke eingesetzt wird.«

»Ja«, sagte Mr. Sammler, »das ist eine sehr hübsche Art, es zu formulieren, obgleich viele Leute sicher nicht so fein empfinden, daß sie dies leichte Gewicht, so viel mehr zu sein, als sie begreifen können, wahrzunehmen vermögen.«

»Es würde mich ungeheuer interessieren, Ihre Ansichten zu hören«, sagte Lal.

»Meine Ansichten?«

»Ach ja, Papa.«

»Ja, lieber Onkel Sammler.«

»Meine Ansichten.«

Etwas Seltsames geschah. Er fühlte, daß er im Begriff stand, seine Gedanken voll auszusprechen. Laut! Das war das Erstaunliche daran. Nicht das übliche Selbst-Kommunizieren eines alten und absonderlichen Mannes. Er war drauf und dran zu sagen, was er dachte, und zwar *viva voce*.

»Shula liebt Vorträge, ich nicht«, sagte er. »Ich bin äußerst skeptisch gegenüber Erklärungen, rationalistischen Praktiken. Mir liegen nicht die moderne Religion leerer Kategorien und die Leute, die die Gesten des Wissens machen.«

»Betrachten Sie's mehr als Rezitation denn als Vortrag«, sagte Lal. »Fassen Sie's vom musikalischen Standpunkt auf.«

»Eine Rezitation. Dr. Lal ist es, der sie geben sollte – er hat eine musikalische Stimme. Eine Rezitation – das ist verlockender«, sagte Sammler und stellte die Tasse nieder. »Rezitationen sind für geübte Darsteller. Ich bin nicht gut genug für die Bühne. Aber wir haben nicht viel Zeit. Also gut oder nicht ... Ich bleibe viel zuviel für mich, und ich *bin* versucht, einige meiner Ansichten weiterzugeben. Oder Eindrücke. Gewiß fürchten die Alten immer, daß sie unbemerkt der Verwesung anheimgefallen sind. Woher wissen Sie, daß ich es nicht bin? Shula, die glaubt, ihr Papa sei ein wunderbarer Zauberer, und Margot, die die Diskussion von Ideen so sehr liebt, sie werden es verneinen.«

»Selbstverständlich«, sagte Margot. »Es stimmt einfach nicht.«

»Nun, ich habe es bei anderen gesehen, warum nicht bei mir? Man muß mit allen Tatsachenkombinationen leben. Ich denke an die berühmte Anekdote von einem geistesgestörten Menschen: Man sagte ihm: ›Sie sind ein Paranoiker, mein lieber Mann‹, und er antwortete: ›Vielleicht, aber das hindert die Leute nicht, Anschläge gegen mich zu planen.‹ Das ist ein bedeutender Lichtstrahl aus einer dunklen Quelle. Ich kann nicht sagen, daß ich eine Schwäche im Kopf gefühlt habe, aber sie kann da sein. Glücklicherweise sind meine Ansichten kurz. Ich nehme an, Dr. Lal, Sie haben recht. Biologisch, chemisch ist die geniale Anlage der Kreatur dem Verständnis der Kreatur entrückt. Wir haben eine Ahnung davon und spüren, wie chaotisch im Vergleich damit der innere Zustand ist, welch ein Durcheinander von *odi et amo*. Man sagt, unser Protoplasma sei wie Meerwasser. Unser Blut hat eine mediterrane Basis. Jetzt jedoch leben wir in einem sozialen und menschlichen Meer. Erfindungen und Ideen umspülen unser Hirn, das manchmal wie ein Schwamm aufnehmen muß, was die Strömung bringt, und die geistigen Protozoen verdauen muß. Ich sage nicht, daß es zu dieser Passivität, die teilweise komisch ist, keine Alternativen gäbe, aber es gibt Zeiten, Zustände, in denen wir unten liegen und den furchtbaren Druck eines kumulativen Bewußtseins fühlen, das Gewicht der Welt fühlen. Gar nicht komisch. Die Welt ist ein Terror, gewiß, und die Menschheit wird in einer revolutionären Verfassung modern, wie wir sagen, – mehr und mehr geistig, das Reich der Natur, wie man es zu nennen pflegte, verwandelt sich in einen Park, einen Zoo, einen botanischen Garten, eine Weltausstellung, ein indianisches Reservat. Und dann gibt es immer Menschen, die es auf sich nehmen, die alte Wildheit, das Stammesdenken, die Urbarbarei der Barbaren zu vertreten und zu vermitteln, auf daß wir die Vorgeschichte nicht vergessen, die Wildheit, den tierischen Ursprung. Es wird sogar hier und da gesagt, daß der wahre Zweck der Zivilisation sei, uns allen zu gestatten, wie primitive Menschen zu leben und in einer automatisierten Gesellschaft ein neolithisches Leben zu führen. Das ist ein drolliger Gesichtspunkt. Ich will jedoch hier nicht predigen. Wenn man in seinem Zimmer lebt wie ich, obwohl Shula und Margot mich so hervorragend versorgen, hat man Phantasien, wie man eine unfreiwillige Zuhörerschaft anspricht. Erst kürzlich habe ich versucht, in der Columbia-Universität einen Vortrag zu halten. Es ist nicht gutgegangen. Ich glaube, ich habe mich lächerlich gemacht.«

»Aber bitte fahren Sie fort«, sagte Dr. Lal. »Wir sind höchst aufmerksam.«

»Die Ansichten eines Menschen sind entweder notwendig oder überflüssig«, sagte Sammler. »Das Überflüssige stört mich ungemein. Ich bin ein überaus ungeduldiges Individuum. Meine Ungeduld grenzt manchmal an Raserei. Sie ist klinisch.« »Nein, nein, Papa.«

»Trotzdem tut es zuweilen not, zu wiederholen, was alle wissen. Alle Kartenstecher sollten den Mississippi an der gleichen Stelle anbringen und Originalität vermeiden. Das mag langweilig sein, aber man muß wissen, wo er ist. Wir können den Mississippi nicht zur Abwechslung zu den Rockies hinfließen lassen. Nun hat, wie wir alle wissen, die Mehrzahl der Menschen in zivilisierten Ländern erst in den letzten zwei Jahrhunderten das Vorrecht beansprucht, Individuen zu sein. Früher waren sie Sklave, Bauer, Tagelöhner, selbst Kunsthandwerker, aber nicht Person. Es ist klar, daß diese Revolution, ein Triumph der Gerechtigkeit in vieler Hinsicht – Sklaven sollten frei sein, mörderische Arbeit sollte aufhören, die Seele sollte Spielraum haben – auch neue Arten von Jammer und Elend geschaffen hat, und bisher, in breitester Sicht, ist sie kein voller Erfolg gewesen. Ich will nicht einmal von den kommunistischen Ländern reden, wo die moderne Revolution am meisten durchkreuzt worden ist. Für uns sind die Ergebnisse ungeheuerlich. Denken wir nur an unseren eigenen Teil der Welt. Wir sind in viel Häßlichkeit gestürzt. Es ist ein bekümmernder Anblick, wie sehr diese neuen Individuen leiden mit ihrer neuen Freizeit und Freiheit. Obwohl ich mich zeitweise ganz entkörpert fühle, empfinde ich wenig Groll und eine ganze Menge Mitgefühl. Oft wünsche ich etwas zu tun, aber es ist eine gefährliche Illusion, daß man für mehr als ganz wenige etwas ausrichten kann.«

»Was soll man da tun?« fragte Lal.

»Es ist vielleicht das Beste, eine innerliche Ordnung zu schaffen. Besser als das, was manche Liebe nennen. Vielleicht *ist* es Liebe.«

»Bitte sag doch etwas über die Liebe«, bat Margot.

»Aber ich will nicht. Was ich gesagt habe – Sie sehen, ich werde alt. Ich habe gesagt, daß diese Befreiung in die Individualität kein großer Erfolg gewesen ist. Für einen Historiker von großem Interesse, aber für einen, der das Leiden wahrnimmt, ist es entsetzlich. Herzen, die keinen wahren Lohn erhalten, Seelen, die keine Nahrung finden. Unwahrheiten ohne Ende. Verlangen ohne Ende. Möglichkeit ohne Ende. Unmögliche Forderungen an komplexe Realitäten ohne Ende. Wiederaufleben, in kindlicher und vulgärer Form, von alten religiösen Ideen, Mysterien, völlig unbewußt natürlich – erstaunlich. Orphismus, Mithraismus, Manichäertum, Gnostik. Wenn mein Auge kräftig ist, lese ich zuweilen in Hastings' *Enzyklopädie der Religion und Ethik*. Viele faszinierende Ähnlichkeiten treten zutage. Aber man bemerkt am häufigsten ein seltsames Schauspielern, eine ausgesuchte und zuweilen durchaus künstliche Manier, sich als Individuum vorzustellen, und ein merkwürdiges Verlangen nach Originalität, Auszeichnung, *Interesse* – ja *Interesse!* Eine dramatische Ableitung von Modellen, zusammen mit einer Ablehnung der Modelle. Die Antike hat Modelle übernommen, ebenso das Mittelalter – ich möchte mich nicht hier vor Ihren Augen in ein Geschichtsbuch verwandeln –, aber der moderne Mensch hat, vielleicht wegen der Kollektivierung, das Fieber der Originalität. Die Idee der Einzigartigkeit der Seele. Eine hervorragende Idee. Eine wahre Idee. Aber in diesen Formen? In diesen schlechten Formen? Lieber Gott! Mit Haar, mit Kleidung, mit Drogen und Kosmetik, mit Genitalien, mit Rundreisen durchs Böse, durch Ungeheuerlichkeit und Orgie, sogar mit der Annäherung an Gott durch Obszönitäten? Wie schreckgelähmt die Seele in diesem Taumel sein muß, wie wenig, was ihr wirklich heilig ist, kann sie in diesen Sade'schen Übungen erblicken. Immerhin, der Marquis de Sade mit seiner irren Methode, war ein Philosoph der Aufklärung. Vor allem beabsichtigte er Blasphemie. Aber für jene, die (unbewußt) seinen empfohlenen Praktiken folgen, ist die Idee nicht länger Blasphemie, sondern vielmehr Hygiene, Genuß, der auch Hygiene ist, und ein verzaubertes und *interessantes* Leben. Ein *interessantes* Leben ist das höchste Ideal der Stumpfsinnigen.

Vielleicht denke ich nicht klar. Ich bin heute sehr traurig und zerrissen. Zudem bin ich mir der Abnormität meiner eigenen Erfahrungen bewußt. Manchmal frage ich mich, ob ich hier einen Platz habe, unter anderen Menschen. Ich nehme an, ich bin einer von euch. Aber ich bin's auch nicht. Ich mißtraue meinen eigenen Urteilen, weil mein Geschick extrem gewesen ist. Ich war ein lerneifriger junger Mensch, nicht für die Tat bestimmt. Plötzlich war alles Tat – Blut, Gewehre, Gräber, Hungersnot. Sehr brutale Chirurgie. Man kann nicht unversehrt daraus hervorgehen. Lange Zeit habe ich die Dinge mit bemerkenswerter Härte gesehen. Fast wie ein Verbrecher – ein Mann, der fadenscheinige alltägliche Ordnungen und Alibis beiseitefegt und alles brutal vereinfacht. Nicht ganz so, wie Brecht sagt: ›Erst kommt das Fressen, dann kommt die Moral.‹ Das ist Prahlerei. Aristoteles hat etwas Ähnliches gesagt, und dabei nicht geprahlt oder andere einzuschüchtern gesucht. Jedenfalls habe ich mir durch die Macht der Umstände einfache Fragen stellen müssen wie ›Will ich ihn töten? Will er mich töten? Wenn ich schlafe, werde ich wieder erwachen? Bin ich wirklich am Leben, oder ist nichts übrig als die

Illusion des Lebens?‹ Und ich weiß jetzt, daß die Menschheit gewisse Leute für den Tod markiert. Für sie fällt eine Tür ins Schloß. Shula und ich haben zu dieser abgeschriebenen Kategorie gehört. Wenn man dann trotzdem lebt, dann hinterläßt einen das Draußen-gewesen-Sein mit gewissen Idiosynkrasien. Die Deutschen haben versucht, mich zu töten. Dann haben die Polen nach mir geschossen. Ich wäre gestorben ohne Herrn Cieslakiewicz. Er war der eine Mann, bei dem ich nicht abgeschrieben war. Indem er mir das Grab öffnete, ließ er mich leben. Eine Erfahrung dieser Art verunstaltet. Ich entschuldige mich bei Ihnen für diese Ungestalt.«

»Aber Sie sind nicht verunstaltet.«

»Ich bin natürlich verunstaltet. Und besessen. Sie sehen, daß ich fortwährend von Schauspielerei, Originalität, dramatischer Individualität, dem Theatralischen im Menschen spreche, von den im geistigen Streben angenommenen Formen. Das geht in meinem Kopf rund und rund, all dies. Ich kann Ihnen nicht sagen, wie oft ich zum Beispiel an Rumkowski denke, den tollen jüdischen König von Lodz.«

»Wer ist das?« fragte Lal.

»Eine zur Prominenz hochgespielte Persönlichkeit in Lodz, der großen Textilstadt. Als die Deutschen kamen, setzten sie diesen Mann als Obrigkeit ein. Man debattiert in Flüchtlingskreisen noch häufig über ihn. Rumkowski war sein Name. Er war ein gescheiterter Geschäftsmann. In vorgerücktem Alter. Ein lautes Individuum, korrupt, Direktor eines Waisenhauses, ein Schnorrer, ein übler Bursche, eine abstoßende komische Figur in der jüdischen Gemeinschaft. Ein Mann mit einer kleinen Rolle, wie so viele moderne Individuen. Haben Sie je von ihm gehört?«

Lal hatte nicht von ihm gehört.

»Dann sollen Sie ein bißchen hören. Die Nazis machten

ihn zum Judenältesten. Die Stadt wurde abgezäunt. Das Ghetto wurde zum Arbeitslager. Die Kinder wurden ergriffen und zur Vernichtung deportiert. Es herrschte eine Hungersnot. Die Toten wurden auf den Bürgersteig gebracht und warteten dort auf den Leichenwagen. Inmitten von all dem war Rumkowski König. Er hatte seinen eigenen Hof. Er druckte Geld und Briefmarken mit seinem Bild. Er veranstaltete Umzüge und Spiele sich zu Ehren. Es gab Zeremonien, zu denen er königliche Gewänder trug, und er fuhr in einer kaputten Equipage aus dem letzten Jahrhundert, reich verziert, vergoldet, von einem sterbenden weißen Klepper gezogen. Bei einer Gelegenheit zeigte er Mut, als er gegen die Verhaftung und Verschleppung, im Klartext gegen die Ermordung seines Rates protestierte. Dafür wurde er verprügelt und auf die Straße geworfen. Aber er war der Schrecken der Lodzer Judenschaft. Er war ein Diktator. Er war ihr jüdischer König. Eine Parodie der Sache – ein irrer jüdischer König, der über den Tod einer halben Million Menschen präsidierte. Vielleicht war seine geheime Absicht, einen Rest zu retten. Vielleicht war sein tolles Auftreten darauf angelegt, die Deutschen zu amüsieren und abzulenken. Diese Bocksprünge einer verfehlten Individualität, der *grand seigneur* oder die diktatorischen Absurditäten – dieser alte Groll gegen die Evolution des menschlichen Bewußtseins, der diese zappelnden Personen, schauerlichen Clowns, aus jedem Loch und Winkel hervorholt. Ja, das hätte jenen Menschen gefallen. Der Humor fehlte nur selten in ihren Mordprogrammen. Diese Härte gegen lächerliche Anmaßung, gegen den schlechten Witz des Ich, den wir alle fühlen. Die eingebildete Größe von Insekten. Übrigens war die Tür vor jenen Juden ins Schloß gefallen: sie gehörten zur Kategorie der Abgeschriebenen. Das theatralische Gehabe König Rumkowskis sagte den Deutschen offenbar zu. Es degradierte die Juden noch mehr, einen Spottkönig zu haben. Die Nazis mochten das. Sie hatten eine Vorliebe für derartige Mordfarcen à la *Ubu Roi*. Sie tändelten mit Pataphysik. Das erleichterte oder entspannte das Grauen. Hier kann man auf jeden Fall besonders gut die Frage der Formen sehen, die für die Handlungen des freigesetzten Bewußtseins gefunden werden müssen, und den blutrünstigen Haß, die mörderische Freude, die ihr Versagen und ihre Erniedrigung hervorrufen.«

»Entschuldigen Sie, aber ich habe dieser Verknüpfung nicht folgen können«, sagte Dr. Lal.

»Ja, sicher könnte ich mich verständlicher ausdrücken. Es ist ein Teil der selbstrednerischen Verstiegenheit, die mir eigen ist. Aber im Buch Hiob findet sich die Beschwerde, daß Gott viel zuviel verlangt. Hiob protestiert, daß er unerträglich groß geachtet wird – ›Was ist ein Mensch, daß du ihn groß achtest und bekümmerst dich um ihn? Du suchst ihn täglich heim und versuchst ihn alle Stunden. Warum tust du dich nicht von mir und lässest mich nicht, bis ich nur meinen Speichel schlinge?‹ Und sagt: ›Gedenke daß mein Leben ein Wind ist‹ und ›Nun werde ich mich in die Erde legen‹. Diese zu große Forderung an das menschliche Bewußtsein und das menschliche Vermögen hat die menschliche Duldkraft überzogen. Ich spreche nicht nur von der moralischen Forderung, sondern auch von der Forderung an die menschliche Vorstellung, eine menschliche Figur von zureichendem Format zu erzeugen. Was ist das wahre Format eines Menschen? Das, Dr. Lal, habe ich gemeint, wenn ich von der mörderischen Lust an Erniedrigung und Parodie sprach – an Rumkowski, König von Lumpen und Kot, Rumkowski, Herrscher der Leichen. Und das interessiert mich am theatralischen Gehabe der

Rumkowski-Episode. Natürlich war der Spieler dem Untergang geweiht. Viele andere Spieler fühlten sich, mit weniger Qual, ebenfalls dem Untergang geweiht. Was die übrigen, die große Masse der Verdammten anging, so nehme ich an, da sie verhungerten, daß ihnen das Gefühl abhanden kam. Selbst verhungernde Mütter fühlten nicht länger als ein, zwei Tage, daß ihnen die Kinder entrissen worden waren. Hungerqualen vertreiben den Kummer. Erst kommt das Fressen, verstehen Sie?

Vielleicht bringe ich die Gedankenverbindungen nicht richtig zustande. Sagen Sie mir bitte, wenn es Ihnen so erscheint. Mein Ziel ist, aufzuzeigen ... wenngleich der Mann vielleicht von Anbeginn wahnsinnig war, vielleicht machte ihn der Schock sogar zurechnungsfähiger, auf alle Fälle stieg er am Ende freiwillig in den Zug nach Auschwitz ... die Schwäche der äußeren Formen aufzuzeigen, die augenblicklich für unsere Menschheit verfügbar sind, und den beklagenswerten Mangel an Vertrauen zu ihnen. Das frühe Resultat unserer modernen Hochkonjunktur der Individualität. In einer solchen Figur haben wir den allerschlimmsten der Fälle. Die ungeheuerlichste Art der Übertreibung. Wir sehen die Auflösung der übelsten Ego-Ideen. Solche Ego-Ideen, die der Dichtung, Geschichte, Tradition, Biographie, dem Kino, dem Journalismus und der Werbung entnommen sind. Wie Marx ausgeführt hat ...« Aber er sagte nicht, was Marx ausgeführt hatte. Er dachte nach, und die anderen sprachen nicht. Sein Essen war nicht angerührt.

»Ich habe gehört, der alte Mann war sehr lüstern«, sagte er. »Er betatschte die jungen Mädchen. Vielleicht seine Waisen. Er wußte, daß alle sterben würden. Dann schien alles als Blütentrieb zu spriessen, ein Überlaufen seiner ›Persönlichkeit‹. Vielleicht, wenn Menschen so verzweifelt ohnmächtig sind, spielen sie jenes Instrument, die Persönlichkeit, lauter und wilder. Es scheint mir, als hätte ich das oft erlebt. Ich erinnere mich, in einem Buch gelesen zu haben, aber kann mich nicht erinnern wo, wenn Leute einen Namen für sich gefunden hatten, Mensch, dann verwandten sie viel Zeit darauf, menschlich zu handeln, zu lachen und zu weinen, andere zum Lachen und Weinen zu bringen, Gelegenheiten zu suchen, zu provozieren, so viel Genugtuung im Händeringen zu finden, Tränen aus ihren Drüsen zu pressen und in jenem umnebelten, verseuchten, verwirrenden, sprudelnden Medium menschlicher Gefühle zu schwimmen und zu segeln, das Wasser der Leidenschaft zu trinken und über ihr Geschick aufzuschreien. Diese Übung wurde in dem Buch verurteilt, besonders der Mangel an Originalität. Der Verfasser zog intellektuelle Strenge vor, haßte die Gefühlsseligkeit, forderte nur edle Tränen, Tränen, die zu allerletzt, nach viel Widerstand, aus den erhabensten Erkenntnissen heraus vergossen wurden.

Wenn man jedoch dieses ganze Seelentheater verabscheut? Auch ich finde es öde, daß ich ihm so oft und in so bekannten Formen begegnen muß. Ich habe viele unangenehme Beschreibungen davon gelesen. Ich habe es beschrieben gesehen als den Schutt der Jahre, historischen Abfall, totes Gewicht, als bourgeoise Eigenheit, als erbliche Verunstaltung. Das Ich mag glauben, es trüge ein lustiges neues Ornament, herrlich bemalt, aber von draußen sehen wir, daß es ein Mühlstein ist. Oder anders herum, diese Persönlichkeit, auf die der Besitzer so stolz ist, stammt von Woolworth, billiges Blech oder Plastik vom Groschenladen der Seelen. Wenn ein Mensch es so sieht, dann mag er denken, daß sich das Menschsein kaum lohnt. Wo ist das begehrenswerte Ich, das man sein könnte? *Dov'è sia*, wie die Frage in der Oper gesungen wird. Das kommt drauf an. Das kommt zum Teil auf den Willen des Fragenden an, Verdienst zu

sehen. Es kommt auf sein Talent an und seine Unvorein-
genommenheit. Es stimmt, daß wir eine aufgelegte Individualität, schlechte Nachahmung, Banalität und was sonst
noch ablehnen sollen. Das ist widerlich. Aber der Indivi-
dualismus ist von überhaupt keinem Interesse, wenn er
nicht die Wahrheit erweitert. Als persönliche Auszeichnung,
Erhöhung, Ruhm entbehrt er für mich jeglichen Interesses.
Ich bejahe ihn nur als Instrument, um zur Wahrheit zu
gelangen«, sagte Sammler. »Aber wenn wir dies einen
Augenblick beiseitelassen, meine ich, wir können meine
Anschauung etwa so zusammenfassen: daß in der modernen Geschichte, nach langen Epochen der Namenlosigkeit
und bitterer Dunkelexistenz, viele hervorgebrochen sind,
um einen Namen, persönliche Würde, ein Leben, wie es in
früheren Zeiten nur dem Adel, den Fürsten oder den Göt-
tern des Mythos vorbehalten gewesen ist, zu beanspruchen
und zu genießen (wie die Menschen heutzutage eben genießen). Und daß dieser Aufbruch, wie alle großen Bewegungen dieser Art, Elend und Verzweiflung gebracht hat,
daß seine Erfolge nicht klar gesehen werden, sondern daß
das Herzeleid, das er vielen Menschen bereitet, unergründ-
lich ist, daß die meisten Formen persönlicher Freiheit diskreditiert scheinen und daß sich eine seltsame Sehnsucht
nach dem Nichts breitmacht. Solange es kein ethisches
Leben gibt und alles so barbarisch und rücksichtslos in die
persönliche Geste verlegt wird, muß man das ertragen.
Und es gibt diese seltsame Sehnsucht nach dem Nichtsein.
Vielleicht könnte man zutreffender sagen, daß die Menschen mit ungeklärtem Bewußtsein alle anderen Formen
des Seins aufsuchen wollen, daß sie nicht wünschen, ein
gegebenes Ding zu sein, sondern statt dessen unbegrenzt
wandlungsfähig zu werden und nach Belieben kommen
und gehen zu dürfen. Warum sollten sie menschlich sein?

In den meisten dabei gebotenen Formen gibt es wenig Spielraum für die großen Mächte der Natur im Individuum, für die überreichen, verschwenderischen Mächte. In der Wirtschaft, im freien Beruf, bei der Arbeiterschaft, als Teil der Öffentlichkeit, als Bewohner der Städte, diesen sonderbaren Pfuhlen, als Erleider von Zwängen, Manipulationen, als Opfer von Spannungen, als Vater, Ehemann, die der Gesellschaft Genüge tun, indem sie ihr Soll an Handlungen erfüllen – das Individuum scheint diese Mächte weniger, weniger und immer weniger zu empfinden. Daher kommt es mir ganz so vor, daß es eine Trennung von allen Zuständen wünscht, die es kennt.

Es wurde dem Christen vorgeworfen, daß er seiner selbst ledig sein wollte. Die ihn dessen bezichtigten, forderten ihn auf, seine unbefriedigende Menschlichkeit zu transzendieren. Aber ist Transzendenz nicht der gleiche Wirrwarr? Ist das nicht auch ein Ledigwerden des Menschentums? Nun, vielleicht sollte der Mensch sich selbst loswerden, gewiß. Wenn er kann. Aber er hat auch etwas in sich, dessen Fortführung er für wichtig hält. Etwas, was es verdient, weiterzugehen. Es ist etwas, das weitergehen muß, und wir alle wissen es. Der Geist fühlt sich betrogen, geschändet und beschmutzt, verdorben, zerstückelt, verletzt. Und doch weiß er, was er weiß, und das Wissen kann er nicht abschütteln. Der Geist weiß, daß sein Wachstum das wahre Ziel der Existenz ist. So scheint es mir. Übrigens kann die Menschheit nicht etwas anderes sein. Sie kann sich nicht ihrer selbst entledigen, außer durch einen Akt universaler Selbstvernichtung. Aber wir sind nicht einmal aufgerufen, Ja oder Nein zu stimmen. Und ich habe keine Argumente dargelegt, weil ich nichts zu verfechten habe. Ich habe meine Gedanken ausgesprochen. Man hat nach ihnen gefragt, und ich wollte sie ausdrücken. Das Beste, was ich gefunden habe, ist Abgeschiedenheit. Nicht wie sich Misanthropen lossagen, durch Urteilen, sondern durch Nicht-Urteilen. Durch Wollen, wie Gott will.

Während des Krieges hatte ich keinen Glauben, und ich hatte immer die Wege der Orthodoxie abgelehnt. Ich sah, daß Gott vom Tod nicht beeindruckt ist. Die Hölle war seine Gleichgültigkeit. Aber die Unfähigkeit zu erklären, ist kein Grund für den Unglauben. Nicht solange der Sinn für Gott dauert. Ich könnte wünschen, daß er nicht dauerte. Die Widersprüche sind so schmerzhaft. Kein Interesse an Gerechtigkeit? Nichts von Barmherzigkeit? Ist Gott nur der Tratsch der Lebenden? Dann beobachten wir diese Lebenden, die wie die Vögel über die Oberfläche eines Wassers schießen, und einer wird tauchen oder hineinstoßen, aber nicht wieder auftauchen und nie mehr gesehen werden. Und wir unsererseits werden nie mehr gesehen werden, wenn wir einmal durch die Oberfläche gestoßen sind. Aber dann haben wir keinen Beweis, daß es unter der Oberfläche keine Tiefe gibt. Wir können nicht einmal sagen, daß unser Wissen vom Tode flach ist. Es gibt kein Wissen. Es gibt Sehnen, Leiden, Trauern. Diese entstehen aus Bedürfnis, Neigung und Liebe – den Bedürfnissen der lebenden Kreatur, weil sie eine lebende Kreatur *ist*. Inbegriffen dabei ist auch die Fremdheit. Auch ein dunkles Ahnen. Andere Zustände werden gespürt. Alles ist nicht platterdings wißbar. Ohne dies Ahnen hätte es nie eine Untersuchung gegeben, nie ein Wissen. Aber ich bin nicht der Prüfer des Lebens oder ein Wissender, und ich habe nichts zu verfechten. Gewiß würde ein Mensch trösten, wenn er könnte. Aber das ist nicht eins meiner Ziele. Tröster können nicht immer aufrichtig sein. Aber sehr oft, und fast täglich, habe ich starke Eindrücke von der Ewigkeit. Das mag mit meinen ungewöhnlichen Erlebnisse zusammenhängen oder mit dem

Alter. Ich möchte sagen, daß mir das nicht greisenhaft erscheint. Auch wäre ich nicht böse, wenn nach dem Tod nichts käme. Wenn es nur so ist, wie es vor der Geburt war, warum sollte es einem was ausmachen? Da würde man keine weitere Information empfangen. Die affenartige Ruhelosigkeit würde aufhören. Ich glaube, ich würde vor allem mein Gottesahnen in den vielen täglichen Formen vermissen. Ja, das würde ich vermissen. Also dann, Dr. Lal, wenn der Mond für uns metaphysisch von Vorteil wäre, dann wäre ich vollkommen dafür. Als ein Ingenieursprojekt, Kolonisation des Weltraums ist er, bis auf die Kuriosität und die Genialität, für mich von geringem Interesse. Gewiß muß der Trieb, der Wille, diese wissenschaftliche Expedition zu organisieren, eine jener irrationalen Notwendigkeiten sein, die das Leben ausmachen – dies Leben, das wir glauben, verstehen zu können. Ich nehme daher an, wir müssen den Startsprung machen, weil das unser menschliches Schicksal ist. Wäre es eine Sache der Vernunft, dann wäre es vernünftig, erst einmal auf diesem Planeten Gerechtigkeit zu schaffen. Dann, wenn wir eine Erde von Heiligen hätten und unsere Herzen dem Mond entgegenstrebten, könnten wir in unsere Maschinen steigen und auffahren ...«

»Aber was ist das auf dem Fußboden?« fragte Shula. Alle vier standen vom Tisch auf, um nachzusehen. Wasser floß von der Hintertreppe her über die weiße pompejanische Mosaikoberfläche aus Kunststoff. »Plötzlich waren meine Füße naß.«

»Ist es ein überlaufendes Bad?« fragte Lal.

»Shula, hast du das Bad abgedreht?«

»Ich bin sicher und weiß es genau.«

»Ich glaube, es ist zu schnell für Badewasser«, sagte Lal.

»Wahrscheinlich ist ein Rohr gebrochen.« Als sie lauschten,

hörten sie von oben ein Geräusch wie Sprühen, und ein stetiges, eiliges Klopfen, Sickern, Fallen, Schlängeln von Wasser auf der Treppe. »Ein offenes Rohr. Es klingt wie eine Flut.« Er riß sich vom Tisch los und rannte durch die große Küche, die dünnen behaarten Fäuste auf die Brust gelegt, den Kopf zwischen die Schultern gezogen.

»Ach, Onkel Sammler, was ist es?«

Die Frauen folgten. Langsamer, gezwungenermaßen, stieg auch Sammler hinauf.

Wallaces Theorie, daß im Bodengeschoß falsche, mit kriminellem Geld gefüllte Rohre waren, war auf die Probe gestellt worden. Sammler vermutete, da Wallace so mathematisch war, Gleichungen liebte, nächtelang Glücksspielquoten ausrechnete, daß er eine Blaupause der Rohre ausgearbeitet hatte, bevor er zum Schraubenschlüssel griff.

Im oberen Geschoß war es zwecklos, sorgfältig auf trockene Stellen zu treten. Dort war der teppichbelegte Korridor wie eine durchnäßte Rasenfläche und sog an Sammlers rissigen Schuhen. Die Bodentür war verschlossen, aber das Wasser floß darunter hervor.

»Margot«, sagte Sammler, »geh augenblicklich runter. Rufe den Klempner und die Feuerwehr an. Rufe zuerst die Feuerwehr an und sage, daß du einen Klempner holst. Steh nicht rum. Mach schnell.« Er nahm sie beim Arm und drehte sie zur Tür.

Wallace hatte offenbar versucht, sein Hemd in die Bruchstelle zu stopfen. Als die Berechnung ihn betrog, verlor er die Nerven. Das Kleidungsstück lag am Boden, und er und Lal versuchten, die offenen Rohrenden zusammenzubringen.

»Etwas stimmt nicht mit der Kupplung, ich muß das Gewinde überdreht haben«, sagte Wallace. Er stand rittlings über dem strömenden Rohr. Dr. Lal, der versuchte, die

Verbindung herzustellen, wurde bespritzt, Bart und Brust. Shula stand nahe bei ihm. Wenn große Augen technische Hilfe sein – wenn Starren und Nähe zur Verquickung führen könnten!

»Gibt es keinen Abstellhahn? Gibt es kein Ventil?« fragte Sammler. »Shula, mach dich nicht naß. Tritt zurück, meine Liebe, du stehst im Weg.«

»Ich bezweifle, ob wir etwas auf diese Weise ausrichten können«, sagte Lal. Das Wasser sprudelte laut.

»Glauben Sie nicht?« fragte Wallace.

Sie sprachen sehr höflich.

»Eher nein. Zunächst einmal ist der Wasserdruck zu groß. Und wie Sie sehen, kann man das Verbindungsstück nicht bewegen«, sagte Lal. Er senkte das Rohr und trat zur Seite. Am Gürtel war seine graue Hose schwarz vom Wasser.

»Kennen Sie das Wassersystem hier?

»In welcher Beziehung soll ich es kennen?«

»Ich meine, ist es an die Stadt angeschlossen oder haben Sie einen eigenen Brunnen? Wenn es Stadtwasser ist, muß das Amt angerufen werden. Wenn es jedoch ein gebohrter Brunnen ist, könnte die Lösung im Keller liegen. Wenn es ein Brunnen ist, gibt es eine Pumpe.«

»Das dumme ist, ich hab's nie gewußt.«

»Wie steht's mit den Abwässern, städtisch?«

»Da bin ich auch überfragt.«

»Wenn es ein Brunnen ist, und wenn's eine Pumpe gibt, gibt's auch einen Schalter. Ich werde runtergehen. Haben Sie eine Taschenlampe?«

»Ich kenne das Haus«, sagte Shula. »Ich gehe mit Ihnen.« Im locker gebundenen Sari, Sandalen von eifrigen Füßen verlierend, eilte sie Lal nach, der die Treppe hinabbrannte.

Sammler sagte zu Wallace: »Gibt es keine Eimer. Die Decken werden einstürzen.«

»Die sind versichert. Sorge dich nicht um die Decken.«

»Trotzdem . . .«

Sammler stieg hinunter.

Unter dem Küchenbecken und im Besenschrank fand er gelbe Plastikeimer und kletterte zurück. Er merkte, daß er die typischen Ängste des armen Verwandten ausstand. Ihm hatte dieses Haus bestimmt nie zugesagt. Er fand es schwer, hier natürlich zu sein, während er das Brot seines Wohltäters aß. Außerdem standen dieser gedrängte Komfort, die mit Grenrebildern und teuren Stücken überfüllten Räume auf der Basis des Nichts. Das Werk von Mr. Croze mit dem Rosenknospenmund, den sichtbaren Nasenlöchern, der Oscar-Wilde-Frisur, dem sanften kleinen Wanst und parfümierten Fingern, der, wie Elya einmal bitter bemerkte, eine so zynische und harte Geschäftsmitteilung geschickt hatte, wie nur je einer. Elya gab zu, daß er angemessen ausgestattet und gut bedient sei, aber er schätzte es nicht, von Mr. Croze beschimpft zu werden, der mit schönen Belohnungen, mit vorstädtischen Herzogtümern für erfolgreiche Slumtypen Handel trieb. Immerhin – eine Überschwemmung. Sammler konnte es nicht ertragen. Außerdem war es eine charakteristische Wallace-Leistung, wie das Versenken der Limousine im Croton-Reservoir, die Pilgerfahrt zu Roß nach Sowjet-Armenien, die Einrichtung eines Anwaltbüros, um Kreuzworträtsel zu lösen – Proteste gegen seines Vaters »wertlosen« Erfolg. Darin lag nichts Neues. Regelmäßig brachten jetzt seit Generationen wohlhabende Familien ihre anarchischen Söhne hervor – diese Bakunin-Jüngelchen, Genies der Freiheit, Brandstifter, Demolierer von Gefängnissen, Landbesitzen, Palästen. Bakunin hatte das Feuer so geliebt. Wallace arbeitete in Wasser, einem anderen Medium. Und es war sehr seltsam (Sammler, mit den zwei Plastikeimern, die so gelb und leicht waren wie Blätter oder Federn, hatte Zeit auf der Treppe, während das Wasser lief, diesem Zufall nachzusinnen), daß Wallace, als er am Nachmittag von seinem Vater sprach, gesagt hatte, er sei durch den Aneurysma wie ein Fisch am Haken und würde in den falschen Teil des Universums gezerrt, wobei er in der Luft ertrinke.

»Du hast ein paar Eimer gebracht. Wollen mal sehen, ob wir sie unter das Rohr zwängen können. Wird nicht viel helfen.«

»Vielleicht doch etwas. Du kannst ein Fenster öffnen und das Wasser in die Regenrinne gießen.«

»Die Abflußrohre hinunter. Okay. Aber wie lange sollen wir Wasser schöpfen?«

»Bis die Feuerwehr kommt.«

»Du hast die Feuerwehr gerufen?«

»Gewiß. Ich habe Margot anrufen lassen.«

»Die reichen darüber einen Bericht ein. Danach werden die Versicherungsleute handeln. Ich lege lieber dieses Werkzeug weg. Ich meine, das soll nach einem Unfall aussehen.«

»Daß diese Rohre einfach auseinandergefallen sind? Von selbst sich geöffnet haben? Unsinn, Wallace. Rohre platzen nur im Winter.«

»Ja, ich glaube das stimmt.«

»Und du hast gemeint, sie seien voller Tausenddollarscheine? Ach Wallace!«

»Schimpf nicht mit mir, Onkel. Irgendwo hier ist die Beute. Das schwöre ich. Ich kenne meinen Vater. Er ist ein Versteker. Und was nützt ihm das Geld jetzt? Er könnte nicht wagen, es zu erklären, selbst wenn er —«

»Selbst wenn er am Leben bliebe?«

»Jawohl. Und es ist, als wendete er sich ab von uns. Oder gönne es uns nicht.«

»Findest du das einen passenden Ausdruck?«

»Für dich wäre er nicht passend, aber wenn ich's sage, macht's nicht viel aus. Ich bin eine andere Generation. Ich hatte schon von Anfang an keine Würde. Ein vollkommen anderer Satz von Gegebenheiten. Kein natürliches Respektgefühl. Nun, ich habe ja tatsächlich diese Rohre ganz hübsch in die Scheiße gezogen.«

Sammler dachte darüber nach, wie ähnlich sich Wallace und Shula in ihren Missetaten waren. Man mußte anhalten, sich umdrehen und auf sie warten. Unterlassen wurden sie nicht. Sammler hielt den zweiten Eimer unter das plätschernde Rohr. Wallace hatte den ersten aus dem Bodenfenster geleert und kam zurück mit verschmierten nassen Händen, mit bloßer Brust, die kurzen schwarzen Haare genau symmetrisch wie ein geistliches Beffchen. Arme waren lang, Schultern weiß, wohlgeformt, aber wem zum Nutzen? Und mit einem gewissen Senken der Mundwinkel vor sich hinlächelnd vermittelte er Sammler, wie schon zuvor, den mütterlichen Eindruck von dem anmutigen Knaben mit dem langen Schädel und Hals des Kindes, den klar gezogenen Brauen, der feinen kleinen Nase. Aber wie in manchen alten Gemälden war darüber auch eine andere Welt dargestellt, und man konnte sich in gerader Linie über Wallaces Kopf Symbole der Wirrnis vorstellen: Rauch, Feuer, fliegende schwarze Gegenstände. Eigenwillige Entschlüsse. Ein abgeschlossenes Urteil.

»Wenn er mir sagen würde, wo der Zaster ist, so würde das zumindest den Wasserschaden decken. Aber er tut's nicht, und du willst ihn nicht fragen.«

»Nein. Ich möchte damit nichts zu schaffen haben.«

»Du denkst, ich sollte mir meinen eigenen Zaster verdienen.«

»Ja. Beschildere die Bäume und Büsche. Verdiene dir dein eigenes Geld.«

»Das wollen wir. Das ist sogar auch alles, was ich von dem alten Herrn will, einen Einsatz für die Ausrüstung. Es ist seine letzte Chance, mir sein Vertrauen zu beweisen. Mir Gutes zu wünschen. Mir seinen Segen zu geben. Glaubst du, er hat mich geliebt?«

»Natürlich hat er dich geliebt.«

»Als Kind. Aber hat er mich als Mann geliebt?«

»Er hätte es.«

»Wäre ich ein Mann seiner Vorstellung gewesen. Das meinst du doch, oder?«

Sammler konnte immer seine Gedanken ausdrücken, indem er sich seines blinden Aussehens bediente. Oder wenn du ihn geliebt hättest, Wallace. Dies sind aber sehr flüchtige Gelegenheiten. Man muß behende sein.

»Entschuldige, daß du so spät in der Nacht noch Wasser schöpfen mußt. Du mußt müde sein.«

»Das bin ich wohl auch. Vertrocknete alte Leute können immer und immer weiter. Trotzdem beginne ich, es zu fühlen.«

»Ich fühle mich selbst nicht so glänzend. Wie steht es unten, schlimm? 'ne Menge Wasser?«

Kein Kommentar.

»Es endet immer so. Ist das die Botschaft an die Welt von meinem unbewußten Ich?«

»Warum solche Botschaften senden? Zensiere sie. Stecke dein Unbewußtes hinter Gitter bei Brot und Wasser.«

»Nein, es ist einfach die sterbliche Art, die ich bin. Du kannst es nicht in Schach halten. Ich hasse es auch.«

Der hagere Mr. Sammler, der vorsichtig den leichten Eimer an das Rohr brachte, während das rasche Wasser plätscherte.

»Ich weiß, daß Vater Männer hier oben gehabt hat, die falsche Verbindungen angebracht haben.«

»Ich würde meinen, wenn es eine Menge Geld war, dann wäre das falsche Rohr dick.«

»Nein, er würde nicht das Naheliegende tun. Du hast ein falsches Bild von ihm. Er besitzt eine Menge wissenschaftliche Nüchternheit. Es hätte dieses Rohr sein können. Er hätte die Scheine fest und klein zusammenrollen können. Er ist Chirurg. Er hat die Geschicklichkeit und die Geduld.« Plötzlich hörte das Plätschern auf.

»Sieh nur. Er hat's abgestellt. Es tröpfelt nur noch. Hurra!« sagte Wallace.

»Dr. Lal!«

»Welch eine Erleichterung. Er hat den Schalter gefunden. Wer ist der Bursche?«

»Professor V. Govinda Lal.«

»Professor wofür?«

»Biophysik ist, glaube ich, sein Fach.«

»Nun, er gebraucht jedenfalls sein Köpfchen. Es ist mir nie eingefallen, festzustellen, woher unser Wasser kam. Es muß einen Brunnen geben. Kannst du dir das vorstellen! Und wir wohnen hier schon seit meinem zehnten Geburtstag am 8. Juni 1949. Ich bin ein Zwilling. Maiglöckchen sind meine Geburtsblumen. Wußtest du, daß Maiglöckchen sehr giftig sind? Wir sind an meinem Geburtstag umgezogen. Keine Kindergesellschaft. Der Möbelwagen ist beim Umzug zwischen den Torpfosten steckengeblieben. Das ist also kein städtisches Wasser – ich bin erstaunt.« Mit gewohnter Leichtigkeit brachte er allgemeine Betrachtungen ins Gespräch. »Es soll ein Kennzeichen des Massemenschen sein, daß er den Unterschied zwischen der Natur und menschlichen Einrichtungen nicht kennt. Er glaubt die billigen Sachen – Wasser, Elektrizität, Untergrundbahn, heiße Würstchen – sind wie Luft, Sonnenschein, Laub an den Bäumen.«

»Einfach nur so?«

»Ortega y Gasset sagt es. Na, sehen wir lieber nach, wie groß der Schaden ist und holen die Putzfrau.«

»Du könntest es mit einem Mop aufwischen. Laß die Pfützen nicht die ganze Nacht stehen.«

»Ich weiß rein gar nichts vom Gebrauch eines Mop. Ich bezweifle, daß ich je einen in der Hand gehalten habe. Aber ich könnte Zeitungen auslegen. Alte Exemplare der *Times* aus dem Keller. Aber nur eins noch, Onkel.«

»Was denn?«

»Verwirf mich nicht wegen dieser Angelegenheit.«

»Tue ich nicht.«

»Schön, sieh nicht auf mich herab. Verachte mich nicht.«

»Nun ja, Wallace . . .«

»Das mußt du, ich weiß. Aber dies ist wie eine Beschwörung. Ich hätte gern deine gute Meinung.«

»Bist du deprimiert, Wallace, wenn die Dinge so schiefgehen?«

»Immer weniger.«

»Du meinst, du machst Fortschritte«, sagte Sammler.

»Weißt du, wenn Angela das Haus erbt, dann beendet das meine Chancen, das Geld zu kriegen. Sie wird das Grundstück zum Verkauf anbieten, da sie unverheiratet ist. Sie hat keine sentimentalen Gefühle für das alte Zuhause. Die Wurzeln. Ich ja auch nicht, wenn man der Sache auf den Grund geht. Vater mag das Haus eigentlich auch nicht. Nein, ich blase keine schwarze Trübsal wegen des Wasserschadens. Alles ist ersetzbar. Zu schwindelnden Preisen. Aber die Erbmasse wird die Rechnung bezahlen, die ein wahrer Betrug sein wird. Und dann gibt es die Versicherung. Die Besitzinstinkte befinden sich in einer Übergangsphase. Das glaube ich wirklich.« Wallace konnte plötzlich ernst werden, aber seinem Ernst mangelte es an

Gewicht. Ernst war vermutlich Wallaces Ideal, sein wahres Bedürfnis, aber der junge Mann war unfähig, das Wesentliche in sich selbst zu finden. »Ich sage dir, was ich fürchte, Onkel«, sagte er. »Wenn ich von einem festen Einkommen, von einer Stiftung leben soll, dann ist das mein Ende. Dann finde ich mich nie. Willst du, daß ich verkomme? Ich muß aus der Zukunft herausbrechen, die mir mein Vater geschaffen hat. Sonst bleibt weiterhin alles möglich, und alle Möglichkeiten werden mein Tod. Ich muß meine eigenen Notwendigkeiten besitzen, und die sehe ich nirgendwo. Alles was ich sehe, sind zehntausend im Jahr, wie ein lebenslängliches Urteil meines Vaters über mich. Ich muß ausbrechen, solange er noch lebt. Wenn er stirbt, werde ich so melancholisch; ich werde nicht imstande sein, einen Finger zu rühren.«

»Sollen wir etwas von diesem Wasser aufsaugen?« fragte Sammler. »Sollen wir nicht anfangen, die *Times* über den Boden zu breiten?«

»Oh, das hat Zeit. Zum Teufel damit. Wir werden sowieso bei der Reparatur übers Ohr gehauen. Weißt du, Onkel, ich glaube, ich bin etwa halb so klug wie ein Mann sein muß, um diese Dinge auszudenken, deshalb komme ich nie mehr als halbwegs zum Ziel.«

»Du hast also keine Bindung an dies Haus – keinen Wunsch nach Wurzeln, Wallace?«

»Nein, bestimmt nicht. Wurzeln? Wurzeln sind nicht modern. Das ist eine Bauernauffassung. Boden und Wurzeln. Die Bauernschaft ist am Verschwinden. Das ist die eigentliche Bedeutung der modernen Revolution, die Weltbauernschaft auf den neuen Stand der Existenz vorzubereiten. Ich habe bestimmt keine Wurzeln. Aber selbst ich bin schon überholt. Was ich habe, sind eine Menge alter Drähte, und auch Drähte gehören zur alten Technik. Das Wahre ist Telemetrie. Kybernetik. Ich habe praktisch beschlossen, Onkel Sammler, wenn dies Unternehmen mit Feffer nicht durchschlägt, nach Kuba zu gehen.«

»Nach Kuba also. Aber du bist doch nicht auch Kommunist, Wallace?«

»Keineswegs. Trotzdem bewundere ich Castro. Er hat einen tollen Stil, er ist ein Radikaler der Boheme, und er hat sich gegen die Supermacht Washingtons behauptet. Er und sein Kabinett fahren in Jeeps. Sie treffen sich im Zuckerrohr.«

»Was willst du ihm erzählen?«

»Es könnte wichtig sein, also treibe nicht deinen Scherz mit mir, Onkel Sammler. Ich habe Ideen über die Revolution. Als die Russen ihre Revolution machten, haben alle gesagt: ›Ein Sprung vorwärts in eine neue Epoche der Geschichte.‹ Überhaupt nicht. Die russische Revolution war ein Hinhaltemanöver – oh, mein Gott, welch ein Lärm. Es ist die Feuerwehr. Ich laufe lieber. Sie könnten sonst die Tür einschlagen. Die haben eine Orgie, diese Burschen, mit ihren Äxten. Und ich brauche ein Alibi für die Versicherung.«

Er rannte.

Auf dem Hof fuhren die rotierenden Lichter durch die Bäume, dunkelrot über den Rasen, die Mauern, die Fenster. Die Glocke gellte bängaläng, und tiefer den Weg hinunter nahten sich mit leidenschaftlichem Kreischen die tödlich tönenden Sirenen. Mehr Züge kamen an. Aus dem Bodenfenster beobachtete Sammler, wie Wallace mit erhobenen Händen hinausrannte und den behelmten Männern erklärte, die in ihren weichen Gummistiefeln von den Wagen sprangen.

Wasser hatten sie mitgebracht.

Mr. Sammler verbrachte in dieser Nacht einige wache

Stunden. Ein vorhersehbares Ergebnis seiner Sorge um Elya. Der Überschwemmung. Auch des Gesprächs mit Lal, das ihn gezwungen hatte, seine Ansichten auszusprechen – historisch, planetarisch und universal. Wahrscheinlich sollte die Reihenfolge umgekehrt sein: erst kamen die Ansichten, planetarisch oder universal, und dann gab es die versteckten Dollar, Wasserrohre und Feuerwehrleute. Sammler ging hinaus und schritt im Garten umher, hinter dem Haus, die Einfahrt auf und nieder. Er war unzufrieden. Er hatte erläutert, Stellungen bezogen, er hatte Dinge gesagt, die er nicht meinte, Dinge gemeint, die er nicht gesagt hatte. Im Haus gab es Geschäftigkeit, Diskussionen, Erklärungen, Anordnungen, Gegenanordnungen. Im Haus eines sterbenden Mannes. Es war wieder der Kreislauf gewisser minderwertiger Angelegenheiten, die die Menschen beharrlich vergrößerten, erweiterten, in den Mittelpunkt rückten: Beziehungen, Innenarchitektur, Familienzwiste, Minox-Aufnahmen von Dieben in Bussen, arme puertorikanische Damen im Expreßzug zur Bronx, *odi-et-amo* Bedürfnisse und Ablehnungen, gefühlsbetonte Selbstprüfungen, erotische Touren in Acapulco, Fellatio mit freundlichen Fremden. Zivile Angelegenheiten. Zivilist einer und alle! Die Hochgesinnten wie Plato (jetzt erteilte er nicht nur eine Lektion, sondern gar eine Lektion an sich selbst) wünschten, diesen Tand endlich los zu sein – die Streitereien, Prozesse, Hysterien, all diese lichtscheue Kleinkrämerei. Andere mächtige Geister behaupteten, das ginge nicht. Sie meinten (wie Freud), daß die mächtigsten Instinkte gerade an diesen Tand gebunden seien, jede Kleinigkeit das Symptom einer tiefsitzenden Krankheit in einer Kreatur, deren Schicksal die Krankheit war. Was war dagegen zu tun? Absurd in der Form, aber möglicherweise real? Möglicherweise jedoch nicht real? Errettung hiervon war zur gebieterischen Notwendigkeit geworden. Und das war der Grund, weswegen Mr. Sammler während der Aqabakrise in den Nahen Osten fahren mußte.

In diesem Augenblick, während er im weißen Mondlicht auf Elyas gewaschenem Kies umherging, der von den Löschzügen mit schwarzen Spuren durchfurcht worden war, erkannte und identifizierte er wieder seine Motive. Er war nach 1939 zurückgegangen. Er wollte auf den Samoschter Wald zurückgreifen, zu grundlegenderen menschlichen Kennzeichen. Wann hatten die Dinge wirklich wahr geschienen? In Polen, als er geblendet wurde, in Samoscht, als er fror, im Grab, als er hungerte. Also hatte er Elya überredet, ihn fahren zu lassen, ihn zu schicken, und er hatte seine nahe Bekanntschaft mit einer gewissen Sorte von Tatsachen erneuert. Sie hatten, da er älter und gebrechlicher war, seine Beine mehr zum Zittern gebracht; je mehr er versuchte, sich abzuhärten, desto mehr geriet er ins Wanken. Es gab wenige äußere Anzeichen davon. Aber war er nicht zu alt? Hatte er das Recht, zu einem Krieg zu fliegen?

In Athen wurde im Flugzeug bekanntgegeben, daß dieser Flug nicht fortgesetzt werde, weil der Kampf in Israel schon begonnen hätte. Flugverbot! Er mußte raus. Die griechische Hitze war schwindelerregend auf dem Flughafen. Die öffentliche Musik kreiste durch Mr. Sammlers unwilligen Kopf. Der gezuckerte Kaffee, die klebrigen Getränke waren ihm auch eine Qual. Die Spannung, der Aufschub nagten unerträglich an ihm. Er ging in die Stadt und besuchte Flugbüros, er bat einen Geschäftsfreund von Elya in Öl und Benzin, um Hilfe, er besuchte das israelische Konsulat und erhielt einen Platz im ersten El Al-Flug. Er wartete wieder auf dem Flughafen bis vier Uhr morgens mit Journalisten und Hippies. Diese jungen Leute –

Holländer, Deutsche, Skandinavier, Kanadier, Amerikaner – hatten in Eilath am Roten Meer ein Lager gehabt. Die Beduinen auf der uralten Handelsstraße von Arabien nach Ägypten hatten ihnen Haschisch verkauft. Es war ein lustiger Platz. Jetzt mit ihren Gitarren wollten sie wieder hin. In Erwiderung auf ein höchst wichtiges Geschehen. Wenngleich sie keine Regierungen anerkannten.

Das Düsenflugzeug war proppevoll. Man konnte sich nicht regen. Für hagere alte Männer war das Atmen schwer. Ein Fernsehmann neben Sammler bot ihm einen Zug aus seiner Whiskyflasche an. »Danke sehr«, sagte Sammler und nahm an. Er schluckte Bill's Scotch runter. Eben dann lief die Sonne vom Meer hoch wie ein roter Fuchs. Sie war nicht rund, sondern lang, nicht weit, sondern nah. Das Metall der Motoren, dieser formschönen Gefäße, in denen die frierende Luft heulte – Licht in Schwärze, Schwärze in Licht – hing unter den Flügeln neben Sammlers Fenster. Whisky aus der Flasche – er lächelte vor sich hin – machte ihn zum echten Kriegsberichterstatter. Ein seltsamer Kauz, um zu diesem Krieg zu eilen, obwohl nicht seltsamer als diese steinzeitlichen Bohemiens mit ihren feierlichen Bärten. Es gab noch andere, die im Fall einer Krise nicht sehr brauchbar aussahen. Sammler selbst sollte seine altmodischen Berichte an Mr. Jerzy Schelonski in London schicken, damit sie von einem sehr gemischten polnischen Publikum gelesen würden.

Mr. Sammler hätte nicht in seinem Alter mit weißer Mütze und gestreiftem Leinenanzug in einem Pressebus nach Gaza, nach El Arisch fahren sollen. Aber er hatte es alles selbst arrangiert. Nichts war dem Zufall überlassen. In diesen amerikanischen Bekleidungsartikeln hatte man ihn vielleicht für jünger gehalten. Amerikaner und Engländer sahen immer ein bißchen jünger aus. Auf alle Fälle, da war

er. Er war einer der Journalisten. Er ging umher im er-
oberten Gaza. Sie fegten zerbrochenes Glas weg. Auf dem
Platz Panzer und Kanonen. Etwas weiter die Friedhofs-
mauern, die Kuppeln weißer Gräber. Im Staub schmorten
Nahrungsreste, sauer, Geruch von erhitztem Abfall und
Urin. Rundfunkübertragener orientalischer Jazz, der sich
wie die Ruhr durch die Gedärme wand. Frauen, nur ältliche Frauen, gingen zum Markt oder machten sich wenigstens auf den Weg dorthin; viel zu kaufen kann nicht
dagewesen sein. Die schwarzen Schleier waren durchschei-
nend. Man sah darunter die grobknochigen männischen
Gesichter – große Nasen, die strengen Münder vorgescho-
ben über steinartige Zähne. Es gab nichts, was einen lange
in Gaza halten konnte. Der Bus hielt für Sammler, und
der junge Pater Newell in seinem Kampfanzug aus Viet-
nam begrüßte ihn.

Der Pater, der die moderne Kriegsführung kannte, war
imstande, Sammler auf Dinge hinzuweisen, die er vielleicht
übersehen hätte, als sie die letzten der bewässerten Felder
hinter sich ließen und in die Wüste Sinai hineinfuhren.
Dann begannen sie, die Toten zu sehen, die unbegrabenen
arabischen Leichen. Pater Newell zeigte ihm die erste.
Sammler hätte sie möglicherweise gar nicht bemerkt, hätte
die Leiche für nichts anderes als einen grünlichen stramm
gestopften Jutesack gehalten, der von einem Lastwagen in
den weißen Sand gefallen war.

Von der Straße abgekommen, im Sand versunken, auf
den Dünen zerstört, viele verbrannt – alle diese Fahrzeuge,
die Mannschaftswagen, Panzer, Laster, die leichten Autos
platt gewalzt, Räder losgegangen, weggerollt, und sehr
dicht um diese Maschinen die Toten. Man sah ausgehobene
Stellungen, Stände, Gräben, und darin waren Hunderte
von Leichen. Der Geruch war wie von feuchter Pappe. Die

Kleidung der Toten, grünlich-braune Sweater, Tuniken, Hemden waren durch die Schwellung, die Gase, die Flüssigkeiten gespannt. Geschwollene gigantische Arme, Beine rösteten in der Sonne. Die Hunde fraßen Menschenbraten. In den Gräben lehnten die Leichen gegen die Brustwehr. Die Hunde kamen kriecherisch, an den Boden gedrückt. Die Einwohner waren aus den Lagern, die man hier und da sah, davongelaufen – aus den niedrigen Zelten im Beduinenstil, aber aus Kunststoff-Kistenhüllen hergestellt, die von den Schiffen über Bord geworfen wurden, Fetzen Styrolschaum, schmutzige Zelluloselappen wie leere Insektenlarven, große Asselhülsen. Armes Volk. Ach, arme Wesen.

»Nun, die haben's gründlich besorgt«, sagte Pater Newell.
»Wie viele Verluste, würden Sie sagen?«
»Ich habe keine Ahnung.«
»Dies war ein kleines russisches Experiment, glaube ich«, sagte Pater Newell. »Jetzt wissen sie Bescheid.«
In der Sonne erweicht, schwärzten sich die Gesichter, schmolzen und flossen davon. Das Fleisch sank an den Schädel, die Nasenknorpel warfen sich, die Lippen schrumpften, die Augen lösten sich auf, feuchte Stellen, die die Höhlen füllten und auf der Haut glänzten. Ein seltsames Aroma von menschlichem Fett. Von feuchtem Papierbrei. Mr. Sammler kämpfte gegen Übelkeit. Als er und Pater Newell zusammen herumgingen, wurden sie gewarnt, wegen der Minen nicht die Straße zu verlassen. Sammler las für den Priester die russischen, auf die grünen Panzer und Lastwagen in Weiß schablonierten Buchstaben: GOR-KISKII AUTOZAVOD lauteten die meisten. Pater Newell schien eine Menge von Geschützkaliber, Panzerdicke und Schußweite zu verstehen. Mit gesenkter Stimme, aus Rücksicht gegen die Israelis, die den Einsatz leugneten,

identifizierte er das Napalm. Sehen Sie das Rötliche, Violette da drüben? Lachsrosa mit einer grünen Tönung in den Klinkersteinen war das untrügliche Zeichen. Todsicher Napalm. Es war ein richtiger Krieg. Diese Juden waren hart. Er sprach mit Sammler als Amerikaner zu Amerikaner. Die langen blauen Leinenstreifen, die schmutzige weiße Mütze von Kresge's, das kleine Ringheft, in dem Sammler seine Notizen für die polnischen Artikel machte – auch von Kresge's – waren dafür verantwortlich. Es war ein richtiger Krieg. Jeder respektiert das Töten. Warum nicht ein Priester? Er ging in seinen großen amerikanischen Kampfstiefeln, als sei er überhaupt kein Priester. Er war kein Kaplan. Er war Zeitungsreporter. Er war nicht das, wofür er gehalten wurde. Aber Sammler ja auch nicht. Was Sammler war, konnte er nicht klar formulieren. Menschlich, in etwas gewandelter Form. Der Mensch an jener Grenze, wo er versuchte, seine Entlassung aus dem Menschlichen zu erlangen. War es nicht das, was Sammler in der Küche sagen wollte, als er Lal und den Damen gegenüber über die Scheidung von jeglichem menschlichem Zustand sprach? Ersuchend um eine Entlassung aus Gottes Beachtung? Meine Tage sind eitel. Ich würde nicht immer leben wollen. Laß mich zufrieden. Jeden Morgen heimgesucht, angerufen, erhöht zu werden. Laß mich sein.

Er ging mit Pater Newell die enge Straße entlang, hob merkwürdige Gegenstände auf, Geschosse, Bandagen, arabische Comic Books und Briefe, trat für hoch mit Brot beladene Lastwagen zur Seite, bei denen die vorstehenden Federn hinten niedergedrückt waren. Aber das Hauptthema konnte man wirklich nicht wechseln, das Thema der Toten. In großer Zahl vorhanden in ihrem grünbraunen und saucenfarbenen Wollzeug. Die erstickenden Geruchsschwaden von nasser Pappe, die sie von sich gaben. In dem überheißen, dem berstenden Licht, der glasigen Fortwirkung und Verzerrung des Wüstenlichtes waren diese geschwollenen Gestalten das Wichtigste, was zu sehen war. Sie waren das eine, was die Seele unweigerlich ernst nehmen mußte. Und das war es vielleicht, wozu Sammler von seinem Instinkt verleitet worden war. Zum Flughafen fahren, ein Düsenflugzeug besteigen, in Tel Aviv landen, sich photographieren lassen, einen Presseausweis beschaffen, einen Bus nach Gaza finden, das große Sonnenrad der weißen Wüste besuchen, in der diese ägyptischen Leichen und Maschinen eingebettet waren, den entscheidenden Kontakt herstellen. Gewisse Wünsche wurden so befriedigt, für die er keine Rechenschaft geben konnte. Und dieser Krieg war, nach menschlichen Maßstäben, eine geringfügige Angelegenheit. In moderner Erfahrung so sehr wenig. Rein gar nichts. Und die darin verwickelten Menschen, die Jungen, spielten nach dem Kampf Fußball in El Arisch. Sie räumten sich einen Platz, und sie traten und köpften, sie sprangen hoch, sie trabten auf dem Sand. Oder sie nahmen im Schatten eines Hangars ihre Bücher heraus und lasen Biologie oder Chemie, Philosophie, bereiteten sich vielleicht auf ein Examen vor. Dann wurden er und Pater Newell hinübergerufen, um gefangene Heckenschützen auf dem Boden eines LKWs zu besichtigen, die gefesselt und mit verbundenen Augen dalagen. Unter den Augenbrauen die verzweifelten Gesichter, als sei es *nicht* eine höchst geringfügige Angelegenheit. Man sah jene, und dann das nächste und dann anderes. Und offenbar hatte Mr. Sammler seinen eigenen Bedarf für diese Anblicke, für die er das Zittern seiner Beine beherrschte, oder die Lust zu weinen, die ihn durchzuckte, als er die verbundenen Gesichter der Schützen sah.

Er wurde von einigen Männern zum Meer heruntergeführt. Sie gingen ins Wasser, um sich zu erfrischen. Auch er ging hinein und stand. Die Küste entlang mischte sich in einem breiten Band und meilenlang der Schaum mit dem Hitzeflimmern, in wechselnden tiefen Kurven von siedendem Weiß zwischen dem Sand und dem großen Blau. Eine kleine Weile im Wasser roch er kein verwesendes Fleisch, aber bald mußte er sich sein Taschentuch vor das Gesicht binden. Das Taschentuch nahm schnell den Geruch an. Er befiel seine Kleidung. Sein Speichel schmeckte danach.

Via London flog er zehn Tage später zurück. Als wäre er auf einer Art Sendung gewesen: selbst auferlegt, wahrheitsfindend. Er beobachtete, daß das moderne London sehr verspielt war. Er besuchte seine alte Wohnung am Woburn Square. Er bemerkte, daß der Verkehr sehr dicht war. Er sah, daß mehr Betrunkene auf den Straßen waren, daß die britische Werbeindustrie die nackte Frau entdeckt hatte und daß die meisten Plakate an den Rolltreppen der Untergrundbahn Frauen in Unterwäsche zeigten. Er fand seine Bekannten so alt wie sich selbst. Dann brachte ihn die BOAC zurück zum Kennedy-Flughafen, und kurz darauf war er in der Bibliothek der 42. Street und las, wie immer, Meister Eckhart.

»Selig sind die Armen am Geiste. Arm ist, wer nichts hat. Er, der arm am Geiste ist, ist empfänglich für allen Geist. Nun ist Gott der Geist der Geister. Die Frucht des Geistes ist Liebe, Freude und Friede. Siehe zu, daß du entledigt bist aller Kreaturen, alles Trostes von Kreaturen. Denn wahrlich, solange Kreaturen dich trösten und dazu imstande sind, wirst du nie den richtigen Trost finden. Wenn dich jedoch nichts trösten kann außer Gott, dann wahrlich wird Gott dich trösten.«

Mr. Sammler konnte nicht sagen, daß er wörtlich glaubte,

was er las. Er konnte jedoch sagen, daß ihm nichts daran lag, anderes zu lesen als dieses.

Auf dem Rasen vor dem Fachwerkhaus war der Boden feucht, das Gras duftete. Oder war es der Boden selbst, der so frisch roch. In der geklärten, mondgereinigten Luft sah er Shula kommen, die nach ihm Ausschau hielt.

»Warum bist du nicht im Bett?«

»Ich gehe schon.«

Sie gab ihm Elyas eigene Afghandecke, und er legte sich nieder.

Er spürte, zu welch einer merkwürdigen Gattung er gehörte, die den Planeten so ausgiebig organisiert hatte. Von dieser Masse einfallsreicher Kreaturen war etwa die Hälfte in den Zustand des Schlafes gegangen, in Kissen, Laken gehüllt, gedeckt, gewickelt. Die Wachenden bedienten wie eine Mannschaft die Maschinen der Welt, und alle gingen auf und ab und ringsumher mit Berechnungen, die auf den milliardsten Teil eines Grades genau waren, die Hüllen von Motoren wurden entfernt, wieder angebracht, Millionen Kilometer lange Trajektbogen festgelegt. Von diesen Genies, den Wachenden. Die Schlafenden, Unmenschen, Phantasten, Träumer. Dann wachten sie, und die andere Hälfte ging zu Bett.

Und so betreibt die geistsprühende menschliche Rasse diese kreisende Erde.

Er gesellte sich für einige Zeit zu den anderen Schläfern.

6

Die Waschgelegenheit in der kleinen Toilette neben dem Arbeitszimmer war aus dunklem Onyx, die Armaturen aus Gold, die Hähne Delphine, die Seifenschale eine Muschel, das Handtuch dick wie Nerz. Spiegel an den Wänden zeigten Mr. Sammler sich selbst in mehr Ansichten, als er wünschte. Die Seife war spermölhaltiges Sandelholz. Die Klinge war stumpf und mußte am Porzellan abgezogen werden. Sehr wahrscheinlich schlüpften gelegentlich Damen hinein, um die Beine mit diesem Rasierzeug zu rasieren. Sammler wollte nicht oben nach einer anderen Klinge suchen. Das große Schlafzimmer war ernstlich wassergeschädigt. Die Frauen hatten die Doppelmatratze von den Betten und in eine dunkle Ecke gezogen. Dr. Lal schlief im Gastzimmer. Wallace? Vielleicht hatte er die Nacht auf dem Kopf stehend verbracht wie ein Yogi.

Plötzlich hörte Sammler mit Rasieren auf und starrte sich an, sein trockenes, kleines »gepökeltes« Gesicht, das im Spiegel einen starken Ansturm von Farbe aufwies. Selbst das linke, das geschwollene, das milchige Guppyauge erhielt davon einen Abglanz. Wo waren sie alle? Er öffnete die Tür und lauschte. Man hörte keinen Laut. Er ging in den Garten. Dr. Lals Wagen war fort. Er sah in die Garage, und die war leer. Fort, geflohen!

Er fand Shula in der Küche. »Sind alle fort?« fragte er. »Wie komme ich jetzt nach New York?«

Sie goß Kaffee durch einen Filterkegel, nachdem sie erst im französischen Stil den Satz gekocht hatte.

»Fortgefahren!« sagte sie. »Dr. Lal konnte es nicht abwarten. Es war kein Platz für mich. Er hat sich einen Zweisitzer gemietet. Einen hinreißenden kleinen Austin Healy, hast du ihn gesehen?«

»Und Emil, wo ist der?«

»Er mußte Wallace zum Flughafen bringen. Wallace muß fliegen – Probe fliegen. Für sein Geschäftsunternehmen, du weißt, was ich meine. Sie wollen Bilder aufnehmen und so weiter.«

»Und ich sitze fest. Gibt es einen Fahrplan? Ich muß in New York sein.«

»Na ja, es ist fast zehn Uhr, und es gibt nicht viele Züge. Ich werde telefonieren. Und dann müßte Emil bald zurück sein. Der kann dich fahren. Du hast geschlafen. Dr. Lal wollte dich nicht stören.«

»Höchst rücksichtslos. Du wußtest, und Margot wußte, daß ich zurück mußte.«

»Der kleine Wagen war aber sehr hübsch. Margot hat darin nicht richtig ausgesehen.«

»Ich bin ärgerlich.«

»Margot hat dicke Beine, Vater. Du hast das wahrscheinlich noch nicht einmal bemerkt. Nun, sie werden im Auto nicht zu sehen sein. Dr. Lal wird später am Tag anrufen. Du wirst ihn schon noch sehen.«

»Wen, Lal? Warum? Das Dokument ist dort, nicht wahr?«

»Dort?«

»Ärgere mich nicht dadurch, daß du Fragen wiederholst. Ich bin ohnedies bereits wütend. Warum hast du mich nicht geweckt? Das Dokument *ist* doch im Schließfach, oder?«

»Ich habe es selbst eingeschlossen, mit dem Vierteldollar, und habe den Schlüssel abgezogen. Nein, du wirst ihn sehen, weil Margot hinter ihm her ist. Vielleicht hast du das auch nicht gemerkt. Ich muß wirklich mit dir darüber sprechen, Vater.«

»Ja, das mußt du sicher. Ich habe es ehrlich gesagt bemerkt. Gut, sie ist eine Witwe und hat genug getrauert, und sie braucht so jemanden. Wir sind kein großer Trost für sie. Ich weiß nicht, was sie in dem buschigen kleinen Kerl sieht. Es ist einfach die Einsamkeit, nehme ich an.«

»Ich kann sehen, was sie sieht. Dr. Lal ist überragend. Du weißt es. Mache mir nichts vor, so wie du in der Küche gesprochen hast. Es war wunderschön.«

»Ach ja. Was soll ich tun? Die Sache mit Elya ist sehr schlimm, weißt du das?«

»Sehr?«

»Das Schlimmste. Und ich hätte einsehen sollen, daß die Rückkehr Probleme aufwerfen würde.« »Vater, überlaß mir das. Und du hast dich nicht fertig rasiert. Nein, mach weiter, und ich bringe dir eine Tasse Kaffee.«

Er ging und dachte nach, wie er aus seiner Stellung fintiert worden war. Ausmanövriert. Wie Pompejus oder Labienus von Caesar. Er hätte die Stadt nicht verlassen sollen. Er war von seiner Basis abgeschnitten. Und wie sollte er jetzt Elya erreichen, der ihn heute brauchte. Als er im Arbeitszimmer den Hörer abnahm, um die Klinik anzurufen, hörte er das Besetztzeichen, das Shula von der Penn Central Station erhielt. Geduld, Warten waren jetzt vonnöten – Dinge, für die Mr. Sammler kein Talent besaß. Aber er hatte gelernt, er hatte sich geübt. Man begann mit äußerer Fassung. Also setzte er sich auf das Fußkissen und blickte auf das Sofa und die grüne, seidige üppige Wolle von Elyas eigenem Afghan, unter dem er geschlafen hatte. Es war außerdem ein herrlicher Morgen. Die Sonne schien herein, während er den Kaffee schlürfte, den Shula ihm brachte. Glastische auf Beinen und halbkreisförmigen Streben aus Messing sprenkelten den orientalischen Teppich mit Licht, das die Farben und Figuren herausholte.

»Besetztzeichen«, sagte sie.

»Ja, ich weiß.«

»Es herrscht sowieso eine Telefonkrise in ganz New York. Die Fachleute arbeiten daran.«

Sie ging in den Garten, und Sammler versuchte abermals, die Klinik zu erreichen. Alle Anschlüsse waren besetzt an jenem trüben Ort, und er legte den eintönig krächzenden Hörer auf. Er dachte an die ungeheure Anzahl von Gesprächen, alle diese Kontaktnahmen. Ausnutzung der unsichtbaren Kräfte des Alls. Draußen im Garten war Shula auch in einem Gespräch befangen. Es war warm. Tulpen, Osterglocken, Narzissen und ein Paradies von Düften. Offenbar fragte sie die Blumen, wie sie sich heute befänden. Keine Antwort erforderlich. Glänzende Beispiele genügten. Sie selbst war ein glänzendes Beispiel für etwas organisch Fremdes. Sein Blick auf die gesamte Shula gestern abend ließ ihn jetzt ihr spezifisches Gewicht fühlen, als sie über das Gras schritt. Der ganze weibliche Körper war geweckt, weiße Haut überall, die Schenkel, der Rumpf, die Füße selbst, der Bauch mit seinen Organen, zusammen mit dem krausen Haar, das strähnig aus dem Schal hing. Alles sichtbar und fast greifbar. Und selbst von den Pflanzen, wer kannte die ganze Wahrheit? Im Schulfernsehen hatten er und Margot eines Abends einen erstaunlichen Botaniker gesehen, der einen Polygraphen – einen Lügendetektor – an Blumen angebracht hatte und die Reaktionen von Rosen auf sanfte und heftige Reize aufzeichnete. Schrille ließ sie schrumpfen, sagte er. Ein ihnen vorgeworfener toter Hund verursachte Abscheu. Ein Wiegenlieder singender Sopran hatte die entgegengesetzte Wirkung. Sammler hätte vermutet, daß der Forscher selbst, sein bleiches Schielen, seine wilde strenge Polizeinase Rosen und Usambara-Veilchen ängstigen würde. Selbst ohne Nerven hatten diese

Organismen Empfindungen. Wir mit unserem Überfluß von Empfangsgeräten waren im Zustand des nervösen Chaos. Inmitten der Baumschatten, geschmeidig, und der Fensterrahmenschatten, starr, und der Messing- und Glasspiegelungen, halbstarr, wischte sich Mr. Sammler die Schuhe mit der Papierserviette ab, die Shula unter die Kaffeetasse gelegt hatte. Die Schuhe waren noch feucht. Sie waren durchweicht, in unangenehmer Weise. Margot hatte auch ihre Pflanzen, und Wallace stand im Begriff, ein Geschäft mit Pflanzen zu gründen. Es wäre aber sehr zu bedauern, wenn die ersten Kontakte der Pflanzen ausschließlich mit den Verrückten stattfanden. Vielleicht sollte ich selbst ein Wort mit ihnen reden. Mr. Sammlers Herz war schwer, er versuchte, sich aufzuheitern. Die Schwere war jedoch von brutaler Beharrlichkeit.

Er kam zur Sache. Zuerst: wie passend, daß Wallace das Bodengeschoß überflutete. Das war ja eine Metapher auf Elyas Zustand. Im Zusammenhang mit diesem Zustand stiegen andere Bilder auf – eine Blasenbildung im Hirn, ein Schaum oder rostfarbener Abschaum von Blut über jene andere Pflanze, die im Kopf lag. Etwas wie eine Winde. Nein, ein fettiger Blumenkohl. Die Schraube an der Arterie konnte den Druck nicht mindern, und wo das Gefäß knotig geschwollen und schwächer war als Spinngewebe, würde es sich öffnen. Eine schreckliche Flut! Man mochte versuchen, an Milderndes zu denken – Das, ach ja! Leben! Jeder, der es hatte, war bestimmt, es zu verlieren. Oder, daß dies Elyas Augenblick der Ehre war und daß es seine besten Eigenschaften herausforderte. Das war alles gut und schön, bis der Tod den vollen Blick auf den Menschen richtete. Dann waren alle solche Ideen nichtig. Die Sache war die, daß er, Sammler, jetzt in der Klinik sein sollte; zu tun, was getan werden konnte, zu sagen, was gesagt werden mochte und gesagt werden sollte. Was man genau sagen mochte oder sollte, wußte Sammler nicht. Er konnte das exakt Treffende nicht finden. So wie er lebte, in diesem nach innen gerichteten Stil, wie er seine Verdichtungen oder Verkürzungen ausarbeitete, wurde man unmitteilsam. Seine Gedanken zu erläutern oder auszuspinnen, ermüdete und irritierte ihn, wie er letzte Nacht gemerkt hatte. Aber er fühlte sich Elya gegenüber nicht unmitteilsam. Im Gegenteil, er wollte alles Mögliche sagen. Er wollte in die Klinik und irgendwas *sagen*! Er liebte seinen Neffen, und er hatte etwas, was Elya brauchte. Alle Beteiligten hätten es haben sollen. Der erste Platz an Elyas Bett war Wallace und Angela zugedacht, aber sie waren nicht da, ihn einzunehmen.

Elya war Arzt und Geschäftsmann. Seiner eigenen Familie gegenüber, zu seiner Ehre, war er nicht geschäftlich gewesen. Immerhin hatte er die Geschäftsperspektive. Und Geschäft im geschäftlichen Amerika war auch ein Trainingssystem für Seelen. Die Furcht, ungeschäftlich zu sein, war sehr groß. Da er im Sterben lag, holte sich Elya denkbarerweise daraus Kraft, daß er Geschäfte abwickelte. Er hatte das wahrhaftig getan. Er sprach immer wieder mit Widick. Und Sammler hatte ihm nichts zu bieten, was nach Geschäft roch. Aber ganz am Ende wäre das Geschäft für Elya nicht mehr von Nutzen. Manche, viele würden das Geschäft bis zum letzten Atemzug weitertreiben, aber so war Elya nicht, nicht so beschränkt. Elya war nicht im Letzten von Geschäftsüberlegungen beherrscht. Er war nicht in jenem Insekten-, jenem mechanischen Stand – eine solche Kapitulation, eine solche Insektenkatastrophe für den Menschen. Selbst jetzt (jetzt vielleicht mehr als je) war Elya ansprechbar. Tatsächlich hatte Sammler das nicht rechtzeitig gesehen. Als gestern Elya anfing, von Wallace zu reden, als er Angela beschimpfte, hätte er, Sammler, bei ihm bleiben sollen. Jeder Grad der Offenheit wäre erlaubt gewesen. In der gängigen Phrase, ein Augenblick der Wahrheit. Was selbstverständlich bedeutete, daß das Gespräch zumeist eine Anhäufung von Lügen war. Aber Elyas System war nicht eins jener abgeschlossenen, vollständigen, undurchsichtigen Systeme, er war nicht einer jener ungeheuerlichen Kristalle oder Eiszapfen. Sammler, der die langen grünen Fasern des Afghan fühlte oder streichelte, hielt sich vor: eben weil er und Antonina zum Beweis der Sinnlosigkeit dieses lebhaften Gewimmels mit seinen Blitzen höherer Eingebung von oben und dem fortwährenden sumpfigen Saugen des Grabes von unten ausersehen worden waren – eben deshalb hatte er selbst, Arthur Sammler, den hartnäckigen Widerstand geleistet. Und auch Elya war Verhaltensvorschriften verschrieben, die verfemt schienen, die wenige Menschen ausdrücklich verteidigten. Es war nicht das Verhalten, das verschwunden war, sondern verschwunden waren die alten Wörter. Formen und Zeichen waren dahin. Nicht die Ehre, sondern das Wort Ehre. Nicht der tugendhafte Impuls, sondern die Vokabeln zu plattem Unsinn gehämmert. Nicht das Mitleid, aber was war eine mitleidige Äußerung? Und die mitfühlende Äußerung war eine sterbliche Notwendigkeit. Äußerung, Töne von Hoffnung und Begehren, Ausrufe des Schmerzes. Derartige Dinge waren unterdrückt, als seien sie unstatthaft. Manchmal drangen sie durch in Ziffern, in vagen Zahlen, die auf die Fenster abbruchreifer Gebäude gekrakelt waren (der leere Schneiderladen gegenüber der Klinik!). Auf unserer Stufe der Dinge herrschte schreckliches Schweigen. Über das Wesentliche konnte man fast nichts sagen. Immerhin konnte man Zeichen machen, sollte sie machen, mußte sie machen. Man sollte etwa folgendes erklären: »So tatsächlich ich euch, und ihr mir, auch erscheinen mögt, *so tatsächlich sind wir nun doch nicht.* Wir werden sterben. Dennoch gibt es einen Bund. Es gibt einen Bund.« Mr. Sammler meinte, wenn das auch nicht ausdrücklich gesagt wurde, dann sollte es stumm gesagt werden. Tatsächlich *wurde* es fortwährend versichert, in vielerlei Gestalt. Und auf alle Fälle wissen wir, *wie die Dinge stehen.* Aber Elya hatte in diesem Augenblick ein höchst besonderes Bedürfnis nach einem Zeichen, und er, Sammler, sollte dasein, diesem Bedürfnis zu entsprechen.

Er rief wieder das Krankenhaus an. Zu seiner Überraschung sprach er auf einmal mit Gruner. Er hatte die Privatschwester verlangt. Man konnte also durchkommen. Elya mußte von Anrufen geplagt sein. Mit der tödlichen Geschwulst im Kopf war er noch im Spiel, war noch geschäftlich tätig.

»Wie geht's?«

»Wie geht es dir, Onkel?«

Die wahre Bedeutung dieser Frage hätte lauten können: »Wo bist du?«

»Wie fühlst du dich?«

»Es hat sich nichts geändert. Ich dachte, wir würden uns sehen.«

»Ich komme. Tut mir leid. Wenn etwas wichtig ist, tritt immer ein Aufschub ein. Das bleibt nie aus, Elya.«

»Als du gestern gingst, war es zwischen uns wie ein unerledigtes Geschäft. Wir ließen uns von Angela und solchen hoffnungslosen Problemen ablenken. Da war etwas, was ich dich fragen wollte. Über Krakau. Die alten Tage. Und übrigens, ich habe vor einem polnischen Doktor hier mit dir geprahlt. Er wollte gern die polnischen Artikel sehen, die du vom Sechstagekrieg geschickt hast. Hast du Kopien?«

»Natürlich, zu Hause. Ich habe eine Menge.«

»Bist du jetzt nicht zu Hause?«

»Offengestanden nein.«

»Macht es dir was aus, die Ausschnitte zu bringen? Würdest du bei dir zu Hause vorbeigehen?«

»Ja natürlich. Aber ich möchte nicht die Zeit verlieren.«

»Ich muß vielleicht für Tests nach unten.« Elyas Stimme war voller unidentifizierbarer Töne. Sammlers Deutungsgeschick reichte nicht aus. Er war beunruhigt. »Warum sollte keine Zeit sein?« fragte Elya. »Es ist Zeit genug für alles.« Das hatte einen sonderlichen Klang, und die Betonung war seltsam.

»Ja?«

»Ja, natürlich. Gut daß du angerufen hast. Vor kurzer Zeit habe ich versucht, dich anzurufen. Niemand hat geantwortet. Du bist früh ausgegangen.«

Die Beunruhigung behinderte Sammler irgendwie beim Atmen. Lang und dürr, hielt er das Telefon, konzentriert, der ängstlichen Gespanntheit seiner Züge bewußt. Er schwieg. Elya sagte: »Angela ist auf dem Wege hierher.«

»Ich komme auch.«

»Ja.« Elya verharrte etwas bei den kürzesten Wörtern. »Ja, Onkel?«

»Auf Wiedersehn, vorläufig.«

»Auf Wiedersehn, Onkel Sammler.«

Sammler klopfte an die Fensterscheibe und versuchte, Shulas Aufmerksamkeit zu erregen. Inmitten der schwankenden Blumen war sie auffällig weiß. Seine Primavera. Auf dem Kopf trug sie ein dunkelrotes Tuch. Als Bedeckung, da sie immer unter der Spärlichkeit ihres Haares litt. Es war vielleicht die natürliche Üppigkeit, Wachstum, Kraft und Überschwang, die sie an den Blumen bewunderte. Als ihr Vater sie bei den offenmäuligen Osterglocken sah, die vom Wind hin und her gegossen wurden, meinte er, sie sei verliebt. Am Hängen ihrer Schultern, dem Schwung ihrer orangenen Lippen sah er, daß sie schon bereit war, unerwidertes Verlangen hinzunehmen. Dr. Lal war nicht für sie, sie würde nicht sein Haupt umfassen und seinen Bart zwischen ihren Brüsten halten. Man konnte selten Menschen dazu kriegen, das Mögliche zu begehren – das war das Grausame daran. Er öffnete das Terrassenfenster.

»Wo ist der Fahrplan?« fragte er.

»Ich kann keinen finden. Die Gruners benutzen den Zug nicht. Auf alle Fälle gelangst du mit Emil schneller nach New York. Er fährt zur Klinik.«

»Ich nehme nicht an, daß er am Flughafen auf Wallace wartet. Heute nicht.«

»Warum hast du das über Lal gesagt, daß er bloß ein buschiger kleiner schwarzer Bursche sei?«

»Ich hoffe, du interessierst dich nicht persönlich für ihn.«

»Warum nicht?«

»Er ist ganz ungeeignet, und ich gebe nie meine Zustimmung.«

»Gibst du nicht?«

»Nein, nein. Er würde für dich keinen richtigen Ehemann abgeben.«

»Weil er Asiate ist? So voreingenommen bist du nicht. Du nicht, Vater.«

»Nicht der geringste Einwand gegen einen Asiaten. Man kann viel zugunsten von exotischen Ehen ins Feld führen. Wenn dein Mann ein Langweiler ist, dauert es auf französisch Jahre länger, dies zu entdecken. Aber Wissenschaftler sind schlechte Ehemänner. Sechzehn Stunden am Tag im Laboratorium, in ihre Forschung vertieft. Du würdest vernachlässigt. Du würdest gekränkt. Ich würde es nicht zulassen.«

»Nicht mal, wenn ich ihn liebte?«

»Du hast auch gedacht, daß du Eisen liebtest.«

»Eisen hat mich nicht geliebt. Nicht genug, um mir meine katholische Erziehung zu vergeben. Und ich konnte nichts mit ihm besprechen. Übrigens war er sexuell ein sehr grober Mensch. Sachen, die ich dir nicht gern erzähle, Vater. Aber er ist äußerst gewöhnlich und gemein. Er ist hier in New York. Wenn er mir nahekommt, steche ich ihn.«

»Du erstaunst mich, Shula. Du würdest tatsächlich Eisen mit einem Messer stechen?«

»Oder mit einer Gabel. Ich bedaure oft, daß ich mich in Haifa von ihm schlagen ließ und es ihm nicht heimgezahlt habe. Er hat mich wirklich zu hart geschlagen, und ich hätte mich verteidigen sollen!«

»Um so wichtiger, daß du zukünftige Fehler vermeiden solltest. Ich muß dich vor Fehlschlägen schützen, die ich voraussehen kann. Das obliegt einem Vater.«

»Aber wenn ich Dr. Lal liebte. Und ich habe ihn zuerst gesehen.«

»Rivalität, ein schlechtes Motiv. Shula, wir müssen füreinander Sorge tragen. Wie du mir auf der Wells-Seite Beistand leistest, so denke ich über dein Glück nach. Margot ist ein viel weniger empfindsamer Mensch als du. Wenn ein Mann wie Dr. Lal wochenlang geistig abwesend wäre, würde sie es gar nicht merken. Erinnerst du dich nicht mehr, wie Ussher mit ihr gesprochen hat?«

»Er hat ihr gesagt, sie solle den Mund halten.«

»Das stimmt.«

»Wenn mich ein Mann so behandeln würde, ich könnte es nicht ertragen.«

»Genau. Wells hat auch gemeint, daß Leute der wissenschaftlichen Forschung schlechte Ehemänner abgäben.«

»Aber nein!«

»Ich glaube mich zu erinnern, daß er's gesagt hat. Versteht

Wallace eigentlich überhaupt etwas von Luftaufnahmen?«

»Er versteht so vieles. Was hältst du von seiner Geschäftsidee?«

»Er hat keine Ideen – er hat Wahnvorstellungen, hirnverbrannte Einfälle. Er wäre jedoch nicht der erste Narr, der Geld verdient. Und sein Plan hat Charme, der Handel mit Pflanzennamen ... ja, manche Pflanzen haben wunderschöne Namen. Nimm zum Beispiel einen wie Gazania Pavonia.«

»Gazania Pavonia ist reizend. So, jetzt komm raus in die Sonne und genieße das Wetter. Ich fühle mich viel besser, wenn du Anteil an mir nimmst. Ich freue mich, daß du verstehst, daß ich das Mondding für dich genommen habe. Du gibst das Projekt doch nicht auf, oder? Das wäre Sünde. Du bist dazu geschaffen, das Wellsbuch zu schreiben, und es würde ein Meisterwerk. Etwas Schreckliches geschieht, wenn du's nicht tust. Unglück. Ich fühl's im Innern.«

»Vielleicht versuch' ich's wieder.«

»Du mußt.«

»Dafür einen Platz zu finden unter meinen Beschäftigungen.«

»Du solltest keine anderen Beschäftigungen haben. Nur schöpferische.«

Mr. Sammler, der nach Sandelholzseife roch, entschloß sich, im Garten sitzend auf Emil zu warten. Vielleicht würde der Seifengeruch in der Sonne verfliegen. Er fühlte sich nicht imstande, sich noch einmal im Onyxbadezimmer zu spülen. Zu muffig da drin.

»Nimm deinen Kaffee mit raus.«

»Das täte ich gern, Shula.« Er gab ihr die Tasse und trat auf den Rasen. »Und meine Schuhe sind naß von gestern nacht.«

Schwarze Flüssigkeit, weißes Licht, grüner Boden, die Erde erhitzt und weich, von neuem Wachstum durchdrungen. Im Gras ein gehäufter Schimmer von Teilchen, in den Rasen gesprenkeltes Weiß, und von diesem Tau, wo immer die Sonne ihn erreichen konnte, funkelte das Spektrum: wie Nachtstädte vom Düsenflugzeug gesehen, oder der galaktische Same der Welten.

»Hier. Setz dich. Zieh diese Dinger aus. Du erkältest dich. Ich kann sie im Ofen trocknen.« Kniend entfernte sie die nassen Schuhe. »Wie kannst du sie tragen? Willst du dir ’ne Lungenentzündung holen?«

»Kommt Emil gleich zurück oder wartet er auf diesen Irren?«

»Ich weiß nicht. Warum nennst du ihn einen Irren? Warum ist Wallace irr?«

Wie definiert man einer Irren einen Irren? Und war er selbst ein Musterbeipiel der geistigen Normalität? Ganz bestimmt nicht. Sie waren seine Leute – er war ihr Sammler. Sie hatten alle einen gemeinsamen Grund.

»Weil er das Haus überschwemmt hat?« fragte Shula.

»Weil er’s überschwemmt hat. Weil er jetzt mit seinen Kameras rumfliegt.«

»Er hat nach Geld gesucht. Das ist nicht verrückt, wie?«

»Woher weißt du von dem Geld?«

»Er hat’s mir erzählt. Er glaubt, da steckt ein Vermögen. Was glaubst du?«

»Ich wüßte es nicht. Aber Wallace hat natürlich solche Phantasien – Ali Baba, Captain Kidd oder Tom Sawyers Schatzphantasien.«

»Aber er sagt – ohne Scherz – daß ein Vermögen an Geld im Haus ist. Er will nicht ruhen, bis er’s findet. Wäre es nicht ein bißchen gehässig von Vetter Elya . . .«

»Zu sterben, ohne zu verraten, wo’s ist?«

»Ja.« Shula schien etwas beschämt, nun, da ihre Gedanken ausgesprochen waren.

»Das muß er entscheiden. Elya wird handeln, wie es ihm paßt. Ich nehme an, Wallace möchte, daß du ihm den geheimen Schatz finden hilfst.«

»Ja.«

»Was hat er getan, dir eine Belohnung versprochen?«

»Ja, das hat er.«

»Ich will nicht, daß du dich da einmischst, Shula. Halte dich heraus.«

»Soll ich dir eine Scheibe Toast bringen, Vater?«

Er antwortete nicht. Sie ging fort mit seinen nassen Schuhen.

Über New Rochelle schnarchten und schnurrten mehrere kleine Flugzeuge. Wahrscheinlich flog Wallace eins von ihnen. Für sich ein dröhnender Mittelpunkt. Für uns ein hitziger Käfer, eine Schnake, die sich durch die blauen Gefilde vorwärtstreibt. Sammler rückte den Stuhl zurück in den Schatten. Was in der Sonne eine Masse von Kiefernlaub gewesen war, entpuppte sich jetzt als vereinzelte Nadeln und Bäume. Dann bog der silbergraue Rolls um die Ecke der hohen Hecken. Der geometrische, würdevolle, monogramm-geschmückte Grill ließ seine Stäbe blitzen. Emil stieg aus und blickte nach oben. Ein gelber Flieger flog über das Haus.

»Das muß bestimmt Wallace sein. Er sagte, er würde eine Cessna fliegen.«

»Das ist er wohl.«

»Er wollte seine Ausrüstung an einem bekannten Platz ausprobieren.«

»Emil, ich habe gewartet, um zum Bahnhof zu fahren.«

»Gewiß, Mr. Sammler. Nur gibt es gerade jetzt nicht viele Züge. Wie geht's Dr. Gruner, wissen Sie das?«

»Ich habe mit ihm gesprochen«, sagte Sammler. »Keine Änderung.«

»Ich nehme Sie gern mit in die Stadt.«

»Wann?«

»Sehr bald.«

»Das würde Zeit sparen. Ich muß zu Hause vorbei. Fahren Sie nicht zum Flughafen zurück, um Wallace abzuholen?«

»Er wollte in Newark landen und den Bus nehmen.«

»Glauben Sie, daß er weiß, was er tut, Emil?«

»Ohne Flugschein würden sie ihn nicht fliegen lassen.«

»Das meine ich nicht.«

»Er ist der Typ junger Mann, der die Dinge auf seine Weise zusammenklauben will.«

»Ich bin nicht sicher, daß er je wissen wird . . .«

»Er entdeckt, während er dabei ist. Er sagt, das täten die *action painters*.«

»Ich hätte gern in den Ablauf mehr Vertrauen. Ich meine, er sollte heute nicht herumfliegen. Seine Gefühle, welcher Art sie auch sind – Rivalität mit seinem Vater, Trauer oder was sonst –, könnten ihn hinreißen.«

»Wenn es mein Vater wäre, dann wäre ich diese Minute in der Klinik. Das ist jetzt anders. Wir alten Burschen müssen da mitmachen.«

Er hob die Mütze, um den Schatten über seinen Augen zu verbreitern, und blickte der schnellen Cessna nach. Er zeigte seine lange, fleischige, lombardische Nase. Er hatte das wölfische norditalienische Aussehen. Seine Haut war straff. Vielleicht war er, wie Wallace behauptete, Emilio gewesen, ein wilder kleiner Fahrer der Mafia. Aber er war jetzt in einem Lebensabschnitt, wo die einst kompakte Person eine ältliche Gebrechlichkeit aufzuweisen beginnt. Das zeigte sich in den Schultern und im Genick, wo die Furchen tief waren. Er war mit dem feinsten, dem vollendetsten

Landfahrzeug verbunden. Keine Konkurrenz für das Flugzeug. Er lehnte sich gegen den Kotflügel, die Arme gekreuzt, und paßte auf, daß kein Knopf den Lack zerkratzte. Er hielt die haarduftende Mütze und beklopfte sich. Er berührte leicht die abfallenden Terrassen, die großen Runzeln seiner Stirn.

»Ich vermute, er will Aufnahmen aus jeder Höhe. Er fliegt tatsächlich niedrig.«

»Wenn er nicht ans Haus stößt, soll's mich freuen.«

»Das könnte sein Maß voll machen, nachdem er die Bude überschwemmt hat. Man fragt sich, was er wohl noch anstellen will.«

Mr. Sammler zog das gefaltete Taschentuch heraus, um es unter die Linsen zu schieben, bevor er die Brille abnahm; so verdeckte er die Entstellung vor Emil. Er war nicht imstande, länger hochzublicken, seine Augen schmerzten.

»Wie kann man es ahnen?« sagte Sammler. »Gestern hat er gesagt, es sei sein unbewußtes Ich, das das falsche Rohr geöffnet habe.«

»Ja, so spricht er auch mit mir. Aber ich bin seit achtzehn Jahren bei den Gruners und kenne seinen Charakter. Er ist wegen des Doktors sehr, sehr beunruhigt.«

»Ja, das glaube ich. Ich bin derselben Meinung. Aber diese kleine Maschine ... Wie ein Plättbrett mit einem Eierschaumschläger. Haben Sie Familie, Emil – haben Sie Kinder?«

»Zwei. Erwachsen und Studium beendet.«

»Werden Sie von ihnen geliebt?«

»Nach ihren Handlungen zu urteilen, ja.«

»Das ist bereits eine Menge.«

Er begann zu überlegen, daß er nicht rechtzeitig nach New York gelangen könnte. Selbst Elyas Bitte um die Zeitungsausschnitte könnte ihn zu lange aufhalten. Aber –

eins nach dem andern. Dann wurde Wallaces Maschine lauter. Der Lärm griff den Schädel an. Er verursachte Sammler Kopfschmerzen. Das verletzte Auge spürte den Druck. Die Luft wurde geteilt. Auf der einen Seite Belästigung, auf der anderen eine einzigartige Strömung, eine aufsässige Frühlingshelle.

Dröhnend, funkelnd, klares Gelb, die Farbe eines Vogelschnabels, machte die Cessna einen weiteren niedrigeren Anflug auf das Haus. Die Bäume fuchtelten darunter mit den Zweigen.

»Er wird abstürzen. Nächstes Mal stößt er gegen das Dach.«

»Ich glaube nicht, daß er näher fliegen kann, während er die Bilder aufnimmt«, sagte Emil.

»Er muß bestimmt unter der erlaubten Höhe sein.«

Das Flugzeug stieg, ging in eine steile Kurve, wurde kleiner, man konnte es jetzt kaum hören.

»War er nicht drauf und dran, auf den Schornstein zu prallen?«

»Es sah ganz so aus, aber nur aus unserem Winkel«, sagte Emil.

»Man sollte ihn nicht fliegen lassen.«

»Nun, er ist fort. Vielleicht ist's damit vorbei.«

»Sollen wir fahren?« fragte Sammler.

»Ich muß um elf Uhr die Putzfrau abholen – ich glaube, das Telefon hat geklingelt.«

»Die Putzfrau? Shula ist im Haus, sie wird antworten.«

»Ist sie nicht«, sagte Emil. »Als ich einfuhr, habe ich sie auf dem Weg mit ihrer Handtasche gehen sehen.«

»Wohin ging sie?«

»Weiß ich nicht. Vielleicht zum Laden. Ich gehe ans Telefon.«

Der Anruf war für Sammler. Es war Margot.

»Hallo, Margot. Nun –?«

»Wir haben die Schließfächer geöffnet.«

»Was habt ihr gefunden – was sie sagte?«

»Nicht ganz, Onkel. Im ersten Schließfach war eine von Shulas Einkaufstaschen, und darin war der übliche Kram. *Christian Science Monitors* von anno dazumal, Ausschnitte, und ein paar alte Exemplare von *Life*. Auch eine große Menge Literatur von der Studentenrevolte. SDS. Dr. Lal war entsetzt. Er war sehr erregt.«

»Komm, was war in dem zweiten Schließfach?«

»Gott sei Dank! Wir haben das Manuskript darin gefunden.«

»Unversehrt?«

»Ich glaube ja. Er sieht es durch.« Sie sprach vom Telefon weg. »Sind Seiten rausgerissen? Nein, Onkel, er glaubt nicht.«

»Oh, das freut mich sehr. Für mich und für ihn. Selbst für Shula. Wo ist nur die Kopie, die sie auf Widicks Maschine angefertigt hat? Sie muß sie verlegt oder verloren haben. Aber Dr. Lal muß überglücklich sein.«

»Ja, das ist er auch. Er will an der Sodaquelle warten. Es herrscht solch ein Chaos in der Grand Central Station.«

»Ich wünschte, du hättest bei mir angeklopft. Du wußtest, daß ich in die Stadt mußte.«

»Lieber Onkel Sammler, wir haben daran gedacht, aber es war kein Platz im Auto. Irre ich mich, oder bist du ungehalten? Du klingst verärgert. Wir hätten dich am Bahnhof absetzen sollen.« Was Sammler lieber unterdrückte, war, daß er und Lal sie, Margot, am Bahnhof hätten absetzen sollen. War er verärgert! Aber selbst jetzt, mit Schädeldruck und Augenschmerzen wollte er nicht zu streng mit ihr sein. Nein. Sie hatte ihre vitalen weiblichen Absichten. Keinen Sinn für die vitalen Absichten anderer.

Seine jetzige Spannung. »Govinda war so in Eile. Er bestand.darauf, zu fahren. Die Züge sind doch schnell. Übrigens habe ich in der Klinik angerufen und mit Angela gesprochen. Elyas Befinden ist das gleiche.«

»Ich weiß. Ich habe mit ihm gesprochen.«

»Na, siehst du. Und er muß sich einigen Tests unterziehen, also müßtest du nur warten, wenn du da wärest. Ich bringe jetzt Dr. Lal nach Hause zum Lunch. Es gibt so viel, das er nicht ißt, und der Grand Central ist ein Tollhaus. Und es riecht so nach warmen Würstchen. Seinetwegen merke ich das zum erstenmal.«

»Gewiß. Zu Hause ist besser. Auf jeden Fall.«

»Angela hat mit mir ganz gereift gesprochen. Sie war traurig, aber sie klang so ruhig und bewußt.« Margots gutherzige und rücksichtsvolle Meinungen über Menschen waren fürchterlich qualvoll für Sammler. »Sie sagte, Elya fragte nach dir. Er wünscht sehr, dich zu sehen.«

»Ich hätte jetzt da sein können . . .«

»Nun, er ist sowieso unten«, sagte sie. »Aber laß dir Zeit. Lunche mit uns.«

»Ich muß zu Hause vorbeischauen. Aber kein Lunch.«

»Du würdest nicht stören. Govinda mag dich sehr. Er bewundert dich. Schließlich bist du meine Familie. Wir lieben dich wie einen Vater. Wir alle. Ich weiß, ich bin eine Tortur für dich. Das war ich auch für Ussher. Trotzdem haben wir uns geliebt.«

»Nun denn, Margot. Na schön. Wir wollen jetzt auflegen.«

»Ich weiß, du willst fort. Und du liebst keine langen Telefongespräche. Aber, Onkel, ich bin mir nicht sicher, ob ich einen Mann wie Dr. Lal intellektuell interessieren kann.«

»Unsinn, Margot, sei nicht närrisch. Begib dich nicht ins Intellektuelle. Du bezauberst ihn. Er findet dich exotisch. Mache keine langen Diskussionen. Laß ihn sprechen.«

Aber Margot redete weiter. Sie zahlte dauernd mehr Münzen. Man hörte gongen und läuten. Er legte nicht auf. Hörte auch nicht hin.

Weitere Tests für Elya hielt er für eine Taktik der Ärzte. Sie schützten ihr Prestige, indem sie handfeste Maßnahmen zu ergreifen schienen. Aber Elya war selber Arzt. Er hatte mit solchen Gesten gelebt und mußte sie nun über sich ergehen lassen, und ohne Klage. Das würde er sicher tun. Aber was war Elyas unerledigtes Geschäft? Wollte er wirklich, bevor die Gefäßwand nachgab, über Krakau sprechen? Über Onkel Hessid sprechen, der Korn mahlte und eine Melone trug und eine bunte Weste? Sammler konnte sich an keine derartige Person erinnern. Nein. Elya mit starkem Familiengefühl, das er nicht befriedigen konnte, wollte Sammler bei sich haben, um die Familie zu repräsentieren. Seine dünne, hagere Gegenwart, sein kleines rötliches Gesicht, auf einer Seite gefurcht. Es war mehr noch als Sippenpietät, die die heutige Zeit vermittels seiner Kinder (»Hochintelligenter Idiot, zu Schanden gevögelte Augen«) mit Spott gestürzt und plattgewalzt hatte. Und Gruner verlangte in Sammler mehr als einen alten Onkel, einäugig, der so absonderlich in seinem polnischen Oxfordakzent brummte. Er mußte geglaubt haben, daß er eine ungewöhnliche, vielleicht magische Kraft besaß, um das menschliche Band zu bekräftigen. Was hatte er getan, um diesen Glauben zu erzeugen? Wie hatte er ihn geweckt? Wahrscheinlich durch die Rückkehr von den Toten.

Margot hatte viel zu sagen. Sie bemerkte sein Schweigen nicht.

Durch seine Rückkehr, durch das Befaßtsein mit dem Thema, dem Sterben, dem Mysterium des Sterbens, dem Zustand des Todes. Und dadurch, daß er im Innern des Todes gewesen war. Daß man ihm die Schaufel gegeben und befohlen hatte zu graben. Daß er neben seiner grabenden Frau grub. Wenn sie erlahmte, suchte er ihr zu helfen. Durch dieses Graben, wortlos, versuchte er ihr etwas zu übermitteln und sie zu stärken. Aber wie es sich dann ergab, hatte er sie für den Tod bereit gemacht, ohne ihn zu teilen. Sie wurde getötet, nicht er. Sie hatte den Kurs bestanden, und er nicht. Das Loch wurde tiefer, der sandige Lehm und die Steine Polens, ihres Geburtslandes, öffneten sich. Er war gerade geblendet worden, hatte benommene Züge und er wußte nicht, daß Blut aus ihm floß, bis sie sich auszogen und er es auf den Kleidungsstücken sah. Als sie so nackt waren wie Kinder aus dem Mutterleib und das Loch schätzungsweise tief genug war, begannen die Gewehre zu knallen, und dann kam ein anderes Erdengeräusch. Das dicke Fallen von Erde. Eine Tonne, zwei Tonnen hineingeworfen. Ein Klang von Schaufelmetall, Knirschen. Gegen alle Regeln war Sammler durch die oberste Schicht gekommen. Es kam ihm selten in den Sinn, das als Verdienst zu betrachten. Wo war das Verdienst? Er hatte sich rausgescharrt. Wäre er zuunterst gewesen, dann wäre er erstickt. Wäre noch ein Fuß Erde draufgewesen. Vielleicht waren andere in dem Graben lebendig verschüttet worden. Dabei war kein spezielles Verdienst und keine Zauberei. Es war nur ein Entkommen vor dem Erstickungstode. Und hätte der Krieg ein paar Monate länger gedauert, wäre er gestorben wie die anderen. Nicht ein Jude wäre dann dem Tode entgangen. Wie die Dinge standen, hatte er immer noch dieses Bewußtsein, Erdhaftigkeit, menschliche Tatsächlichkeit – stand auf, atmete seine Erdgase ein und aus, trank seinen Kaffee, konsumierte seinen Anteil an den Gütern, aß sein Brötchen von Zabar, trug dieses und jenes zur Schau – alle Menschenwesen zogen eine gewisse Schau ab – nahm den Bus zur 42. Street, als hätte er eine Beschäftigung, begegnete einem schwarzen Taschendieb. Kurz gesagt, ein lebendiger Mann. Oder einer, der wieder zurück zum Ende der Schlange geschickt worden war. Der auf etwas wartete. Beauftragt, gewisse Dinge ausfindig zu machen, einen Kern des Erlebens in kurzen Thesen zu verdichten, und darum mit dem Ruf einer gewissen Zauberkraft behaftet. Es gab in der Tat ein unerledigtes Geschäft. Aber wie wurde ein Geschäft erledigt? Wir gerieten mitten hinein und ließen uns irgendwie überzeugen, daß wir es beenden mußten. Wie? Und da er überdauert hatte – überlebt – mit furchtbaren Kopfschmerzen – er wollte nicht um Worte hadern – war daraus nun eine Aufgabe logisch abzuleiten? War er bestimmt, etwas zu tun?

»Ich möchte Lal nie böse machen«, sagte Margot. »Er ist sanftmütig und klein. Onkel, ist die Putzfrau da?«

»Wer? Putzen?«

»Du sagst Reinemachefrau. Ist das die Reinemacherin? Ich höre den Staubsauger in Betrieb.«

»Nein, meine Liebe, was du hörst ist unser Verwandter Wallace in seinem Flugzeug. Frag mich nicht mehr. Wir sehen uns später.«

Er fand seine durchnäßten Schuhe gebacken in der Küche. Shula hatte sie auf die offene Tür des elektrischen Backofens gestellt, und die Spitzen rauchten. Das auch noch! Als er sie abgekühlt hatte, mühte er sich, sie mit dem Stiel eines Eßlöffels anzuziehen. Die Auffindung des Manuskripts half ihm, mit Shula Geduld zu üben. Sie übertrat nicht eigentlich die Linie. Die Brauchbarkeit dieser Schuhe war jedoch dahin. Sie waren reif für den Aschkasten. Nicht einmal Shula würde sie daraus retten wollen. Und das unmittelbare Problem waren nicht Schuhe, er konnte ohne Schuhe nach New York gelangen. Emil war schon gefahren, die Reinemachefrau zu holen. Taxis standen im Branchentelefonbuch, aber Sammler wußte nicht, welche Firma er anrufen sollte oder wieviel es kosten würde. Er hatte nur vier Dollar. Um die Gruners nicht in Verlegenheit zu bringen, mußte er mindestens fünfzig Cents Trinkgeld geben. Dazu kam der Fahrpreis in die City. Mit langem Mund, stumm, und mit hektischer Gesichtsfarbe versuchte er, Pennyberechnungen anzustellen. Er sah sich irgendwo mit fehlenden acht Cents und bemüht, einen Polizisten zu überzeugen, daß er kein Zechpreller war. Es wäre besser zu warten. Vielleicht würde Emil Shula auf der Straße treffen und sie mit der Reinemachefrau zurückbringen. Shula hatte gewöhnlich Geld.

Aber Emil kehrte allein mit der kroatischen Frau zurück, und als er ihr den Wasserschaden gezeigt hatte, setzte er seine Mütze auf, führte sich Sammler gegenüber auf wie ein Chauffeur und behandelte ihn überhaupt nicht wie einen armen Verwandten. Er öffnete den silbernen Schlag.

»Wünschen Sie die Klimaanlage an, Mr. Sammler?«

»Ja, danke, Emil.«

Emil musterte den Himmel und sagte: »Es sieht so aus, als hätte Wallace alle seine Bilder. Er muß auf dem Weg nach Newark sein.«

»Ja, er ist fort, Gott sei Dank.«

»Ich weiß, der Doktor möchte Sie sehen.« Sammler saß bereits. »Was ist mit Ihren Schuhen passiert?«

»Ich hatte Schwierigkeiten, sie anzuziehen, und kann sie jetzt nicht zuschnüren. Ich habe ein anderes Paar zu Hause. Können wir vor der Wohnung halten?«

»Der Doktor spricht von Ihnen die ganze Zeit.«

»Tut er das?«

»Er ist ein liebevoller Mensch. Ich will nichts Schlechtes von Mrs. Gruner sagen, aber Sie wissen ja, wie sie war.«

»Nicht demonstrativ.«

Emil schloß die Tür, ging sehr korrekt hinten um den Wagen herum und setzte sich auf den Fahrersitz. »Na ja, sie war sehr organisiert«, sagte er. »Als Dame des Hauses erstklassig. Wie mit dem Lineal gezogen. Reserviert. Anständig. O.K. Sie verwaltete das Anwesen wie IBM – den Gärtner, die Wäscherin, den Koch, mich. Der Doktor war dankbar, denn er war ein Kind aus einem rauhen Milieu. Sie machte ihn richtig pikfein. Einen Gentleman.« Emil stieß langsam den silbernen hochgebauten Wagen, den Wagen des armen Elya, rückwärts aus der Ausfahrt. Er ließ Sammler die ihm zustehende Wahl zwischen Gespräch und Ungestörtheit. Sammler wählte die Ungestörtheit und schloß die Trennscheibe.

Mr. Sammlers Grundgefühl (ein Vorurteil, wenn man so will) war, daß Frauen mit extrem dünnen Beinen keine liebenden Ehefrauen oder leidenschaftliche Geliebten sein können. Besonders wenn sie zu solchen Beinen auch noch bauschige Haarfrisuren trugen. Hilda war eine angenehme Person gewesen, fröhlich, gefällig, exaltiert, zuzeiten sogar flott. Aber streng korrekt. Oft hatte der Doktor sie demonstrativ umarmt und gesagt: »Die beste Frau der Welt. Oh! Ich liebe dich, Hil.« Er umfaßte sie von der Seite und küßte sie auf die Wange. Das war gestattet. Es war gestattet unter der neuen Lizenz, die den hohen Wert von Wärme und Gefühlswallung anerkannte. Unzweifelhaft waren Elyas Gefühle, im Gegensatz zu Hildas, stark. Aber Wallung? In seinem Verhalten steckte ein kräftiger Schuß Propaganda. Der war ihm vielleicht vom ganzen amerikanischen System eingegeben und bewies seine Unterwürfigkeit. Jeder hatte für jeden eine Art, fürs Gute Propaganda zu treiben. Die Demokratie war in ihrem Stil propagandistisch. Die Konversation war oft nichts anderes als die Wiederholung liberaler Prinzipien. Aber Elya war zweifellos von seiner Frau enttäuscht gewesen. Sammler hoffte, daß er Liebesverhältnisse hatte. Vielleicht mit einer Krankenschwester? Oder einer Patientin, die seine Geliebte wurde? Sammler empfahl das nicht für alle, aber in Elyas Fall wäre es heilsam gewesen. Aber nein, wahrscheinlich war der Herr Doktor sittsam. Und es ist ein gelieferter Mensch, der so sehr um Zuneigung bettelt.

Bald würde es voller Frühling sein. Die Ränder der Cross County, Saw Mill River und Henry Hudson Autobahnen, dick mit neu sprießendem Gras und Löwenzahn, der Ofen der Sonne, der wieder grünes Leben backte. Man wurde von diesen Strudeln, dieser Rauhheit und Süße sowohl geschwächt als auch gestärkt. Dann – Mr. Sammlers Ellbogen auf das graue Polster gestützt und den Rücken der einen Hand mit der anderen deckend –, dann war da der graue, gelbe, einförmige Straßenzug, so eindrucksvoll vom Standpunkt des Ingenieurs, vom moralischen, ästhetischen, politischen etwas anderes. Schwindelerregende Milliarden in die eigene Tasche gewirtschaftet. Aber Staatsmänner waren, wie jemand gesagt hatte, die dicksten Gadarenischen Säue. Wer hatte es getan? Er konnte sich nicht erinnern. Und doch war er nicht zynisch in diesen Dingen. Er war nicht gegen die Zivilisation, nicht gegen Politik, Institutionen oder gegen die Ordnung. Als das Grab gegraben wurde, waren Institutionen und alles übrige nicht für ihn da. Keine Politik, keine Ordnung legte sich für Antonina ins Mittel. Aber es war nicht nötig, sich persönlich in jedes allgemeine Problem zu stürzen – Churchill, Roosevelt zu beschimpfen, weil sie wußten (und bestimmt wußten sie es), was in Auschwitz geschah, ohne es mit Bomben zu belegen. Warum Auschwitz nicht bombardieren? Aber sie taten es nicht. Nun ja, taten es nicht. Sie wollten nicht.

Die Empfindung des gerechten Vorwurfs, des besserwisserischen Tadels lag Sammler nicht. Das Individuum war der oberste Richter über nichts. Weil es selbst die Dinge herausfinden mußte, war es notwendigerweise der vermittelnde Richter. Aber nie der endgültige. Die Existenz war ihm keine Rechenschaft schuldig. Nein, keineswegs. Auch würde es nie das Unorganische, Organische, Natürliche, Bestialische, Menschliche und Übermenschliche in eine verläßliche Ordnung zusammenschließen, so faszinierend und originell auch sein Genie sein mochte, sondern nur rein persönlich, ein schwankendes Schema schaffen, hauptsächlich dekorativ und geistreich. Gewiß wurde im Moment des Absprungs von diesem Planeten zu einem anderen etwas beendet, Endgültiges wurde verlangt, Zusammenfassungen. Jeder schien diese Notwendigkeit zu empfinden. Einmütig und jeder auf seine Weise kosteten alle das Aroma dieses Endes des bisher Bekannten. Und in dieser Zusammenfassung betonte vielleicht jeder stärker den eigenen subjektiven Stil und die Praktiken, für die er bekannt war. So schnurrte und schnarchte Wallace am Schicksalstag seines Vaters in der Cessna und machte Aufnahmen. So wollte Shula, die sich vor Sammler versteckte, unzweifelhaft nach dem Schatz suchen, nach den angeblichen Abtreibungsdollar. So machte Angela mehr Experimente in Sinnlichkeit, in Sexologie und beschmierte alles mit ihren weiblichen Säften. So Eisen mit seiner Kunst, der Neger mit seinem Penis. Und in der Reihe, aber nicht endgültig, er mit seinen verdichteten Thesen. Durch Ausschaltung des Überflüssigen. Identifizierung des Notwendigen.

Aus dem Fenster blickend, im großem Stil in einem Automobil, das von zwanzigtausend Dollar aufwärts kostete, vorbeikutschierend, sah Mr. Sammler dennoch, daß dem Ende des bisher Bekannten doch ein sehr starkes Gefühl für seinen Neubeginn entsprach. Heirat für Margot, Amerika für Eisen, Geschäfte für Wallace, Liebe für Govinda. Und fort von dieser todlastigen, verfaulenden, verdorbenen, beschmutzten, aufreizenden, sündigen Erde, aber bereits zum Mond und Mars blickend mit Plänen, Städte zu gründen. Und für sich ... Er klopfte mit einer Münze an die Trennscheibe. Die Mautschranke rückte näher.

»Das ist okay, Mr. Sammler.«

Sammler bestand darauf. »Hier Emil, nehmen Sie, nehmen Sie.«

Mit Uhrzeigern gemessen war die Fahrt kurz. In den ruhigen Stunden floß der Verkehr schnell auf der graugelben Meisterbahn. Emil war seines Fahrens absolut sicher. Er war der makellose Fahrer eines makellosen Wagens. Er bog in die Stadt an der 125. Street, unter der überhohen Eisenbahnbrücke, die das Gebiet des Fleischgroßhandels überquerte. Sammler hatte eine Vorliebe für diese fein gegliederte Brücke und die Schattenmuster, die sie warf. Gespiegelt im Glanz der Fleischlieferwagen. Die plastikumhüllten, blutbefleckten Hälften von Rind und Schwein. Eßbares würde stets von einem Mann, der fast verhungert wäre, respektiert werden. Auch die Arbeiter in weißen Kitteln, breit und schwer, ein stämmiges Personal, Fleischergesellen. Am Fluß war der Geruch undefinierbar. Man war nicht sicher, ob sein Stechen vom Flutwasser kam oder vom Blut. Und hier sah Sammler einmal eine Ratte, die er zunächst für einen Dackel hielt. Der Windhauch aus dieser elektrisch beleuchteten Ecke roch nach Fleischstaub. Der wurde von den Bandsägen hochgewirbelt, die durch das gefrorene Fett, durch marmoriertes Rot oder vereistes Porphyr schnitten und durch Knochen zischten. Versucht nur mal, hier auch zu gehen. Das Pflaster war mit Fett gewachst. Dann eine Rechtskurve, südwärts auf den Broadway. Die

Straße hob sich, während sich die Hochbahn senkte. Oben das braune Mauerwerk, unten schwarzer Schatten und Stahlschienen. Dann Wohnhäuser, puertorikanische Verwahrlosung. Darauf die Universität, in anderem Sinne verwahrlost. Es war schon zu warm in der Stadt. Der Frühling verlor den Hauch des Winters und nahm die geile Wucherung des Sommers an. Zwischen den Säulen der 116. Street hindurch blickte Sammler in die Rechtecke aus Backstein. Er erwartete halb, daß Feffer vorbeikam oder der bärtige Mann in Jeans, der gesagt hatte, er könne nicht kommen. Er sah sprießendes Grün. Aber das Grün in der Stadt hatte die Gedankenverbindung mit friedlicher Zuflucht eingebüßt. Die alte Poesie der Parks war verbannt. Veraltete Dichte des Schattens, die zu einsamer Meditation führte. Die Wahrheit war jetzt mehr in den Slums beheimatet und verlangte Müll in der Szene – belaubte Träumerei? Eine Sache der Vergangenheit.

Außer bei besonderen Anlässen (Feffers Vorlesung, vor vierundzwanzig? achtundvierzig Stunden?) kam Sammler hier nicht mehr her. Auf seinen Gesundheitsspaziergängen gelangte er nicht so weit nördlich. Und jetzt, von Elyas Rolls-Royce aus, besichtigte er die Subkultur der Unterprivilegierten (eine vor kurzem der *New York Times* entlehnte Terminologie), ihr karibisches Obst, ihre gerupften nackten Hühner mit schlaffen Hälsen und blauen Augenlidern, die wabernden Dieseldünste und heißes Schmalz. Dann die 96. Street, schräg an allen vier Ecken, die Kioske und Kinos, die Wälle drahtgebundener Zeitungsbündel und die Fahnen der Panik flatternd. Der Broadway, selbst wenn die Zeit drängte, wenn er sich eilte, um Elya vielleicht zum letztenmal zu sehen, forderte Sammler immer wieder heraus. Er fühlte sich ihm nie gewachsen. Warum sollte hier ein Kräftemessen stattfinden? Aber es war immer wieder da. Denn irgend etwas wurde hier ausgesagt. Durch ein Zusammenströmen aller Geister und Regungen schien die von dieser Menge vermittelte Überzeugung dahin zu lauten, daß die Wirklichkeit etwas Furchtbares sei und daß die letzte Wahrheit über die Menschheit übermächtig sei und niederschmetternd. Dieser vulgäre, feige Schluß, den Sammler von ganzem Herzen zurückwies, war die schweigend bekundete örtliche Orthodoxie, da die Bevölkerung selbst metaphysisch war und diese Deutung der Wirklichkeit sowie diese Auffassung der Wahrheit teilte. Sammler konnte nicht schwören, daß das wirklich stimmte, aber der Broadway an der 96. Street vermittelte ihm dieses Gefühl. Wenn das Leben so war, nur Frage und Antwort von der geistigen Spitze bis zum tiefsten Grund, dann war es wirklich ein Zustand von einmalig grausigem Elend. Wenn es ganz Frage und Antwort war, hatte es keinen Reiz. Wenn das Leben keinen Reiz hatte, war es ganz Frage und Antwort. Das paßte vorwärts und rückwärts. Auch waren die Fragen schlecht. Auch waren die Antworten grauenhaft. Diese Armut der Seele, ihren abstrakten Zustand, konnte man von den Gesichtern auf der Straße ablesen. Und auch in ihm steckte eine Spur derselben Seuche – die Seuche des einzelnen Ich, das erklärte, was was und wer wer war. Die Ergebnisse waren vorhersehbar, vorhersagbar. So denn im großen Stil den Broadway entlangkutschiert besuchte Sammler seinen eigenen (wie nannte Wallace das?) seinen eigenen *Turf*. Als Tourist. Und dann fuhr Emil über den Riverside Drive um die Ecke und setzte ihn vor der großen, gebrauchten, beschmutzten Masse der Komforteinrichtungen ab, wo er und Margot wohnten. Die Zeit war halb eins.

»Es dürfte nicht lange dauern. Elya hat um ein paar Papiere gebeten.«

Er spürte eine Beklemmung des Herzens. Das Mittel dagegen war tiefes Atmen, aber er konnte seine Brust nicht veranlassen, sich zu heben und senken. Etwas hatte sich verkrampft. Margot und Govinda waren noch nicht zurück. Die Wandleuchte brannte unnötig in der Diele über dem Sofa mit den Armlehnen aus Ahornholz, den Bandannakissen. Es herrschte ein gewisser Friede im Haus. Oder schien es so, weil er keine Zeit hatte, sich zu setzen? Er wechselte die Schuhe, schüttelte ein paar Dollar aus dem Glas, tat die Zeitungsausschnitte in seine Brieftasche. Auf dem Schreibtisch stand eine Flasche Wodka. Shula spendierte das von dem Lohn, den Elya ihr zahlte. Er war ausgezeichnet, Stolitschnaja, importiert aus der Sowjetunion. Sammler bediente sich ungefähr einmal im Monat. Er entkorkte die Flasche jetzt und trank ein Gläschen. Es ging brennend runter, und er schnitt ein Gesicht. Erste Hilfe für die Alten. Dann öffnete er seine Tür zur Hintertreppe, schob den Riegel raus, damit nicht eine starke Zugluft die Tür zuschmetterte und ihn ausschloß. Er warf seine alten Schuhe in den Müllschlucker. Er wollte Shula nicht behaupten hören, daß sie sie im elektrischen Ofen nicht beschädigt hätte. Sie waren hinüber.

Ausnahmsweise funktionierte das Fernsehen in der Eingangshalle. Graue und weißliche Figuren, zittrig auf dem senkrechten Rahmen, flackerten und sprudelten. Sammler sah sich selbst tödlich blaß auf dem Bildschirm. Das schaudernde Bild eines alten Mannes. Die Halle war wie gewisse teppichbelegte Kellerzimmer in außer Betrieb gesetzten Theatern – Räume, die man lieber meidet. Es war weniger als zwei Tage her, daß der Taschendieb ihn, Bauch gegen Rücken, über denselben messingbefestigten Teppich in die Ecke neben dem florentinischen Tisch gezwungen hatte. Seinen pumafarbenen Mantel in Pumaschweigen aufknöpfend, um sich zu zeigen. War das die Sorte Mensch, die Goethe *eine Natur* nannte? Eine elementare Kraft?

Er hinderte Emil daran, für ihn aus dem Wagen zu klettern. »Ich kann die Tür selbst bedienen.«

»Dann sind wir auf und davon. Öffnen Sie die Bar und gießen Sie sich einen Drink ein.«

»Ich hoffe, der Verkehr ist nicht zu dicht.«

»Wir fahren geradeaus den Broadway entlang.«

»Stellen Sie sich das Fernsehen an.«

»Danke, kein Fernsehen.«

Wieder roch Sammler die abgestandene fabrikgeschwängerte Luft. Er machte es sich nicht bequem. Die Herzbeklemmung war stärker als zuvor. Sie zog sich weiter zusammen; er meinte, es könne nicht schlimmer werden, und dann war es schlimmer. Der Verkehr war ungewöhnlich lebhaft, staute sich vor den Ampeln. Lieferlastwagen waren doppelt und dreifach geparkt. Der Gebrauch von Privatautos in Manhattan hatte nie so vernunftwidrig und schädlich geschienen. Er wurde von Ungeduld gegen die Fahrer dieser großen zwecklosen Maschinen übermannt, aber dann fluteten die flutenden Gefühle über ihn hinweg. Von der lärmfreien Kraft des Motors in klimatisiertem Schweigen dahingetragen saß er auf der Sitzkante, die Schenkel auf den Handrücken. Offenbar meinte Elya, er sei es sich schuldig, den Rolls zu halten. Er konnte für so ein Prestige-Fahrzeug nicht viel Verwendung haben. Er war ja kein Broadway-Produzent, internationaler Bankier oder Tabakmillionär. Wohin brachte es ihn? Zu Widicks Anwaltsbüro. Zu Hayden, Stone A. G., wo er ein Konto hatte. An hohen Feiertagen fuhr er zum Tempel in der Fifth Avenue. In der 57. Street waren seine Schneider, Felsher und Kitto. Der Tempel und die Schneider waren von Hilda ausgesucht worden. Sammler hätte ihn zu einem anderen Schneider geschickt. Elya war hochgewachsen, hatte breite Schultern, zu breit im Verhältnis zur Flachheit des Körpers. Sein Gesäß war zu hoch. Wie mein eigenes, schließlich. Sammler in dem schallschluckenden Kabinett des Rolls sah die Ähnlichkeit. Felsher und Kitto machten Elya zu geschniegelt. Die Hosen waren zu prall. Die männliche Ausbuchtung, die sich bildete, wenn er saß, war unziemlich. Er benutzte abgestimmte Schlipse und Taschentücher, von Gräfin Mara handgemalt, und schnittige prahlerische Schuhe, die ihn weniger der Medizin zuordneten als Las Vegas mit seinem Rennsport, Dirnen und Sängerinnen in Gangstergeschäften. Dinge, die zweideutig mit seiner Gutherzigkeit zusammenhingen. Wiegte die Schultern wie ein bewaffneter Bandit. Trug doppelgeschlitzte Jacketts. Spielte Gin und Canasta mit hohem Einsatz und sprach aus dem Mundwinkel. Verabscheute *kulturnij*-Ärzte, die über Heidegger und Wittgenstein debattieren wollten. Wirkliche Ärzte hatten keine Zeit für dieses faule Zeug. Er war ein scharfäugiger Entlarver der Schwindler. Er konnte sich den Wagen mit Leichtigkeit leisten, führte aber gar nicht das Leben, das dazugehörte. Keine Musicals am Broadway, kein privates Düsenflugzeug. Seine eine glänzende Exzentrizität war, mit kurzem Entschluß nach Israel zu fliegen und ohne Gepäck, die Hände in den Hosentaschen, ins King David Hotel zu schlendern. Das erschien ihm als sportliches Unternehmen. Natürlich, dachte Sammler, war Elya auch absonderlich; Chirurgie war psychisch absonderlich. In einen bewußtlosen Körper mit dem Messer eindringen? Organe herausnehmen, im Fleisch nähen, Blut verplantschen? Das konnte nicht jeder. Und vielleicht hielt er sich den Wagen um Emils willen. Was würde Emil tun, wenn kein Rolls da wäre? Das war nun die wahrscheinlichste Antwort. Der Beschützerinstinkt war kräftig in

Elya. Unerkannte Wohltätigkeit war sein Vergnügen. Er verfügte über viele Taktiken des Wohlwollens. Ich habe Grund, es zu wissen. Wie sehr bemerkenswert – erstaunlich der Wunsch, uns zu befreien und zu beschützen. Es war erstaunlich, weil Elya, der Chirurg, auch Unzulänglichkeit und Schwäche verachtete. Nur große und mächtige Instinkte funktionierten so tief und verschlagen, daß sie das in Schutz nahmen, was sie verachteten. Aber wie konnte Elya es sich leisten, starre Vorstellungen von Stärke zu haben? Er zappelte selbst am Haken. Hilda war viel stärker gewesen als er. Beim Mafioso bedeutete das Wiegen Anspruch auf gesetzlose Freiheit. Aber es war die kleine Hilda mit den Streichholzbeinen, dem gebauschten Haar, tadellosen Saumrändern und süßer Vornehmheit, die wahrhaft verbrecherisch war. Sie hatte ihren Haken in Elya. Und es hatte nie Hilfe für Elya gegeben. Wer hätte ihm helfen sollen? Er war die Sorte Mensch, von der Hilfe ausgeht. Es gab keine Einrichtung für Vergeltung. Es würde jedoch bald vorüber sein. Er war im Begriff, weggespült zu werden.

Und was die Welt anlangte, war sie wirklich im Begriff, sich zu ändern? Warum? Wie? Dadurch, daß man in den Weltraum zog, fort von der Erde? Würden dadurch Sinnesänderungen eintreten? Würde sich ein neues Verhalten ergeben? Warum – weil wir des alten Verhaltens überdrüssig waren? Das war nicht Grund genug. Warum – weil die Welt auseinanderbrach? Nun ja, Amerika, wenn auch nicht die Welt. Nun ja, wankte, wenn auch nicht zerbrach.

Emil fuhr wieder stetiger, unterhalb der 72. Street. Der Verkehr hatte nachgelassen. Es gab keine Lieferwagen, die ihn blockierten. Lincoln Center näherte sich und am Columbus Circle das Huntington Hartford Building, das Bruch das Tadsch Mahole nannte. War das nicht komisch!

sagte Bruch. Über seine eigenen Witze lachte er sich scheckig. Wie ein Affe legte er die Hände auf den Wanst, schloß die Augen und ließ die Zunge aus dem blinden Kopf hängen. Welch ein Gebäude! Nur Löcher. Aber es war ein tolles Lunch, das sie für nur drei Dollar servierten. Er schwärmte vom Menü: Huhn à la Hawaii und Safranreis. Schließlich hatte er den alten Mann mitgenommen. Es war in der Tat ein hervorragendes Lunch. Aber das Lincoln Center hatte Sammler nur von außen gesehen. Er verhielt sich den darstellenden Künsten gegenüber kühl und vermied große Ansammlungen von Menschen. Ausstellungen, elektrisch oder nackt, hatte er nur besucht, weil es Angela amüsierte, ihn auf dem laufenden zu halten. Aber er überschlug die Seiten der *Times,* die mit Malern, Sängern, Fiedlern oder Schauspielern zu tun hatten. Er sparte sich das Leseauge für Besseres. Er hatte mit feindseligem Interesse die Arbeitsgruppen, die die hübschen alten Wohnhäuser und Eßkneipen niederrissen, und die emporwachsenden neuen Hallen zur Kenntnis genommen.

Als sie sich aber jetzt dem Center näherten, hielt Emil den Wagen an und schob die Trennscheibe zurück.

»Warum halten Sie an?«

Emil sagte: »Etwas ist los auf der anderen Straßenseite.« Er sah mit seinem tief gefurchten Gesicht so aus, als fordere die Erklärung ernste Beachtung. Aber warum sollte er zu einer solchen Zeit überhaupt anhalten? »Erkennen Sie diese Leute nicht, Mr. Sammler?«

»Welche? Hat jemand einen anderen angeschrammt? Ist es eine Verkehrsangelegenheit?« Gewiß hatte er nicht die Autorität, Emil die Weiterfahrt zu befehlen, aber er gestikulierte trotzdem mit dem Handrücken. Er winkte Emil vorwärts.

»Nein, Sie wollen sicher lieber anhalten, Mr. Sammler. Ich

sehe da Ihren Schwiegersohn. Ist er das nicht mit dem großen grünen Beutel? Und ist das nicht Wallaces Partner?«

»Feffer?«

»Der feiste Junge. Das rosige Gesicht, der Bart. Er prügelt sich. Sehen Sie's nicht?«

»Wo ist das? Auf der Straße? Ist es Eisen?«

»Es ist der andere, dem's an den Kragen geht. Der junge Bursche, der Bart. Ich glaube, er zieht den kürzeren.«

Auf der Ostseite der abfallenden Straße hatte sich ein Omnibus in großem Winkel zum Bürgersteig gestellt, so daß er den Verkehr behinderte. Sammler konnte sehen, daß jemand da inmitten der Menge um sich schlug.

»Einer von denen ist Feffer?«

»Ja, Mr. Sammler.«

»Und er kämpft mit jemand? Dem Omnibusfahrer?«

»Nein, nicht dem Fahrer. Glaube ich nicht. Jemand anderem.«

»Dann muß ich nachsehen, was los ist.«

Die Narretei dieser Verzögerungen! Fast absichtlich, fast überlegt, sie rissen alle Schranken der Geduld ein. Sie gelangten zu einem zu guter Letzt. Warum dies, warum Feffer? Aber er konnte jetzt sehen, was Emil meinte. Feffer war gegen die Vorderseite eines Busses gequetscht. Das *war* Feffer gegen die breite Stoßstange. Sammler begann am Türgriff zu ziehen.

»Nicht auf der Straßenseite, Mr. Sammler. Sie werden angefahren.«

Aber Sammler, der die Geduld restlos verloren hatte, hastete bereits durch den Verkehr.

Feffer, inmitten der Menge, wehrte sich gegen den schwarzen Mann, den Taschendieb. Mindestens zwanzig Leute waren da, und mehr blieben stehen, aber keiner wollte sich einmischen. Im Polizeigriff zappelnd wurde Feffer rückwärts gegen den großen klobigen Wagen geschoben. Sein Kopf stieß gegen die Windschutzscheibe unter dem leeren Fahrersitz. Der Mann quetschte ihn, und Feffer hatte Angst. Er leistete Widerstand, er wehrte sich, aber er war hilflos. Er stand gegen die Übermacht. Natürlich. Wie konnte es anders sein? Sein bärtiges Gesicht war voller Furcht. Die breiten nach oben gerichteten Wangen flammten, und die weit auseinanderstehenden braunen Augen flehten um Hilfe. Oder überlegten, was zu tun war. Was sollte er tun? Wie ein Mann, der im Bach nach einem verlorenen Gegenstand tastet, während er in die Luft starrt, Mund im Bart klaffend. Aber er gab die Minox nicht her. Ein Arm war gerade emporgestreckt, außer Reichweite. Das Gewicht des großen Körpers im gelbbraunen Anzug erdrückte ihn. Er hatte das Pech gehabt, seine Momentaufnahme zu machen. Der schwarze Mann griff nach der Minox. Die winzige Kamera kriegen, Feffer ein paar Stöße in die Rippen, in den Bauch zu geben – was hatte er sonst im Sinn? Sich fortzumachen, womöglich ohne Hast, bevor die Polizei kam. Aber Feffer, einer Panik nahe, war noch eigensinnig. Der Neger wechselte den Griff, packte und drehte seinen Kragen, hielt ihn, wie er Sammler gehalten hatte, mit dem Unterarm gegen die Wand. Er würgte Feffer mit dem Halsbund. Die Diorgläser, rund und bläulich waren auf der Nase mit dem eingedrückten Sattel nicht verrutscht. Feffer hatte den wallenden roten Schlips mit der Faust gepackt, konnte aber nichts damit anfangen.

Wie sollen wir diesen naseweisen, dummen, idiotischen Buben retten? Er kann zu Schaden kommen. Und ich muß gehen. Keine Zeit. »Einer von euch«, befahl Sammler. »Hier. Helft ihm! Trennt die beiden.« Aber natürlich war »einer von euch« nicht zur Hand. Niemand wollte das Geringste tun, und plötzlich fühlte sich Sammler äußerst fremd – Stimme, Akzent, Syntax, Manier, Gesicht, Geist, alles fremd.

Emil hatte Eisen gesehen, Sammler suchte ihn jetzt. Und da war er, lächelnd und sehr blaß. Er wartete offensichtlich darauf, entdeckt zu werden. Dann schien er hocherfreut.

»Was tust du hier?« fragte Sammler auf russisch.

»Und du, Schwiegervater – was tust du?«

»Ich? Ich eile in die Klinik, um Elya zu besuchen.«

»Ja. Und ich war mit meinem jungen Freund im Bus, als er die Aufnahme machte. Wie eine Handtasche geöffnet wurde. Ich hab's selbst gesehen.«

»Welch eine Dummheit.«

Eisen hielt seinen grünen Flanellbeutel. Er enthielt die Skulpturen oder Medaillons. Diese Stücke aus dem Toten Meer – eisenhaltiger Schwefelkies oder was immer sie sonst waren.

»Laß ihn die Kamera hergeben. Warum gibt er sie nicht?« sagte Sammler.

»Aber wie überzeugen wir ihn?« fragte Eisen, als wolle er debattieren.

»Hol einen Polizisten«, sagte Sammler. Er hätte auch gern gesagt: »Hör auf, so zu lächeln.«

»Aber ich kann kein Englisch.«

»Dann hilf dem Jungen.«

»Hilf du ihm, Schwiegervater. Ich bin ein Ausländer und ein Krüppel. Du bist älter, das stimmt. Aber ich bin eben erst ins Land gekommen.«

Sammler sagte zu dem Taschendieb: »Lassen Sie los. Lassen Sie ihn los.«

Das große Gesicht des Mannes wandte sich. New York war in den Linsen gespiegelt, unter den steifen Kurven des Homburg. Vielleicht erkannte er Sammler. Aber kein Wort wurde gesagt.

»Geben Sie ihm die Kamera, Feffer. Händigen Sie sie aus«, sagte Sammler.

Feffer in schockiertem und flehendem Stieren sah aus, als erwarte er, bald das Bewußtsein zu verlieren. Er nahm den Arm nicht runter.

»Ich sage, lassen Sie ihm das dumme Ding. Er will den Film. Seien Sie kein Idiot.«

Vielleicht hielt Feffer aus, weil er einen Streifenwagen erwartete und hoffte, daß die Polizei ihn retten würde. Es war schwer, seinen Widerstand anders zu erklären. In Anbetracht der Körperkraft des Negers – die geduckte, malmende, intensive, tierische Kraft seines Drucks, das schreckliche Anschwellen des Halses und die Spannung seiner Schenkel, als er sich auf die Zehen hob. In gestrafften Krokodillederschuhen! In rehbrauner Hose. Mit einem auf den Schlips abgestimmten Gürtel – einem knallroten Gürtel! Wie das Bewußtsein durch solche Tatsachen hochgepeitscht wurde!

»Eisen!« sagte Sammler wütend.

»Ja, Schwiegervater.«

»Ich habe dich gebeten, etwas zu tun.«

»Laß sie doch etwas tun.« Er deutete mit dem Flanellbeutel auf die Umstehenden. »Ich bin erst vor achtundvierzig Stunden angekommen.«

Wieder wandte sich Sammler mit hartem Starren der Menge zu, sie scharf fixierend. Wollte niemand helfen? Also auch jetzt – jetzt *noch!* – glaubte man an Dinge wie Hilfe. Wo Menschen waren, konnte Hilfe sein. Es war ein Instinkt und ein Reflex. (Eine Hoffnung ohne Zorn?) So prüfte er kurz die Gesichter, blickte von Gesicht zu Gesicht zu Gesicht der am Bürgersteig stehenden Leute – rot, blaß, dunkel, straff oder weich gerunzelt, grimmig oder verträumt, Augen nachtblau, jodrötlich, kohlenflözschwarz

– welch eine merkwürdige Qualität ihre Untätigkeit hatte. Sie erwarteten eine Befriedigung, oh! endlich! enttäuschter, betrogener, ausgehungerter Bedürfnisse. Einen würde es erwischen! Ja. Und die schwarzen Gesichter? Ein ähnliches Verlangen. Eine andere Partei. Aber dasselbe. Obwohl nichts zu hören war, hatte Sammler das Gefühl, als ob etwas marktschreierisch angepriesen wurde. Dann wurde ihm klar, daß das, was alle einte, eine Glückseligkeit des Dabeiseins war. Als wäre es – ja – selig sind die Anwesenden. Sie sind hier und nicht hier. Sie sind anwesend und zugleich abwesend. So warteten sie also in diesem ekstatischen Zustand. Welch höchstes Vorrecht! Und nur Eisen war da, den Kampf zu trennen. Der schließlich ein komischer Kampf war. Sammler glaubte nicht, daß der schwarze Mann Feffer bis zur Bewußtlosigkeit würgen würde, er würde nur weiter pressen, den Kragen enger drehen, bis Feffer die Minox hergab. Natürlich war es immer möglich, daß er ihn schlug, ein Messer zog und ihn stach. Aber hier gab es etwas Schlimmeres als das Ereignis selbst, nämlich das Gefühl, das Sammler übermannte.

Es war ein Gefühl des Grauens, das wuchs und immer mehr wuchs. Was war es? Wie war es auszudrücken? Er war ein Mann, der zurückgekehrt war. Er hatte sich wieder dem Leben angeschlossen. Er war anderen nahe. Aber in anderer wesentlicher Hinsicht war er auch ohne Gefährten. Er war alt. Ihm fehlte die Körperkraft. Er wußte, was zu tun war, aber hatte keine Macht, es auszuführen. Er mußte sich an einen anderen wenden – an einen Eisen! einen Mann, der selbst auf einem anderen Gleis außerhalb der Norm stand und um einen ganz anderen fremden Mittelpunkt kreiste. Sammler war machtlos. So machtlos zu sein, war der Tod. Und plötzlich sah er sich selbst, nicht so sehr stehend als seltsam sich lehnend, als rückwärts geneigt und merkwürdig im Profil, und als *vergangene* Person. Das war er nicht selbst. Er war einer – und das ging ihm auf – arm am Geiste. Einer zwischen dem menschlichen und dem nichtmenschlichen Stand, zwischen Zufriedenheit und Nichtigkeit, zwischen voll und leer, Bedeutung und Un-Bedeutung, zwischen Welt und Nicht-Welt. Fliegend, von der Schwerkraft befreit, leicht in der Entlassung davon und im Entsetzen, im Zweifel über seine Bestimmung, fürchtend, daß nichts da sein werde, ihn zu empfangen.

»Eisen, trenne sie«, sagte er. »Er ist genug gewürgt worden. Die Polizei wird kommen, und es wird Festnahmen geben. Und ich muß gehen. Hier zu stehen ist unsinnig. Bitte. Nimm einfach die Kamera. Das wird dies beenden.«

Da trat der schöne Eisen, achselzuckend, grinsend, mit einer schiefen Bewegung der Schultern, um sie in der engen Denimjacke zu lockern, von Sammler weg, als wolle er auf seine besondere Bitte hin etwas Amüsantes ausführen. Er zog den Ärmel des rechten Armes hoch. Die dunklen Haare waren dicht. Dann verkürzte er den Griff an der Strippe seines Beutels, holte weit aus, schwang mit aller Kraft und traf den Taschendieb seitlich ans Gesicht. Es war ein harter Schlag. Die Brille flog. Der Hut. Feffer kam nicht sofort frei. Der Mann schien auf ihm zu ruhen. Offenbar benommen. Eisen war ein Arbeiter, Arbeiter in einer Gießerei. Er hatte die Kraft nicht nur seines Berufs, sondern auch die des Wahnsinns. Es lag etwas Schrankenloses, Grenzenloses in der Art, wie er sich aufstellte, dem Mann Maß nahm, eine Art stämmige Bösartigkeit. Alles mündet in den Schlag, Disziplin, Mordlust, alles. Was habe ich getan! Dies ist viel schlimmer! Das ist bisher das Schlimmste! Sammler meinte, Eisen habe dem Mann das Gesicht eingeschlagen. Und er machte jetzt Anstalten, noch einmal zuzuschlagen mit seinen Medaillons. Der schwarze

Mann ließ Feffer aus den Händen und drehte sich um. Die Lippen entblößten die Zähne. Eisen hatte die Haut verletzt, die Wange blutete und schwoll an. Eisen klirrte mit den vom Handgelenk hängenden Gewichten, spreizte die Beine. »Er bringt das Schwein um«, sagte einer aus der Menge.

»Nicht schlagen, Eisen. Das habe ich nicht gesagt. Ich befehle dir, nein!« sagte Sammler.

Aber der Gewichtsbeutel sauste von der anderen Seite, sehr weit ausgeholt, aber genau. Er traf härter als das erstemal und schlug den Mann nieder. Er fiel nicht. Er ließ sich herunter, als habe er beschlossen, auf der Straße zu liegen. Das Blut rann aus Stellen an seiner Wange. Das furchtbare Metall hatte ihn durch den Flanell geschnitten.

Eisen wuchtete nun die Waffe über die Schulter, mit der Absicht, sie senkrecht auf den Schädel des Mannes zu schmettern. Sammler ergriff ihn beim Arm und drehte ihn weg. »Du mordest ihn. Willst du ihm das Hirn einschlagen?«

»Du hast's *gesagt*, Schwiegervater.«

Sie stritten sich auf russisch vor den Leuten.

»Du hast gesagt, ich müßte was tun. Du hast gesagt, du müßtest fort. Ich muß was tun. Das habe ich dann.«

»Ich habe nicht gesagt, du solltest ihn mit den verdammten Eisendingern hauen. Ich habe nicht gesagt, daß du ihn überhaupt hauen solltest. Du bist verrückt, Eisen, verrückt genug, ihn zu ermorden.«

Der Taschendieb hatte versucht, sich auf die Ellbogen zu heben. Der Körper ruhte auf den gebeugten Armen. Er blutete dick auf den Asphalt.

»Ich bin entsetzt«, sagte Sammler.

Eisen, noch hübsch, kraushaarig, noch mit dem Lächeln, obwohl jetzt keuchend und mit dem sonderbaren Paar zehenloser Füße schien sich über Sammlers lächerliche Ungereimtheit zu belustigen. Er sagte: »Man kann einen solchen Mann nicht nur einmal schlagen. Wenn man zuschlägt, muß man's richtig machen. Oder er tötet einen. Du weißt es. Du hast im Krieg gekämpft. Du warst Partisan. Du hattest ein Gewehr. Also weißt du's nicht?« Sein Gelächter, seine Logik, lachend und argumentierend über Sammlers Ungereimtheiten, ließen ihn sich wiederholen, bis er stotterte. »Wenn rein – rein. Nein? Wenn raus – raus. Ja? Nein? Also antworte.«

Es war dieses Argumentieren, das Sammlers Herz völlig verstörte. »Wo ist Feffer?« fragte er und wandte sich ab.

Feffer lehnte mit der Stirn gegen den Bus und kam wieder zu Atem. Ohne Zweifel trug er auf. Für Sammler war diese Übertreibung widerwärtig.

Zum Teufel mit diesen – diesen *Ungelegenheiten*. Zum Teufel damit, es war Elya, der ihn brauchte. Es war ausschließlich Elya, den er sehen wollte. Hier war nichts zu sagen. Jetzt hörte er jemand fragen: »Wo ist die Polizei?«

»Beschäftigt. Mit Kassieren. Schreiben irgendwo Strafmandate. Diese Scheißer. Wenn man sie braucht.«

»Da ist 'ne Menge Blut. Die sollten lieber einen Krankenwagen bringen.«

Das Licht auf dem stumpfen Kraushaar des Mannes, dem porösen Kohlengrus des Kopfes, aus dem noch Blut floß, zeigte, daß seine Augen geschlossen waren. Aber er wünschte, auf die Beine zu kommen. Er machte Anstrengungen.

Eisen sagte zu Sammler: »Das ist der Mann, nicht wahr? Der Mann, von dem du erzählt hast, der dir gefolgt ist. Der dir seinen Jinjik gezeigt hat?«

»Fort von mir, Eisen.«

»Was sollte ich tun?«

»Geh weg. Mach daß du hier fortkommst. Du bist in Gefahr«, sagte Sammler. Er sprach zu Feffer. »Was haben Sie jetzt vorzubringen?«

»Ich habe ihn auf frischer Tat ertappt. Bitte warten Sie etwas, er hat mich an der Kehle verletzt.«

»Quatsch, spielen Sie mir nicht Höllenqualen vor. *Dies* ist der Mann. *Er* ist schwer verletzt.«

»Ich schwöre, er hat die Handtasche beraubt, und ich habe zwei Aufnahmen von ihm gekriegt.«

»Ach, *wirklich*?«

»Sie scheinen böse zu sein, Sir. Warum sind Sie böse?«

Sammler sah jetzt den Streifenwagen, das kreisende Dachlicht und die Polizisten, die sich schlendernd nahten und die Menge wegdrängten. Emil zog Sammler zur Seite des Busses und sagte: »Damit haben Sie nichts zu schaffen. Wir müssen fort.«

»Ja, Emil, gewiß.«

Sie überquerten die Straße. Vermeide es, mit der Polizei zusammenzugeraten. Sie könnte ihn stundenlang aufhalten. Er hätte gar nicht bei der Wohnung vorbeifahren sollen. Er hätte geradewegs zur Klinik fahren sollen.

»Ich glaube, ich würde gern vorn bei Ihnen sitzen, Emil.«

»Aber gewiß doch, Sir. Sind Sie ganz zittrig?« Er half ihm hinein. Emils eigene Hand zitterte, und Sammler bebten Arme und Beine. Eine außergewöhnliche Schwäche stieg von unten in den Beinen hoch.

Der große Motor sprang an. Kühle strömte durch die Klimaanlage. Dann reihte sich der Rolls in den Verkehr ein.

»Worum ging es bei dem Ganzen?«

»Ich wollte, ich wüßte es«, sagte Sammler.

»Wer war der schwarze Kerl?«

»Armer Mann, ich kann wirklich nicht sagen, wer er ist.«

»Er hat da zwei böse Dinger abgekriegt.«

»Eisen ist brutal.«

»Was hatte er in dem Beutel?«

»Metallstücke. Ich fühle mich verantwortlich, Emil, weil ich Eisen aufgefordert habe, weil ich so dringend zu Dr. Gruner möchte.«

»Na, vielleicht hat der Bursche einen dicken Schädel. Sie haben sicher noch nie jemanden schlagen sehen, um zu töten. Wollen Sie sich hinten zehn Minuten hinlegen? Ich kann anhalten.«

»Sehe ich krank aus? Nein, Emil. Aber ich glaube, ich schließe die Augen.«

Sammler war krank vor Wut auf Eisen. Der schwarze Mann? Der schwarze Mann war größenwahnsinnig. Aber er besaß eine gewisse – eine gewisse Fürstlichkeit. Die Kleidung, die Brille, die aufwendigen Farben, die barbarisch-majestätische Manier. Er war wahrscheinlich ein irrer Geist. Aber irr mit einer Idee der *noblesse*. Und wie sehr Sammler mit ihm fühlte – wieviel er gegeben hätte, um so grausame Schläge zu verhindern. Wie rot das Blut war, und wie dick – und wie schrecklich diese krustigen, geäderten Metallstücke waren! Und Eisen? Er zählte als Kriegsopfer, war aber vielleicht sowieso verrückt. Auf alle Fälle gehörte er in eine Irrenanstalt. Ein mörderischer Maniker. Wenn Shula und Eisen, dachte Sammler, doch nur ein bißchen weniger geistesgestört gewesen wären. Nur ein bißchen weniger. Dann hätte sie weiter in Haifa Kasino gespielt, die beiden Bestrampelten in ihrem weißgetünchten mediterranen Käfig. Denn sie pflegten die Karten vorzuholen, wenn sie nicht bei den Nachbarn mit ihrem Gebrüll und den Schlägereien Anstoß erregten. Aber nein. Derartige Individuen genossen das Recht, für normal gehalten zu werden. Sie hatten darüber hinaus Freizügigkeit. Sie hatten Pässe und Fahrkarten. Also ist Eisen mit seinen Werken herübergeflogen. Arme Seele. Armer Eisen.

Sie hatten alle so viel Spaß! Wallace, Feffer, Eisen, Bruch auch, und Angela. Sie lachten so viel. Liebe Brüder, laßt uns alle zusammen menschlich sein. Laßt uns alle auf dem großen Juxmarkt sein und diese drollige Sterblichkeit miteinander üben. Seid Spaßmacher für die Lieben und die Nachbarn. Schatzsucher, fliegender Zirkus, komischer Diebstahl, Medaillons, Perücken und Saris, Bärte. Barmherzigkeit das Ganze, reine Barmherzigkeit, wenn man den Stand der Dinge bedachte, die Blindheit des Lebens. Es ist fürchterlich! Nicht zu ertragen! Unerträglich! Belustigen wir uns gegenseitig, solange wir leben!

»Ich parke hier und gehe mit Ihnen rauf«, sagte Emil. »Die können mir einen Strafzettel geben, wenn sie wollen.«

»Der Doktor ist noch nicht zurück?« fragte Emil.

Offenbar nicht. Angela saß allein im Besuchszimmer.

»Dann okay. Ich stehe zur Verfügung, wenn Sie mich brauchen.«

»Ich rauche anscheinend drei Päckchen am Tag. Ich habe keine Zigaretten mehr, Emil. Ich kann mich nicht mal auf eine Zeitung konzentrieren.«

»Benson und Hedges, stimmt's?«

Als er ging, sagte sie: »Ich schicke ungern einen älteren Menschen auf Besorgungen.«

Sammler erwiderte nichts. Der Hut war in seiner Hand. Er legte ihn nicht auf das saubere frischgemachte Bett.

»Emil ist Mitglied von Vaters Gang. Sie sind sehr eng verbunden.«

»Was geht vor?«

»Ich wünschte, ich wüßte es. Er wurde zu Tests runtergeschafft, aber zwei Stunden ist eine lange Zeit. Ich nehme an, Dr. Cosbie kennt sich aus. Ich kann den Mann nicht leiden. Ich falle nicht für den südlichen Charme. Er benimmt sich, als befehlige er eine Militärakademie in den Südstaaten. Aber ich bin nicht einer der Jungs. Drill ist nicht mein Schwarm. Er ist übellaunig, kalt und abstoßend. Einer jener schönen Männer, die nicht einsehen, daß die Frauen sie nicht mögen. Nimm den hohen Stuhl, Onkel. Du magst die lieber. Ich muß mit dir reden.«

Sammler zog den Sitz unter sich und aus dem Licht – es war ihm zuwider, auf ein Fenster zu blicken, durch das nichts zu sehen war als blauer Himmel. Er ahnte Unannehmlichkeiten. Da er selbst aufgestört war, war er für alle Zeichen empfindlich. Eine andere Frau hätte eine hektische Farbe gehabt; Angela war kerzenweiß. Die amüsante rauhe Stimme, vielleicht eine Nachahmung von Tallulah Bankhead, wirkte nicht amüsant. Ihre Kehle trat stark hervor, sie sah geschwollen aus, und die hellbraunen Brauen, die wie Flügel ausgezogen waren, gingen ständig nach oben. Sie versuchte zuweilen, ihm einen bittenden Blick zuzuwerfen. Sie war auch zornig. Es war ein schweres Ringen. Selbst das Furchen der Stirn schien mühevoll. Etwas war blockiert. Zu einer tief ausgeschnittenen Seidenbluse trug sie einen Minirock. Nein, Sammler änderte das, es war ein Mikrorock, ein Band von Grün um die Schenkel. Das Rauschgoldhaar war straff zurückgekämmt, die Haut war voller weiblicher Eigenschaften (die Hormone). Auf den Wangen lagen große goldene Ohrringe. Eine große, wohlgestaltete Frau, kindlich gekleidet, erotisch das Kind spielend; es war nicht wahrscheinlich, daß man sie für einen Jungen hielt. Sammler, der ihr nahe saß, konnte nicht den üblichen arabischen Moschusgeruch wahrnehmen. Statt dessen war ihre weibliche Ausdünstung sehr stark, ein Salzgeruch, Tränen ähnlich oder dem Flutwasser, etwas aus dem Innern der Frau. Elyas Worte hatten stark gewirkt – sein »Zuviel Sex«. Selbst der weiße Lippenstift deutete

auf Perversion. Aber das bedeutete merkwürdigerweise
kein Vorurteil. Sammler hatte kein Vorurteil gegen Perversion, gegen das Geschlechtliche. Nichts. Dazu war es
schon zu spät. Zuviel Druck war spürbar. Viel größere
Kräfte der Entstellung waren am Werk. Der schmetternde
Schlag von Eisens Medaillons gegen das Gesicht des Ta-
schendiebs hallte noch in Sammler wider. Seine eigenen
Nerven – in der elementaren Art von Nerven – verbanden
dies mit dem Zermalmen seines Auges unter dem Gewehrkolben vor dreißig Jahren. Die Empfindung des Erstickens
und Fallens – man *konnte* das wieder durchleben. Wenn
es lohnte. Er wartete auf das gummigedämpfte Bumsen
von Elyas Bahre gegen die Tür.

»Hat sich Wallace sehen lassen? Er sollte in Newark landen.«

»Nein. Ich muß dir von Brüderchen erzählen. Wann hast
du ihn gesehen? Ich habe von Margot die Sache mit den
Rohren gehört.«

»Im Fleisch? Habe ich ihn gestern nacht gesehen. Und
heute morgen am Himmel.«

»Du hast ihn also rumloopen sehen, den Idioten?«

»Hat er einen Unfall gehabt?«

»Ach, mach dir keine Sorgen, er ist nicht verletzt. Ich
wünschte, er hätte einen gehörigen Knacks gekriegt, aber
er ist wie ein Stunt-Mann vom Film.«

»Er ist doch nicht abgestürzt?«

»Wo denkst du hin? Es ist bereits eine Nachricht im Radio.
Er hat sich an einem Haus die Räder abgeschrammt.«

»Großer Gott! Hatte er einen Fallschirm? War es euer
Haus?«

»Er hat 'ne Bauchlandung gemacht. Es war ein großes
Haus in Westchester. Gott allein, weiß, warum dieser Tollhäusler Häuser umschwirrt, wenn wir in solcher Not sind.

Das kann mich zum Wahnsinn treiben.«

»Du meinst doch nicht, daß Elya das im Radio gehört hat!«

»Nein, er hat's nicht gehört. Er fuhr schon im Fahrstuhl runter.«

»Du sagst, Wallace ist nicht verletzt?«

»Wallace ist im siebenten Himmel. Überglücklich. Seine Wange mußte genäht werden.«

»Ah so. Er wird eine Narbe behalten. Das ist alles furchtbar.«

»Du hast zuviel Mitleid mit ihm.«

»Ich gebe zu, daß all dies Bedauern für einen Menschen aufreibend sein kann. Ich bin auch zornig auf ihn.«

»Das solltest du auch. Man müßte meinen kleinen Bruder wirklich einsperren. Ihn in ein Asyl einweisen. Du hättest ihn schwatzen hören sollen.«

»Du hast also mit ihm gesprochen.«

»Er ließ mir durch jemand seine bildschöne Landung beschreiben. Dann nahm er persönlich den Hörer. Etwas Tolles. Als wäre er mit dem Fahrrad zum Nordpol vorgedrungen. Du weißt, wir werden wegen der Beschädigung des Hauses verklagt werden. Das Flugzeug ist kaputt. Civil Aeronautics wird ihm den Flugschein entziehen. Ich wünschte, sie würden auch ihn entziehen. Aber er war sehr hochgestimmt. Er sagte: ›Sollen wir's nicht Vater erzählen?‹«

»Nein!«

»Doch«, sagte Angela. Sie war wütend. Auf Dr. Cosbie, auf Wallace, auf Widick, Horricker. Und sie war auch erbittert über Sammler. Und er selbst war weit von normal. Weit. Der verletzte schwarze Mann. Das Blut. Und jetzt konfrontiert mit all dieser Überweiblichkeit, Sinnlichkeit sah er alles mit gesteigerter Klarheit. Wie er den Riverside Drive böse erleuchtet gesehen hatte, nachdem er im Bus bei der Beraubung der Handtasche Zeuge gewesen war. So sah er auch jetzt. Sehen war köstlich. Ja, gewiß! Ein höchstes Vergnügen. Die Sonne mag scheinen und ein Segen sein, aber manchmal zeigt sie das Wüten der Welt. Eine Helle wie diese, die Deutlichkeit ringsum entmutigte ihn auch. Die weiche Klarheit von Angelas Gesicht, die Mühe ihrer Brauen – die volle Mischung von Feinheit und Geilheit, die er dort sah. Und die Sonne war breit im Fenster. Das geriffelte Glas strömte Licht wie Honig. Ein Sperrgürtel von Süßigkeit und unerträglicher Helligkeit wurde gezogen. Sammler wollte das eigentlich nicht erleben. Es erhob sich alles gegen ihn, zu schwindelnd, zu stürmisch.

»Ich merke, daß du und Elya weiter über diese Affäre gesprochen habt.«

»Er will sie nicht ruhen lassen. Es ist grausam. Für ihn wie für mich. Ich kann ihn nicht daran hindern.«

»Was kannst du überhaupt tun, als nachgeben? Er muß bestimmen, was zu tun ist. Darüber sollte es keine Unstimmigkeit geben. Vielleicht sollte der junge Horricker herkommen. Warum kommt er nicht? Zeigen, daß er sich's nicht zu sehr zu Herzen nimmt. Oder tut er's vielleicht?«

»Er sagt es.«

»Vielleicht liebt er dich.«

»Er? Wer weiß? Aber ich würde ihn nicht auffordern zu kommen. Das hieße, Vaters Krankheit ausnützen.«

»Willst du ihn wiederhaben?«

»Will ich ihn? Vielleicht. Ich bin nicht sicher.«

War ein Nachfolger in Sicht? Da menschliche Bindungen so leicht wogen, gab es vermutlich Listen von Ersatzmännern, vorbewußte Reserven – Männer, die man im Park traf, wenn man den Hund ausführte. Leute, mit denen man im Museum für Moderne Kunst geplaudert hatte, dieser Bursche mit dem Backenbart, jener mit dunklen Sexy-Augen, der Mensch mit einem Kind im Sanatorium, dessen Frau an multipler Sklerose litt. Hand in Hand mit Mengen von Ideen und Zwecken gingen Mengen von Leuten. Und all das stammte aus Angelas Erzählungen. Er hörte und behielt alles, jede öde Tatsache, jedes grellrote Detail. Er wollte nicht zuhören, aber sie erzählte es ihm. Er hatte keinen Wunsch, es zu behalten, aber er behielt alles. Und Angela war wahrhaftig eine Schönheit. Sie war groß, aber eine Schönheit, eine gesunde junge Frau. Gesunde junge Frauen haben ihre Bedürfnisse. Ihre Beine waren schön – ihre Schenkel fast ganz zur Schau gestellt vom grünen Rockband an – und sie auch. Wenn Horricker wußte, daß er sie verloren hatte, würde er leiden. Sammler durchdachte immer noch die Verhältnisse. Müde, schwindlig, verzweifelt dachte er doch noch. War noch in Kontakt. Nämlich mit der Wirklichkeit.

»Wharton ist kein Kind. Er wußte, worauf er sich einließ, dort unten in Mexiko«, sagte Angela.

»Oh, ich verstehe nichts davon. Ich nehme an, er hat ein paar von jenen Büchern gelesen, die du mir geliehen hast – Bataille und andere Theoretiker – über Übergriffe und Schmerz und Sex, Lust, Verbrechen und Begehren; Mord und erotische Freuden. Mir hat es nicht viel bedeutet, dieses ganze Zeug.«

»Ich weiß, das ist nicht deine Sache. Aber Wharton hat mit dieser kleinen Biene schon sein Späßchen gehabt. Er mochte sie. Lieber als ich den anderen Mann mochte. *Den* werde ich nie wiedersehen. Aber dann im Flugzeug wurde Wharton perverser Weise eifersüchtig. Wollte nicht davon abkommen.«

»Mein einziger Gedanke ist, daß Elya sich ruhiger fühlen würde, wenn er Horricker zu sehen kriegte.«

»Ich bin wütend, daß Wharton bei Widick gepetzt hat und Widick bei Vater.«

»Ich bin nicht bereit zu glauben, daß Widick darüber mit Elya sprechen würde. Er ist in den meisten Dingen durchaus anständig. Ich kenne ihn allerdings nicht gut. Mein Haupteindruck ist der eines dicken Anwalts. Kein Bösewicht. Ein großes weiches Gesicht.«

»Dieses fette Schwein. Ich werde ihn beschimpfen, wenn ich ihn sehe. Ich reiße ihm die Haare aus.«

»Sei nicht so sicher, daß es da einen Übeltäter gab. Du kannst dich irren. Elya ist äußerst intelligent und schnell imstande, Andeutungen zu verstehen.«

»Wer könnte es sonst sein? Wallace? Emil? Aber wer immer die Andeutung gemacht hat, es hat mit Wharton angefangen, der zu schwach war, die Schnauze zu halten. Gut, wenn er Vater besuchen will, dann soll er. Aber ich bin gekränkt. Ich bin wütend.«

»Du siehst fiebrig aus, Angela. Ich möchte dich nicht aufregen. Aber in Anbetracht dessen, daß dein Vater über all dies nachgrübelt, über Mexiko, findest du es da richtig, in einem solchen Kostüm aufzutreten?«

»In dem Rock, meinst du?«

»Er ist sehr kurz. Meine Meinung gilt vielleicht nicht viel, aber es scheint mir ein schlechter Einfall, diese Art von sexuellem Kindergartenkleid zu tragen.«

»Jetzt ist es meine Kleidung. Sprichst du für ihn oder für dich?«

Das Sonnenlicht war gelb, süß. Es war grauenhaft.

»Ja ich weiß, ich bin vielleicht nicht gefragt mit den üblen puritanischen Einstellungen aus der kranken Vergangenheit, die der Zivilisation so sehr geschadet hat. Ich habe deine Bücher gelesen. Wir haben das alles durchgesprochen. Aber wirklich, wie erwartest du, daß dein Vater sich nicht aufregt, keine Bitterkeit fühlt, wenn er diesen aufreizenden Baby-Doll-Aufzug sieht?«

»Wirklich? Mein Rock? Auf den Gedanken bin ich gar nicht gekommen. Ich habe mich schnell angezogen und bin davongelaufen. Mir jetzt mit dieser merkwürdigen Sache zu kommen. Alle tragen diese Röcke. Ich glaube, mir gefällt die Art nicht, wie du das ausdrückst.«

»Unzweifelhaft hätte ich es besser formulieren können. Ich will nicht verletzend sein. Es gibt anderes zu bedenken.«

»Das stimmt. Und ich stehe unter einer schrecklichen Last. Es ist schrecklich.«

»Ganz sicher.«

»Ich bin verzweifelt, Onkel.«

»Ja, das mußt du sein. Natürlich bist du's. Ja.«

»Ja, was? Es klingt, als käme noch etwas nach.«

»Kommt auch. Ich bin ebenfalls erschüttert über deinen Vater. Er war für mich ein großartiger Freund. Ich bin auch seinetwegen verzweifelt.«

»Wir brauchen nicht um den heißen Brei herumzureden, Onkel.«

»Nein. Er wird sterben.«

»Das heißt allerdings, die Dinge beim Namen nennen«, sagte sie. Sie war für offene Worte, war dies zu offen?

»Es ist so furchtbar zu sagen, wie zu hören.«

»Ich bin sicher, du liebst Vater«, sagte sie.

»Das tue ich.«

»Abgesehen von den praktischen Gründen, meine ich.«

»Gewiß, Shula und ich sind von ihm unterstützt worden. Ich habe meine Dankbarkeit nie verhehlt. Ich hoffe, sie ist kein Geheimnis geblieben«, sagte Sammler. Da er vertrocknet und alt war, würde das Schlagen seines Herzens, selbst ein heftiges Schlagen, nicht sichtbar werden. »Wenn ich sehr praktisch wäre, würde ich mich hüten, dich gegen mich aufzubringen. Ich meine, es gibt andere Gründe als die praktischen.«

»Nun, ich hoffe, wir werden uns nicht zanken.«

»Richtig«, sagte Sammler. Sie war zornig auf Wallace, auf Cosbie, Horricker. Er wollte sich nicht zu dieser Liste gesellen. Er brauchte keinen Sieg über Angela. Er wollte sie nur von etwas überzeugen und wußte nicht, ob auch nur das möglich war. Er wollte ganz gewiß keinen Krieg gegen leidende Weiber führen. Er begann zu sprechen: »Ich fühle mich ganz kribbelig, Angela. Es gibt gewisse zerstörte Nerven, von denen man jahrelang nichts hört, und dann melden sie sich auf einmal, flammen hoch. Sie brennen jetzt, sehr schmerzhaft. Ich möchte dir nun etwas über deinen Vater sagen, solange wir auf ihn warten. Oberflächlich gesehen habe ich mit Elya nicht viel gemeinsam. Er ist ein sentimentaler Mensch. Er macht es sich zum Anliegen, allzu sehr zum Anliegen, gewisse alte Gefühle zu pflegen. Er gehört zu einem alten System. Ich bin da selbst immer skeptisch gewesen. Man könnte fragen, wo ist das neue System? Aber wir brauchen das nicht zu erörtern. Ich fühlte von Natur aus keine große Neigung zu Menschen, die offene Liebeserklärungen machen. Ein ›Brite‹ zu sein, war eine meiner Schwächen. Kalt? Aber ich begrüße immer noch eine gewisse Zurückhaltung. Ich mochte die Art nicht, wie Elya jeden umwarb, mit Menschen Kontakte suchte, indem er ihre Herzen für sich gewann, ihr Interesse erweckte, selbst mit Kellnerinnen, Laborgehilfinnen und Maniküren persönlich wurde. Er sagte immer gar zu leicht ›Ich liebe dich‹. Er sagte es dauernd vor allen Leuten zu deiner Mutter und brachte sie in Verlegenheit. Ich habe nicht die Absicht, über sie mit dir zu sprechen. Sie hatte ihre guten Seiten. Aber wenn ich ein Snob mit dem Britentum war, war sie eine deutsche Jüdin, die den Weißen, Angelsächsischen Protestantischen Stil kultivierte (der jetzt übrigens unmodern geworden ist), und ich habe es erkannt. Sie woll-

te deinen Vater, einen Ostjuden, kultivieren. Er sollte der
Ausdrucksstarke sein, der mit dem Herzen. Stimmt das
nicht etwa? Also wurde deinem Vater aufgegeben, aus-
drucksstark zu sein. Deine Mutter hatte ihm wahrhaftig
die Arbeit genau zugeschnitten. Ich glaube, es wäre leichter
gewesen, ein geometrisches Theorem zu lieben als deine
arme Mutter. Entschuldige mich, Angela, daß ich so da-
herrede.«
Sie sagte: »Hier zu warten ist sowieso, als säßen wir am
Rande einer Klippe.«
»Gut, Angela. Dann mag man auch ruhig reden. Nicht um
deine Schwierigkeiten zu vermehren ... Ich habe etwas
besonders Häßliches gesehen, auf meinem Wege hierher.
Teilweise meine Schuld. Ich fühle mich bekümmert. Aber
ich sage, daß dein Vater seine Aufgaben gehabt hat. Ehemann, Mediziner, er war ein guter Arzt – Familienmann,
Erfolg, Amerikaner, reicher Ruhestand mit einem Rolls-
Royce. Wir haben unsere Aufgaben. Gefühl, überströmen-
de Herzlichkeit, Ausdrucksstärke, Güte, Herz – alle diese
feinen menschlichen Dinge kommen durch einen absonderlichen Meinungsumschwung den Leuten heutzutage als
lichtscheue Handlungen vor. Offenheit und Unverblümtheit über Laster scheinen weit einfacher. Auf alle Fälle
liegt da Elyas Aufgabe. Das steht in seinem guten Gesicht. Deshalb hat er einen so menschlichen Ausdruck. Er
hat etwas aus sich gemacht. Er hat sich nicht schlecht bewährt. Er konnte die Chirurgie nicht leiden. Du weißt das.
Er hatte einen Widerwillen gegen die drei- und vierstün-
digen Operationen. Aber er hat sie ausgeführt. Er tat, was
er haßte. Er hatte eine unsichere Loyalität gegenüber gewissen reinen Zuständen. Er wußte, daß es früher gute
Menschen gegeben hatte und daß gute Menschen kommen
würden, und er wollte einer von ihnen sein. Ich glaube,

er machte es gut. Ich schneide nicht annähernd so gut ab. Bis ich vierzig war, war ich lediglich ein anglophiler polnischer Jude und ein Mensch der Kultur – verhältnismäßig unnütz. Aber Elya hat durch sentimentale Wiederholung und mit Formeln, wenn du so willst, teilweise auch durch Propaganda, etwas Gutes geleistet. Hat sich durchgebracht. Er liebt dich. Ich bin sicher, er liebt Wallace. Ich glaube, er liebt mich. Ich habe viel von ihm gelernt. Ich habe keine Illusionen über deinen Vater, verstehst du. Er ist leicht gekränkt, prahlerisch, er wiederholt sich. Er ist eitel, verdrießlich, stolz. Aber er hat sich gut geschlagen, und ich bewundere ihn.«

»Er ist also menschlich. Meinetwegen ist er menschlich.« Sie folgte ihm vielleicht nur halb, obwohl sie ihn gerade ansah, Gesicht ihm voll zugewandt, Knie gespreizt, so daß man den rosa Stoff ihrer Unterwäsche sah. Als er das rosa Band erblickte, dachte er: »Warum sich streiten? Was bezweckt das?« Aber er erwiderte: »Nun ja, jeder ist bis zu einem gewissen Grade menschlich. Manche mehr als andere.«

»Manche sehr wenig?«

»So sieht es aus. Sehr wenig. Fehlerhaft. Spärlich. Gefährlich.«

»Ich dachte, jeder würde menschlich geboren.«

»Das ist durchaus keine natürliche Gabe. Nur die Fähigkeit ist natürlich.«

»Sag, Onkel, warum unterwirfst du mich all diesem? Was hast du im Sinn? Du hast eine Absicht dabei.«

»Ja, das kann stimmen.«

»Du kritisierst mich.«

»Nein, ich lobe deinen Vater.«

Angelas Augen waren erweitert, glänzend, verschmiert, erzürnt. Keinen Streit, um Gottes willen, mit einer verzweifelnden Frau. Immerhin wollte er auf etwas hinaus.

344

Er hielt den hageren Körper steif, die ingwergrauen Brauen überwucherten die getönte Trübung der Gläser.

»Mir gefällt die Meinung nicht, die du von mir hast«, sagte sie.

»Warum sollte das an einem Tag wie heute etwas ausmachen? Gott, vielleicht fühle ich auch, daß heute ein Unterschied sein sollte. Wenn wir in Finnland oder Indien wären, befänden wir uns vielleicht nicht in genau der gleichen Stimmung. New York läßt einen an das Ende der Zivilisation denken, an Sodom und Gomorrha, das Ende der Welt. Das Ende käme hier nicht als Überraschung. Viele Leute rechnen schon damit. Und ich weiß nicht, ob die Menschheit wirklich so viel schlechter geworden ist. An einem einzigen Tage schlachtete Caesar die Tenkterer, vierhundertunddreißigtausend Seelen. Selbst Rom war entsetzt. Ich bin nicht sicher, daß dies die schlechteste aller Zeiten ist. Aber es liegt jetzt in der Luft, daß alles auseinanderfällt, und ich bin davon angesteckt. Ich habe immer Leute gehaßt, die sagten, dies sei das Ende. Was wußten sie vom Ende? Aus persönlicher Erfahrung, aus dem Grab, wenn ich so sagen darf, wußte ich etwas davon. Aber ich habe mich platterdings vollkommen geirrt. Jeder mag die Wahrheit fühlen. Aber angenommen, es wäre wahr – wahr und nicht eine Laune, nicht Unwissenheit und zerstörerisches Vergnügen oder das von Menschen ersehnte Verhängnis, die alles versaut haben. Angenommen, es wäre so. Dann gibt es noch immer so etwas wie einen Mann – oder es gab ihn. Es gibt noch menschliche Qualitäten. Unser schwaches Geschlecht bekämpfte seine Furcht, unser verrücktes Geschlecht bekämpfte seine Kriminalität. Wir sind ein Tier mit Genie.«

Das war etwas, was er oft dachte. Im Augenblick war es nur eine Formel. Kein tiefgehendes Gefühl.

»Okay, Onkel.«

»Aber wir müssen nicht entscheiden, ob die Welt zu Ende geht. Die Sache ist, daß für deinen Vater wirklich das Ende da ist.«

»Warum betonst du das, als wüßte ich es nicht? Was willst du von mir?«

Ja was? Von ihr, die da saß, Brüste zur Schau, weibliche Gerüche verbreitend, große Augen praktisch ineinander aufgegangen, gequält und in diesem Augenblick seltsam von Caesar und den Tenkterern geplagt, von Ideen. Laß das arme Wesen in Frieden. Denn jetzt gab sie sich als armes Wesen aus. Und war es auch. Aber er konnte sie nicht in Frieden lassen – noch nicht.

»In der Regel führen diese Aneurysman den sofortigen Tod herbei«, sagte er. »Bei Elya hat es einen Aufschub gegeben, der eine Gelegenheit bietet.«

»Eine Gelegenheit? Was meinst du damit?«

»Die Chance, manches zu klären. Und sie hat deinen Vater realistisch gemacht – daß er sich Tatsachen stellte, die undurchsichtig waren.«

»Tatsachen über mich, zum Beispiel? Er wollte eigentlich nichts über mich wissen.«

»Doch.«

»Worauf willst du hinaus?«

»Du mußt etwas für ihn tun. Er braucht es.«

»Was für ein etwas soll ich für ihn tun?«

»Das mußt du entscheiden. Wenn du ihn liebst, kannst du irgendein Zeichen geben. Er grämt sich. Er ist wütend. Er ist enttäuscht. Und ich glaube eigentlich nicht, daß es nur der Sex ist. In diesem Augenblick könnte der durchaus trivial erscheinen. Siehst du das nicht, Angela? Du brauchst nicht viel zu tun. Es würde dem Mann eine letzte Gelegenheit geben, sich zu sammeln.«

»So weit ich sehen kann – wenn überhaupt etwas in dem steckt, was du da sagst, willst du eine altbewährte Totenbettszene.«

»Was macht das schon für 'nen Unterschied, wie du's nennst?«

»Ich sollte ihn um Vergebung bitten? Ist das dein Ernst?«

»Mein voller Ernst.«

»Aber wie könnte ich das – das läuft allem zuwider. Du sprichst mit der falschen Person. Selbst für meinen Vater wäre das zu schmierenhaft. Ich kann es nicht einsehen.«

»Er ist ein guter Mann gewesen. Und er wird weggerissen. Kannst du dir nichts ausdenken, was du zu ihm sagen willst?«

»Was ist da zu sagen? Und kannst du an nichts anderes denken als Tod?«

»Aber den haben wir vor uns.«

»Und du willst nicht aufhören. Ich weiß, du willst noch etwas sagen. Gut, sage es.«

»Unverblümt?«

»Unverblümt. Je kürzer, desto besser.«

»Ich weiß nicht, was in Mexiko passiert ist. Die Einzelheiten sind unwichtig. Ich nehme nur als Besonderheit zur Kenntnis, daß es möglich ist, fröhlich, amourös und intim mit Ferienbekannten zu verkehren. Ausschweifungen, Gruppengeschlechtsverkehr, Fellatio mit Fremden – das kann man, aber nicht bei der letzten Gelegenheit sich mit dem eigenen Vater versöhnen. Er hat eine ungeheure Menge Gefühl in dich gelegt. Wahrscheinlich hat der größte Teil seines Gefühls dir gegolten. Wenn du in irgendeiner Weise dies erkennst und dich erkenntlich zeigst ...«

»Onkel Sammler!« Sie war außer sich.

»Ah, du bist zornig. Natürlich.«

»Du hast mich beleidigt. Du hast es hartnäckig genug versucht. Ja, nun hast du – hast du mich beleidigt, Onkel Sammler.«

»Das war nicht die Absicht. Ich meine nur, daß es Dinge gibt, die jeder weiß und wissen muß.«

»Um Gottes willen, hör auf damit.«

»Ich werde mich um eigene Angelegenheiten kümmern.«

»Du führst ein gesondertes Leben in deinem trüben Zimmer. Charmant, aber steht es mit irgend etwas in Berührung? Ich glaube nicht, daß du die Angelegenheiten von Menschen verstehst. Was meinst du mit Fellatio? Was verstehst *du* davon?«

Nun denn, es hatte nichts gefruchtet. Was sie ihm an den Kopf warf, war das gleiche, was auch der junge Mann in der Universität Columbia ihm zugerufen hatte. Er war ausgeschieden. Ein großer vertrockneter, nicht angenehmer alter Mann, kritiksüchtig, der sich aufspielte. Wer zum Teufel war er? *Hors d'usage.* An die Wand. *A la lanterne!* Sehr gut. Das war wenig genug. Er hätte vielleicht Angela nicht so schmerzhaft herausfordern sollen. Jetzt zitterte er selbst schon.

In diesem Augenblick kam die graue Schwester und rief Sammler ans Telefon. »Sie sind doch Mr. Sammler, nicht wahr?«

Er fuhr auf. Er kam schnell auf die Beine. »Ah. Wer verlangt mich? Wer ist es?« Er wußte nicht, was er erwarten sollte.

»Sie werden am Telefon verlangt. Ihre Tochter. Sie können draußen am Pult sprechen.«

»Ja, Shula, ja?« sagte ihr Vater. »Sprich nur. Was ist es? Wo bist du?«

»In New Rochelle. Wo ist Elya?«

»Wir warten auf ihn. Was willst du jetzt, Shula?«

»Hast du das von Wallace gehört?«

»Ja, ich hab's gehört.«

»Er hat wirklich was Großes vollbracht, als er das Flugzeug ohne Räder zur Landung brachte.«

»Ja, hervorragend. Er ist wahrhaftig wunderbar. Jetzt, Shula, möchte ich, daß du da wegkommst. Du sollst nicht im Haus rumstreichen, du hast da nichts zu suchen. Ich wollte, daß du mit mir zurückfährst. Du sollst mir nicht ungehorsam sein.«

»Das fiele mir nicht im Traum ein.«

»Du warst es aber.«

»Nein. Wenn wir uneins sind, dann ist es in deinem Interesse.«

»Shula, spiele nicht mit mir. Genug von meinen Interessen. Laß sie in Frieden. Du hast mit einer Absicht angerufen. Ich fürchte, ich fange an zu verstehen.«

»Ja, Vater.«

»Du hast Erfolg gehabt!«

»Ja, Vater, freust du dich nicht? In dem – rate mal, wo. In der Höhle, wo du geschlafen hast. In dem Fußkissen, auf dem du heute morgen gesessen hast. Als ich den Kaffee reinbrachte und dich darauf sah, sagte ich ›Da ist das Geld drin‹. Ich war beinahe sicher. Als du dann weg warst, kam ich wieder her und öffnete es, und es war voll – voller Geld. Hättest du das von Vetter Elya geglaubt? Ich bin von ihm überrascht. Ich wollte es nicht glauben. Das Fußkissen war mit Päckchen von Hundertdollarscheinen gepolstert. Geld war die Polsterung.«

»Du lieber Gott.«

»Ich habe es nicht gezählt«, sagte sie.

»Ich möchte nicht, daß du lügst.«

»Nun schön. Ich hab's gezählt. Aber ich weiß wirklich nicht mit Geld umzugehen. Ich verstehe nichts vom Geschäft.«

»Hast du mit Wallace am Telefon gesprochen?«

»Ja.«

»Hast du ihm davon erzählt?«

»Ich habe kein Wort davon gesagt.«

»Gut, sehr gut, Shula. Ich erwarte, daß du es Mr. Widick aushändigst. Ruf ihn an, er soll kommen und es abholen, und sag ihm, du wollest eine Quittung darüber.«

»Vater.«

»Ja, Shula.«

Er wartete. Er wußte, daß sie eins jener weißen Telefone in New Rochelle umklammert hielt und ihre Gründe zusammensuchte, daß sie ihren Widerwillen gegen seine altväterliche Hartnäckigkeit bemeisterte. Auf ihre Kosten. Er wußte recht wohl, was sie empfand. »Wovon willst du leben, Vater, wenn Elya tot ist?«

Eine ausgezeichnete Frage, eine schlaue, relevante Frage. Er hatte es mit Angela verdorben, er hatte sie in Wut versetzt. Er wußte, was sie sagen würde: »Ich werde dir nie verzeihen, Onkel.« Und was noch mehr war, sie würde es auch nicht tun.

»Wir leben von dem, was da ist.«

»Aber angenommen, er hat keine Vorsorge getroffen.«

»Das ist dann, wie er es wünscht. Vollständig sein Entschluß.«

»Wir sind ein Teil der Familie. Du stehst ihm am nächsten.«

»Du wirst tun, wie ich's dir sage.«

»Hör mir zu, Vater. Ich muß mich um dich kümmern. Du hast mir noch nicht mal was darüber gesagt, daß ich's gefunden habe.«

»Das war verdammt klug von dir, Shula. Ja. Ich gratuliere. Das war klug.«

»Das war's wirklich. Ich merkte, wie sich das Fußkissen unter dir bauschte, nicht wie andere Polster, und als ich es befühlte, hörte ich das Geld rascheln. Ich wußte vom Rascheln, was es war. Selbstverständlich habe ich Wallace nichts erzählt. Er würde es innerhalb einer Woche verplempern. Ich dachte, ich kaufe mir Kleider. Wenn ich mich bei Lord & Taylor einkleide, bin ich vielleicht nicht mehr ein so exzentrischer Typ und hätte bei jemandem eine Chance.«

»Wie Govinda Lal.«

»Ja, warum nicht? Ich habe mich innerhalb meiner Möglichkeiten so interessant gemacht, wie es ging.«

Ihr Vater war darüber erstaunt. Exzentrischer Typ? Sie *war* sich also ihrer selbst bewußt. Es *gab* einen Grad der freien Entscheidung. Perücke, Fleddern, Einkaufstaschen waren in Grenzen Absicht. Hatte sie das gemeint? Wie faszinierend!

»Und ich finde«, sagte sie, »daß wir dies behalten sollten. Ich glaube, Elya wäre dafür. Ich bin eine Frau ohne Ehemann und habe nie Kinder gehabt, und dieses Geld kommt von der Verhütung von Kindern, und ich finde es nur richtig, daß ich es nehme. Auch für dich, Vater.«

»Ich fürchte nein, Shula. Elya könnte Mr. Widick schon von diesem Hort erzählt haben. Tut mir leid. Aber wir sind keine Diebe. Es ist nicht unser Geld. Sag mir, wieviel es war.«

»Jedesmal wenn ich zähle, kommt etwas anderes heraus.«

»Wieviel war es das letzte Mal?«

»Entweder sechs- oder achttausend. Ich habe es alles auf dem Fußboden ausgelegt. Aber ich war zu aufgeregt, um richtig zu zählen.«

»Ich nehme an, es ist viel viel mehr, und ich kann dir nicht erlauben, davon das geringste zu behalten.«

»Dann nicht.«

Natürlich täte sie's, dessen war er sicher. Als Trödelsammler, Schatzsucher wäre sie unfähig, alles herzugeben.

»Du mußt Widick jeden letzten Cent geben.«

»Ja, Vater. Es ist schmerzlich, aber ich will's tun. Ich übergebe es an Widick. Ich finde, du machst einen Fehler.«

»Kein Fehler. Und mach dich nicht davon wie mit Govindas Manuskript.«

Zu spät für die Versuchung. Ein weiterer Wunsch zerstoben. Er war sehr nahe daran, in sich hinein zu lächeln.

»Auf Wiedersehn, Shula. Du bist eine gute Tochter. Die allerbeste. Es gibt keine bessere Tochter.«

Wallace hatte also doch recht gehabt mit seinem Vater. Er hatte der Mafia Liebesdienste erwiesen. Gewisse Operationen ausgeführt. Das Geld existierte wirklich. Es war jedoch keine Zeit, über all dies nachzudenken. Er legte das Telefon auf und verließ den marmornen Empfangstisch, um festzustellen, daß Dr. Cosbie auf ihn gewartet hatte. Dieser einstige Footballstar im weißen Kittel hatte die untere Lippe gegen die obere gepreßt. Das blutlose Gesicht und die gasblauen Augen waren darauf trainiert, Botschaften des Chirurgen zu übermitteln. Die Botschaft war eindeutig. Alles war vorbei.

»Wann ist er gestorben«, fragte Sammler. »Eben erst?«

Während ich mich so töricht mit Angela zankte!

»Vor einiger Zeit. Wir hatten ihn unten in der Spezialabteilung und taten unser Möglichstes.«

»Sie konnten nichts gegen eine Blutung ausrichten, ich verstehe, ja.«

»Sie sind sein Onkel. Er hat mich gebeten, Ihnen Lebewohl zu sagen.«

»Ich wünschte, ich hätte es auch ihm sagen können. Es ist also nicht auf einen Schlag geschehen?«

»Er wußte, daß es einsetzte. Er war Arzt. Er wußte es. Er bat mich, ihn aus dem Zimmer zu nehmen.«

»Er hat Sie darum gebeten?«

»Es war unverkennbar, daß er seine Tochter verschonen wollte. Deshalb habe ich Tests gesagt. Ist es Miß Angela?«

»Ja, Angela.«

»Er sagte, er zöge es unten vor. Er wußte, daß ich ihn auf alle Fälle hinbringen würde.«

»Gewiß, als Chirurg wußte Elya Bescheid. Er wußte natürlich auch, daß die Operation vergeblich war, die ganze Folter mit der Schraube in seinem Hals.« Sammler nahm die Brille ab. Seine Augen, eines eine blicklose Blase, unter dem Haar der überhängenden Brauen, waren mit Cosbies auf gleicher Höhe. »Natürlich war's vergeblich.«

»Das Verfahren war korrekt. Das wußte er.«

»Mein Neffe wollte immer zustimmen. Natürlich wußte er Bescheid. Es wäre vielleicht menschenfreundlicher gewesen, ihn dieser Sache nicht auszusetzen.«

»Sie wollen jetzt wohl hineingehen, um es Miß Angela mitzuteilen.«

»Teilen Sie's bitte Miß Angela selber mit. Ich möchte indessen meinen Neffen sehen. Wie gelange ich zu ihm? Sagen Sie mir bitte Bescheid.«

»Sie werden warten müssen, bis Sie ihn in der Bestattungskapelle sehen. Es ist nicht erlaubt.«

»Junger Mann, es ist wichtig, und ich rate Ihnen, es mir zu erlauben. Glauben Sie meinem Worte. Ich bin entschlossen. Wir wollen hier auf dem Korridor keine häßliche Szene aufführen. Das wollen Sie doch sicher nicht, oder?«

»Würden Sie eine machen?«

»Jawohl.«

»Ich schicke die Schwester mit Ihnen«, sagte der Arzt.

Sie fuhren im Fahrstuhl abwärts, die graue Frau und Mr. Sammler, und gingen durch untere Passagen, die mit gesprenkeltem Material gepflastert waren, durch Tunnels, Rampen rauf und runter, an Laboratorien vorbei und Vorratsräumen. Ja, diese berühmte Wahrheit, auf die er so scharf war, er hatte sie jetzt, oder sie hatte ihn. Er fühlte, daß er zerstört wurde, das, was von ihm übrig war. Er weinte vor sich hin. Er ging mit seinem üblichen schleunigen, beschwingten Schritt und wartete an Kreuzungen auf die begleitende Schwester. In bewegter Luft, die mit Körperlichem, Krankheit, Drogen geschwängert war. Er fühlte, daß er auseinanderbrach, daß unregelmäßige große Bruchstücke in seinem Innern schmolzen, funkelnd vor Schmerz, und davonschwammen. Ja, Elya war dahin. Er hatte wieder etwas verloren, war eines weiteren Menschen beraubt. Ein weiterer Grund zu leben verträpfelte. Es benahm ihm den Atem. Dann holte die Frau ihn ein. Wieder Hunderte von Metern in diesem gewundenen Untergrund, der nach Serum, organischer Suppe, nach Pilz und Zellengebräu roch. Die Schwester nahm Mr. Sammlers Hut und sagte: »Da drinnen.« Die Aufschrift auf der Tür lautete: P. M. Das mußte bedeuten: Post Mortem. Sie waren bereit, eine Autopsie durchzuführen, sobald Angela die Urkunde unterschrieb. Und sie würde selbstverständlich unterschreiben. Finden wir, was schiefgegangen ist. Und danach Einäscherung.

»Dr. Gruner sehen. Wo?« sagte Sammler.

Der Wärter deutete auf eine Bahre mit Rädern, auf der Elya lag. Sammler enthüllte sein Gesicht. Die Nasenlöcher, die Runzeln waren sehr dunkel, die geschlossenen Augen blaß und voll, der kahle Schädel durch gestufte Furchen gezeichnet. In den Lippen eine Mischung von Bitterkeit und einem Zug des Gehorsams.

Sammler sagte in gedanklichem Flüstern: »Ach, Elya. Ach, ach, Elya.« Und dann, ebenso, sagte er: »Gedenke, Gott, der Seele Elya Gruners, der so willig wie möglich und so gut er konnte und selbst bis zur Unerträglichkeit, und selbst

354

im Ersticken und als der Tod kam, bemüht war, vielleicht gar kindisch (möge mir das verziehen sein), ja sogar mit einer gewissen Servilität, bemüht war zu tun, was von ihm gefordert wurde. In seinen besten Augenblicken war dieser Mann viel gütiger, als ich in meinen allerbesten je gewesen bin oder sein konnte. Er war sich bewußt, daß er – in all der Wirrnis und würdelosen Hanswursterei dieses Lebens, das wir durcheilen –, daß er die Satzungen seines Vertrages erfüllen mußte; und er erfüllte sie. Die Satzungen, von denen im innersten Herzen jeder Mensch weiß. Wie ich von meinen weiß. Wie alle wissen. Denn das ist die inneliegende Wahrheit – daß wir alle wissen, Gott, daß wir wissen, daß wir wissen, wir wissen, wir wissen.«

SAUL BELLOW
MEHR NOCH STERBEN AN GEBROCHNEM HERZEN
Roman

Titel der Originalausgabe: *More Die of Heartbreak*
Aus dem Amerikanischen von Helga Pfetsch
Gebunden

In tragikomische amouröse Abenteuer verstrickt, muß der renommierte amerikanische Botaniker Benn Crader erfahren, wie übel einem anständigen Menschen in der heutigen auf Erfolg und Geld ausgerichteten Zeit mitgespielt wird. Ein großer ideenreicher Roman des amerikanischen Nobelpreisträgers Saul Bellow, ein Buch zum Lachen und Nachdenken.

»Ein wortgewaltiges und unterhaltsames Buch, in dem sich Gedankenreichtum mit komischen Szenen verbindet.« *Los Angeles Times Book Review*

KIEPENHEUER & WITSCH

Saul Bellow
im dtv

Foto: Thomas Victor

Mr. Sammlers Planet

Mit den Augen eines weise gewordenen europäischen Intellektuellen zeigt Saul Bellow New York aus einer Perspektive, die voller Tragik und Komik zugleich ist: »Alle menschlichen Typen sind reproduziert: der Barbar, die Rothaut, der Dandy, der Büffeljäger, der Desperado, der Schwule, der Sexualphantast, Dichter, Maler, Schürfer...«
dtv 11200

Der mit dem Fuß im Fettnäpfchen
Erzählungen

»Ich sehe nicht einmal aus wie ein Amerikaner«, sagt Mr. Shawmut, Held der Titelgeschichte, »– ich bin groß, aber ich habe einen krummen Rücken, mein Hintern sitzt höher als bei anderen Menschen, ich habe stets das Gefühl, daß meine Beine unverhältnismäßig lang sind: man brauchte einen Ingenieur, um die Dynamik auszutüfteln...« – der amerikanische Nobelpreisträger von einer leichten, heiteren Seite.
dtv 11215 (Juni 1990)

Der Regenkönig

Eugene Henderson, ein spleeniger Millionär, hat die Nase voll vom »American way of life«, läßt Familie und Reichtum hinter sich und sucht sein Glück in Afrika. Dort wird er von den Wariwaris zum Regenkönig gekürt – ein nicht ganz ungefährliches Amt, wie sich herausstellt. Ein moderner Schelmenroman voll hintergründiger Komik.
dtv 11223 (Juni 1990)

Isaac B. Singer im dtv

Feinde, die Geschichte einer Liebe

Immer noch von Ängsten gepeinigt, lebt ein der Nazi-Verfolgung entkommener Jude in einer fatalen Konstellation zwischen drei Frauen. dtv 1216

Der Kabbalist vom East Broadway

Geschichten von jiddisch sprechenden Menschen, denen Singer in seiner geliebten Cafeteria am East Broadway begegnete. dtv 1393

Leidenschaften – Geschichten aus der neuen und der alten Welt

Autobiographische Erzählungen über Okkultisches, Übersinnliches und Phantastisches. dtv 1492

Das Landgut

Kalman Jacobi, ein frommer jüdischer Getreidehändler, wird 1863 Pächter eines enteigneten Landguts in Polen und gerät mit seiner Familie in den Sog der neuen Zeit. dtv 1642

Schoscha

»Eine Liebesgeschichte aus dem Warschauer Ghetto und zugleich ein Gesellschaftsroman unter Intellektuellen.« (Stuttgarter Zeitung) dtv 1788

Das Erbe

Auch Kalman Jacobis Familie wird von den politischen und sozialen Veränderungen gegen Ende des 19. Jahrhunderts erfaßt. dtv 10132

Eine Kindheit in Warschau

Singer erinnert sich an seine Kindheit im Warschauer Judenviertel. dtv 10187

Verloren in Amerika

Singer als kleiner Junge auf der Suche nach Gott, als junger Mann auf der Suche nach Liebe, und als einsamer Emigrant in New York. dtv 10395

Die Familie Moschkat

Eine Familiensaga aus der Welt des osteuropäischen Judentums in der Zeit von 1910 bis 1939. dtv 10650

Old Love

Geschichten von der Liebe dtv 10851

Ich bin ein Leser

Gespräche mit dem Literaturwissenschaftler Richard Burgin. dtv 10882

Der Büßer

Joseph Shapiro entkommt dem Holocaust und bringt es in den USA zu Vermögen, Ehefrau und obligater Geliebter. Eines Tages merkt er, daß er seine – wenn auch ökonomisch wie erotisch erfolgreiche – Existenz nicht mehr aushält ... dtv 11170

John Steinbeck
im dtv